VOS POSSIBILITÉS SONT INFINIES

Titre Original : Infinite Possibilities, the art of living your deams
Traduit de l'anglais (US) par Éric Villeroc

ISBN : 978-2-286-07694-8

Edition exclusivement réservée aux adhérents du Club
LE GRAND LIVRE DU MOIS

MIKE DOOLEY

VOS POSSIBILITÉS SONT INFINIES

Vivez enfin vos rêves

LE GRAND LIVRE DU MOIS

À ma mère et à tous ceux qui ont pris le temps de m'exprimer leur gratitude pour la version originale de ce livre, sous forme d'un programme audio de douze heures, au cours des neuf dernières années.

Vous me demandez souvent si je me rends compte de l'importance qu'a mon travail à vos yeux, mais je me demande moi aussi si vous mesurez à quel point vos encouragements ont compté pour moi.

PRÉFACE

Il ne saurait y avoir de meilleur moment que celui-ci, en cet instant même, à ce carrefour de l'histoire, pour découvrir enfin qui vous êtes vraiment et de quoi vous êtes capable. Ne laissez pas le titre de ce livre vous induire en erreur, s'il vous plaît. S'il vise effectivement à vous apprendre le pouvoir qui est le vôtre, il a également pour objectif de vous enseigner vos responsabilités. Il vous indiquera très exactement comment fonctionner dans l'espace que délimitent ces deux piliers, de manière à ce que vous puissiez évoluer dans le monde et découvrir des opportunités là où d'autres n'ont trouvé que des portes fermées. Nous vivons une époque de changements et de bouleversements : l'Ancien Monde cède la place au nouveau, la naïveté s'efface devant la vérité, et la spiritualité est en voie d'acquérir une signification toute nouvelle. Ceux qui ont découvert leur grandeur, qui honorent leur passion et qui assument la responsabilité de leur propre bonheur inaugurent de la sorte un âge d'or à côté duquel ceux qui l'ont précédé sembleront insignifiants. Être vivant sur Terre n'a jamais été aussi excitant qu'aujourd'hui.

J'ai commencé la rédaction des chapitres qui suivent le 1er janvier 2001, sous la forme du script d'un programme audio qui allait finalement donner naissance à ce livre.

Quelques semaines seulement auparavant, j'avais annoncé à toute ma liste de contacts Internet que ce programme leur serait offert sous la forme de 12 enregistrements d'une heure, au cours de l'année à venir, à raison d'un par mois. J'étais en retard.

J'étais également inquiet. Je démarrais une nouvelle vie professionnelle, en tant qu'écrivain à plein temps cette fois, sans même être en mesure d'expliquer pourquoi je commençais une nouvelle carrière, sinon – bien sûr – parce que je ne gagnais plus d'argent. Mais je connaissais deux ou trois choses sur la vie et son fonctionnement, sur notre divinité et notre pouvoir, et sur la façon de s'accrocher à un rêve et d'évoluer physiquement avec lui.

Depuis cette époque, *Vos possibilités sont infinies* est devenu l'une des meilleures ventes audio sur Internet et dans l'Univers du développement personnel. Cette série d'enregistrements m'a conduit à donner des interventions publiques dans le monde entier, à figurer dans le livre et le DVD *Le Secret*, tous les deux best-sellers, et à mettre sur pied *Notes from the Universe*, le courriel quotidien que j'adresse à une liste qui dépasse aujourd'hui les 300 000 personnes, dans 182 pays, destiné à rappeler à tous ces gens combien ils sont puissants, quelle est leur vraie valeur et toutes les choses qu'ils méritent.

Ce que j'ai découvert une fois encore, par la même occasion, c'est que le fait de me souvenir de ma vraie place dans la vie – en comprenant le rôle que j'y joue, puis en faisant la démonstration de cette compréhension dans mes pensées, mes paroles et mes actes – suffit toujours à *tout* changer. Quel que soit le contexte dans lequel ils vivent, même lorsqu'ils sont incapables d'expliquer leurs dernières mésaventures et la façon dont ils se sont « mis dans ce pétrin », pour peu qu'ils *comprennent* les vérités de la vie, les gens peuvent malgré tout utiliser les moyens qu'ils possèdent déjà, en débutant là où ils en sont, pour aller de l'avant et accroître immensément leur fortune.

Voilà ce que vous promet *Vos possibilités sont infinies* : la compréhension de vos pouvoirs divins, une feuille de route pour apprendre à exploiter la dimension « absolue » de la vie, et un rappel constant de la grâce et de la perfection infinies qui nous entourent à chaque instant. Pour comprendre qui vous êtes vraiment et quelles sont toutes les possibilités qui s'offrent encore à vous, vous n'avez nul besoin d'expliquer comment vous en êtes arrivé là – pourquoi votre relation de couple n'a pas marché, pourquoi votre entreprise n'a jamais décollé ou encore pourquoi votre régime n'a rien donné – de même qu'il n'est pas non plus nécessaire que l'harmonie règne dans le monde et que les gouvernements se montrent respectables. Par contre, comme je l'ai toujours constaté moi-même, dès que le changement commencera à balayer votre vie et qu'un nouveau chapitre en sera écrit, vous pourrez facilement jeter un regard rétrospectif sur toute l'agitation antérieure à ce point de bascule, contempler l'ordre et la beauté de tout ce qui s'est déployé à dater de ce moment-là, et discerner votre propre rôle dans ce changement et la finalité à laquelle il obéissait.

En vous souhaitant la vie de vos rêves,
Le 8 septembre 2009
Mike

REMERCIEMENTS

Je crois qu'un grand nombre de personnes ont été sollicitées par l'Univers ou par mes rêves et mes actes, au cours des neuf dernières années, pour m'inspirer, m'interpeller ou me donner un coup de pied dans le derrière. Leur apparition dans ma vie a été chorégraphiée de manière à ce que ce livre soit aussi bon que possible et qu'il soit publié exactement au moment opportun. Si je ne préciserai pas ici qui a fait quoi, j'aimerais cependant tous les remercier du fond du cœur :

Ma mère, pour m'avoir donné le don de rêver et de croire en moi. Joe Vitale, auteur et champion de marketing, pour avoir été le premier à me « découvrir » (après ma mère), pour avoir fait passer le mot et être devenu mon ami, des années avant que lui ou moi ne soyons connus. Rhonda Byrne, auteure et productrice du Secret, *pour avoir été la seconde à me tendre la main. Je n'oublierai jamais notre rencontre, un beau matin à Chicago, avec sa sœur fabuleuse, Glenda, au cours de laquelle elle m'a fait part de sa vision de « procurer de la joie à des millions de gens » et de son désir que je participe à l'aventure. Cynthia Black, éditrice chez Beyond Words, qui a été la troisième personne à surgir de l'« invisible », estimant que j'avais quelque chose à offrir, à la suite de quoi son merveilleux partenaire, Richard Cohn, et tout le reste de son équipe éton-*

nante chez Beyond Words – à savoir Lindsay Brown, Marie Hix, Devon Smith et Danielle Marshall – ont pris le train en route avec enthousiasme. Judith Curr, éditrice chez Atria, pour ses intuitions surnaturelles. Julie Knowles, correctrice, pour m'avoir aidé à garder les pieds sur terre grâce à son scepticisme calculé. Eric Rayman pour son brio et son intégrité, en tant que l'un des meilleurs avocats que j'aie jamais connus. Et enfin Hope Koppelman, Dani Burr, Jesse Mazur, Paola Malicki, Amanda Reid, Carrie-Anne Larmore, Crystal Floyd et Kody Kasper, pour leurs contributions inestimables aux activités commerciales de TUT et pour notre vision conjuguée de la « Domination Globale » !

INTRODUCTION

Guide de l'aventurier à travers les jungles du temps et de l'espace

Il n'y a pas si longtemps, aux confins de l'infini, un conseil d'explorateurs intrépides s'est formé – des aventuriers un peu comme vous – lassés de la perfection, de l'infini et de la félicité sans fin. Sitôt qu'ils voulaient quelque chose, ils l'obtenaient. Dès qu'ils désiraient un changement, celui-ci se produisait, et à peine voulaient-ils devenir quelque chose qu'ils l'étaient déjà. Leur existence était devenue à ce point routinière qu'ils n'avaient plus du tout l'impression d'être les grands Aventuriers qu'ils étaient pourtant. Ils convinrent que cela ne leur suffisait plus ; il fallait faire quelque chose. Compte tenu de qui ils étaient, ils décidèrent d'inventer une toute nouvelle dimension à rajouter à leur réalité.

Même pour des Aventuriers comme eux, il n'était pas fréquent d'inventer de nouvelles dimensions, alors imaginez un peu l'état d'excitation dans lequel ils se trouvaient, tandis qu'ils exploraient tout l'éventail de possibilités nouvelles qui s'étendait soudain devant eux. Cette nouvelle dimension se révélait particulièrement excitante, puisqu'elle permettait – chose impensable jusque-là – de n'exister qu'en un seul endroit, sans se trouver simultanément partout à la fois.

C'est que, à cette époque, aux confins de l'infini, il n'existait que l'ici et maintenant, et rien d'autre. Ces pauvres explorateurs n'avaient nulle part où aller, puisqu'ils étaient déjà partout ! Ce que leur offrait cette nouvelle dimension, donc, c'était la possibilité d'occulter suffisamment leur conscience de tous les autres endroits pour se concentrer en un seul lieu à la fois.

Maintenant qu'il leur était possible de créer des lieux précis, ils découvrirent qu'ils pouvaient imaginer des enchevêtrements secrets entre les divers lieux où ils jouaient à leurs jeux et réalisaient leurs expériences. D'ailleurs, ils le faisaient si souvent qu'ils finirent par donner à cette nouvelle dimension le nom d'Enchevêtrements Secrets pour Accéder à une Conscience Eclairée, ou ESPACE pour faire court.

L'ESPACE devint leur nouvelle frontière : elle leur offrait de nombreuses possibilités d'exploration, d'amusement et de jeu. Le phénomène le plus remarquable, d'ailleurs, à propos de l'ESPACE, c'était – découvrirent-ils – qu'ils pouvaient le remplir de leurs pensées : chaque fois que leurs pensées se concentraient et se densifiaient dans leur ESPACE, elles devenaient concrètes et paraissaient solides !

Ils découvrirent alors qu'ils pouvaient penser grand ou petit, bleu ou rouge, dur ou mou – peu importe ce qu'ils imaginaient – et que leurs pensées devenaient alors la même « chose » dans l'ESPACE ! Ces Aventuriers venaient de découvrir que leurs pensées pouvaient se projeter dans cet ESPACE, où elles prenaient la forme d'objets, et du même coup ils réalisèrent qu'ils pouvaient Matérialiser Aussitôt Toute Idée Essentielle dans la Réalité Existentielle, et c'est ainsi qu'en un rien de temps (d'autant que le temps n'avait pas encore été inventé), la MATIÈRE s'est mise à remplir leur ESPACE ! La matière, évidemment, n'était que l'acronyme de Matérialiser Aussitôt Toute Idée Essentielle dans la Réalité Existentielle. (Ces Aventuriers, comme vous pouvez le constater, adoraient les acronymes.)

Leur créativité se décupla, à mesure qu'ils se faisaient la main en créant tout d'abord les étoiles et les planètes, puis les montagnes et les océans. Tout ce dont ils rêvaient prenait vie dans une explosion de lumière, de couleurs et de sons, qui dilatait leur imagination jusqu'aux confins de leur ESPACE.

Tout cela était terriblement excitant, sauf qu'en leur for intérieur ils sentaient bien que quelque chose leur manquait. Aussi spectaculaires que fussent leurs nouveaux mondes, ils continuaient, eux, les créateurs de toute chose, à rester à l'extérieur, à les regarder de loin.

Les Aventuriers se demandèrent alors comment ils pourraient bien faire partie de ces mondes matériels mystérieux et enchantés qu'ils avaient créés et ils se posèrent donc la question, « Si notre MATIÈRE n'est que de l'ESPACE occupé, et qu'au fond nous savons que nous sommes encore partout à la fois... hmm... serait-il possible que nous existions dans l'ESPACE même qui contient notre MATIÈRE ? »

Eh bien, de toute évidence, la réponse était oui *et sitôt qu'ils y pensèrent, ils le firent et s'établirent à l'« intérieur » de leur MATIÈRE, comme si c'était un lieu, en estompant leur conscience de tous les autres endroits.*

Puis, pour rendre les choses encore plus intéressantes, un jeu intitulé « cache-cache » fut inventé pratiquement au même moment et, comme on pouvait s'y attendre, les Aventuriers se sauvèrent à toute allure pour aller se cacher dans leurs créations, où il y avait peu de chance qu'on les retrouve. Chacun d'eux était désormais un Héros Ultra-caché de la Matière Animée Ici & Nunc : Nunc, *car il n'existait encore que « maintenant », le présent, puisque le temps n'avait toujours pas été inventé. Sous sa forme cachée, chacun des Aventuriers était donc désormais un HUMAIN.*

C'était une bonne idée, que de se cacher dans la MATIÈRE, tellement bonne, en vérité, qu'on ne retrouvait jamais personne ! Alors, en dépit de leur joie d'avoir trouvé un nouveau jeu, ils n'étaient plus au courant des découvertes qu'ils faisaient les uns les autres. Sacré problème.

C'est ainsi qu'apparut le besoin de Traquer dans l'Existence Matérielle la Présence d'un Sujet : le TEMPS venait enfin de naître ! Le jeu reprit, des réunions furent organisées et chacun s'amusait bien, jusqu'à ce que rapidement, tout le monde eût à peu près tout essayé et fut allé pratiquement partout.

Il fallait une nouvelle idée aux Aventuriers et, vu leurs antécédents, il ne leur fallut pas longtemps avant d'en trouver une. Et si – se dirent-ils – nous allions tous ensemble, en tant qu'HUMAIN, dans le même ESPACE et le même TEMPS ? Ouah ! Cette idée était si monumentale, si profonde et si colossale qu'elle produisit un Big-Bang à travers toute la création et que, depuis, on l'a comparée à l'invention même de la lumière.

Bon, à ce stade, il est sans doute clair que ces Aventuriers n'étaient pas du genre de ceux que vous croisez tous les jours. C'étaient des Aventuriers créatifs en mission – leur mission étant de s'amuser autant qu'il est possible de concevoir – et, comme vous le savez, on peut dire qu'ils ont plutôt bien réussi, même s'ils se sont retrouvés aux prises avec quelques imprévus qu'ils n'ont pas fini de résoudre.

Par exemple, après que le TEMPS a été inventé, ils passaient tellement de temps à jouer comme une création au beau milieu de leurs créations qu'ils ont commencé à se perdre. Ainsi, au cours de leurs éternelles parties de cache-cache, ils sont restés à l'état d'HUMAIN si longtemps, pour qu'on ne les retrouve pas, qu'ils en ont oublié qu'ils étaient également présents « partout ».

Un grand nombre finirent même par oublier qu'ils étaient Aventuriers et à mesure que le TEMPS passait, ils sombrèrent dans un sommeil toujours plus profond. Ils chutèrent même si bas qu'ils finirent par se sentir prisonniers de leur corps, et impuissants au cœur même de leurs créations. Ils ne remarquaient plus que c'était eux qui inventaient les objets et les événements qui peuplaient leur vie, grâce à leurs propres pensées, alors que cela n'avait pourtant pas changé : ils croyaient désormais devoir se contenter des « choses » déjà à leur disposition.

Malheureusement, cette naïveté eut pour résultat la découverte de la PEUR, devant ce Probant Échec à s'Unir à la Réalité. Plutôt effrayant, découvrirent-ils. Pas drôle du tout ! Mais plus grave encore, toute une horde d'émotions prirent vie elles aussi, à chaque nouvelle incompréhension.

Jamais, dans aucune réalité, des êtres aussi élevés n'avaient plongé dans un tel désespoir. La terreur, la colère, la tristesse et la culpabilité étaient partout. Leur vie n'était plus qu'une parodie de ce qu'elle était à l'origine jusqu'à ce que, petit à petit, une grande guérison s'amorce, venue ni d'en haut ni d'aucun endroit de cette sorte (même si certains disaient qu'il s'agissait d'une Modification Irrationnelle de la Réalité, Astucieusement Cachée par une Ligue d'Entités) ; c'était une guérison qui émanait de l'intérieur, la vie venant en aide à la vie elle-même ; sans doute un MIRACLE dans tous les cas.

En fait, les Aventuriers tiraient des leçons de leurs émotions. Par exemple, si la PEUR découle d'un Probant Échec à s'Unir à la Réalité devant soi, elle sert au moins d'avertissement indubitable (pour celui qui l'éprouve) que sa façon de penser s'est écartée de la vérité.

Mais il y avait d'autres bonnes nouvelles à propos de ces émotions. Il s'avéra qu'elles pouvaient aussi être chaleureuses et agréables, drôles et bizarres, voire folles et sauvages ! Et c'est précisément cette traversée de toutes les émotions, les pires comme les meilleures, qui procura aux « Illustres » (comme on vint à les appeler) leur plus grande réalisation : le Plaisir Exquis d'Accepter la Création telle qu'elle Est, PEACE, ou PAIX intérieure. Maîtrisée par bien peu d'êtres, cette qualité exige une compréhension profonde de la perfection inhérente à toute chose, à chaque instant, en chaque lieu et en chacun, quoi qu'il advienne !

Aujourd'hui, toutes les formes de conscience, de quelque endroit jamais pensé soient-elles, ont entendu parlé du TEMPS, de l'ESPACE et des merveilleux Aventuriers qui les ont créés. Et ceux qui viennent jeter un œil sur ce petit coin de création sont si étonnés par ce qu'ils y découvrent que cela les transforme à jamais.

Ce n'est pas seulement la splendeur des planètes, ni la vie déchaînée qui s'y épanouit, ni même les pensées audacieuses et outrées qui en assurent la perpétuation, qui stupéfie ces visiteurs. C'est devant les quelques rares Aventuriers qui sont revenus de cette incroyable aventure, après s'être trouvés eux-mêmes, que ces observateurs restent sans voix et éprouvent une profonde humilité.

Ce sont eux, les Illustres, ceux dont l'éclat lumineux et le rayonnement divin reflètent une compréhension ancrée dans la connaissance inaltérable que chaque chose et chaque événement est le fruit de la pensée, que dans le TEMPS et l'ESPACE tout est bien, *et que toutes choses, en tous lieux, ne font toujours qu'Un.*

Ce n'est qu'en commençant par se perdre, puis en se mettant au service de leurs illusions, que ces Aventuriers poussés par leurs émotions – par un désir brûlant – ont pu connaître et revendiquer les profondeurs de leur propre divinité. En comprenant profondément leur réalité, ils sont devenus une source d'inspiration pour tous et un idéal à suivre.

Après avoir raconté tout cela, nous trouvons quelque peu étonnant qu'il n'y ait pas davantage de personnes à avoir rejoint les rangs des Illustres. Bien sûr, à chacun son histoire ; c'est juste que les autres sont encore tellement pris par cette aventure des plus incroyables qu'ils semblent se contreficher de ce qui se passe « partout ailleurs » !

Peut-être les comprenez-vous mieux, désormais. C'est juste qu'à nos yeux, tout au moins, il est dommage qu'une énergie aussi inépuisable et un tel génie créatif restent à ce point négligés. Si, l'espace d'un instant, ces êtres pouvaient

– et croyez-nous, ils le peuvent ! – entrevoir la réalité plus vaste qui est la leur et se voir eux-mêmes comme les gladiateurs omniscients, illimités et grands amateurs de jeu qu'ils ont toujours été, ça changerait tout radicalement ! Non pas qu'ils doivent « revenir ». Grand Dieu, non ! Nous pensons juste qu'ils pourraient prendre du bon... « TEMPS », dirons-nous, s'ils se rappelaient qu'ils sont eux-mêmes les créateurs de leur réalité. Vous ne pensez pas ?

À propos, nous venons de mettre au jour votre petite comédie : ON VOUS A TROUVÉ !

Bien, maintenant mettons-nous en route...

Il vous suffit de guider vos pensées pour diriger vos expériences.

Cette histoire est vraie à plus d'un titre. En réalité, il s'agit de *notre* histoire, et elle est moins fictive que factuelle : nous figurions effectivement au nombre des illustres architectes qui ont rêvé le temps et l'espace – nous étions les yeux et les oreilles de Dieu – et nous sommes aujourd'hui vivants dans notre propre création, afin d'y expérimenter notre divinité de diverses manières, inenvisageables autrement. Nous sommes la raison même pour laquelle le soleil se lève chaque jour. Pour peu que vous saisissiez cette prémisse, sinon de manière intellectuelle, au moins de façon instinctive, vous entreverrez à quel point vous êtes digne de concrétiser n'importe quel autre rêve que vous auriez envie de rêver. Personne en dehors de vous n'a rien à voir avec cela ; vous n'êtes pas là pour être testé ou jugé. Il vous suffit de guider vos pensées pour diriger vos expériences. C'est aussi facile que ça.

Vous êtes l'un des Aventuriers originaux – un être illimité, intrépide et divin – et pas seulement un être humain. Dit d'une autre façon, vous êtes un aventurier en train de vivre une expérience humaine.

Malheureusement, la plupart des cohortes des nôtres sont encore « perdues dans l'espace », puisque, dans notre société, tout ce qui nous entoure ne cesse de nous dire, de nous répéter et de nous marteler que nous sommes des « créatures » limitées, soumises à la vieillesse, dont l'existence oscille entre la chance et la fatalité, dans un monde dur et impitoyable. Pourtant, la vérité (et elle va sans doute trouver un écho au tréfonds de votre être) est que nous sommes des gladiateurs de l'Univers, infinis et puissants, qui aiment s'amuser, avec l'éternité devant eux et la puissance de leur pensée pour la façonner.

C'est nous qui créons notre réalité, notre destinée et notre chance propres. Voilà la véritable mesure de notre puissance, voilà la véritable mesure de *votre* puissance. Et pour compenser le matraquage inverse des médias et des masses, il est nécessaire que vous entendiez ce message-là au moins aussi souvent que tous les messages contraires.

Ce livre a été rédigé pour transmettre ce message-là. Il traite de la nature de la réalité, une réalité qui est simple, organisée et, par-dessus tout, connaissable. Mon objectif est de vous expliquer quelle position vous occupez dans cette réalité, puis de vous rappeler à quel point vous êtes puissant, jusqu'où vous pouvez aller et tout ce que vous méritez, afin que vous puissiez laisser s'épanouir ce géant que vous êtes sur cette oasis perdue au milieu des étoiles. Vous avez effectivement reçu le don de réaliser tous vos rêves.

Pour déclencher un véritable changement, ce n'est ni de sang, ni de sueur ou de larmes dont vous avez besoin. Bien au contraire, ce sont votre imagination, vos croyances et vos attentes qui attirent à vous les actes, les circonstances et les « coïncidences » qui rendent inévitable la manifestation de vos rêves. Il ne s'agit pas de prendre ses désirs pour des réalités. Il s'agit bien au contraire de savoir comment les choses ont toujours fonctionné dans la jungle du temps et de l'espace, dans cette dimension illusoire qui est à la fois notre laboratoire et notre terrain de jeu. Ici, *nos pensées se réalisent*, notre parole est notre baguette magique et nous pouvons découvrir notre divinité en observant les miracles quotidiens que nous accomplissons, en façonnant sans effort les circonstances que nous désirons, à partir de la matière même de l'esprit, perpétuant de la sorte le monde matériel que nous avons en commun. Ce n'est pas forcément d'un surcroît d'éducation, de connexion ou de chance dont vous avez besoin. Il vous suffit de comprendre les principes et les concepts communs à tous les prophètes et les mystiques, depuis l'aube des temps, des principes qui n'ont rien à voir avec la religion, mais tout à voir avec la vérité de notre être, avec la raison de notre présence ici-bas et la magie que nous avons à notre disposition.

Ce n'est pas par accident que vos rêves sont les vôtres. Vous avez ces rêves-là pour de nombreuses raisons, dont la moindre n'est pas de les réaliser. Vos rêves sont destinés à se concrétiser, pour autant que vous fassiez ce qu'il faut pour cela. La chose peut sembler parfaitement impossible si vous ne comprenez pas pleinement quel est votre rôle et quels sont les processus qui donnent vie à vos rêves, en particulier quand le monde entier s'acharne à vous faire croire que seuls les souffrances et les sacrifices tracent un chemin vers le succès. Avec une meilleure compréhension des choses, vous découvrirez pourtant que rien n'est plus facile que la façon dont la vie opère *véritablement*.

Il n'est rien que vous ne puissiez faire, avoir ou être.

Vous êtes guidé, vous possédez le pouvoir nécessaire pour cela et l'Univers conspire dans ce sens en votre nom.

Ce livre passe en revue les principes et les concepts qui vous permettront de prendre votre envol. Ces principes sont déjà à l'œuvre dans votre vie, que vous les connaissiez ou non, et ils sont incroyablement faciles à utiliser. En les identifiant, en les comprenant et en les mettant à votre service, vous accéderez à un pouvoir qui est littéralement capable de transformer vos désirs en réalité.

Songez un instant aux personnes dont on dit qu'elles ont réussi. Sont-elles plus intelligentes que vous ? Méritent-elles davantage le succès que vous ? En ont-elles fait davantage que vous ? Non. Que ce soit par intelligence ou par naïveté (c'est souvent ce dernier cas, mais cela ne fait *aucune* différence), leur manière de vivre actionne les grands principes de la vie d'une façon qui met l'Univers à leur service. La bonne nouvelle, c'est que ces personnes-là sont la preuve vivante que n'importe qui peut accomplir la même chose. Si vous comprenez cela, vous aurez un avantage : vous connaîtrez la raison de votre succès et, par conséquent, vous ne vivrez pas dans la peur de perdre ce que vous avez acquis.

Ma mission consiste à vous aider à regarder en vous, afin de découvrir que vous êtes sans limites, puis à vous permettre de trouver les clés du « Royaume ». Ce que vous ferez ensuite de ces clés ne tiendra qu'à vous.

Dans les pages qui suivent, je m'efforcerai de vous rafraîchir la mémoire, pour que vos souvenirs les plus profonds, enfouis depuis longtemps, refassent surface et que vous puissiez y réfléchir et les mettre en pratique. Un vieil adage dit qu'il vaut mieux enseigner à quelqu'un comment pêcher que de lui donner du poisson, aussi, dans le présent ouvrage, j'ai pour intention de vous rappeler (plus que de vous enseigner) quelles sont votre nature divine et vos capacités illimitées, afin que vous puissiez atteindre par vous-même votre propre bonheur et votre plein épanouissement.

Si quelqu'un vous révélait la vérité sur la vie, la réalité et les pouvoirs qui sont les vôtres, la reconnaîtriez-vous ? Si quelqu'un vous offrait la clé pour accéder à vos rêves les plus fous, l'accepteriez-vous ? Je crois que oui.

Ne savez-vous pas que vous êtes des dieux ?

Psaumes 82:6, Jean 10:34

1 LES PENSÉES SE RÉALISENT

Aussi loin que je me souvienne, jusqu'à l'âge adulte, j'étais convaincu que tout le monde savait quelque chose que j'ignorais. J'avais toujours l'impression d'être exclu. Les autres ne savaient pas plus que moi ce dont il s'agissait, et ils ne semblaient pas non plus remarquer que j'en étais dépourvu. Mais le sentiment que j'avais d'être différent des autres était pour moi particulièrement douloureux à vivre. Les « petits détails » de la vie semblaient n'avoir aucun secret pour les autres, alors que je devais moi-même toujours faire semblant de comprendre ce qui se passait. Je me sentais terriblement différent, d'où un besoin compulsif de remettre en question tout ce que les autres prenaient pour acquis : je voulais vraiment comprendre le sens de la vie.

Au début, ma quête se concentra sur des sujets comme la vie, la mort et les pouvoirs de l'esprit. Mais ces recherches initiales m'éveillèrent à d'autres mystères intrigants concernant le temps, l'espace, l'enfer et le paradis, l'hypnose, les ovnis, les fantômes, les pouvoirs surnaturels, le rêve, la réincarnation, et ainsi de suite. Très tôt, je parvins à certaines conclusions qui expliquaient chacun de ces mystères, mais ce n'était que mes propres intuitions. Par exemple, vers l'âge de 13 ans, je me rappelle avoir dit à ma mère que le temps et l'espace ne pouvaient pas être tels qu'on les décrivait habituellement, ni d'ailleurs l'enfer ou un Dieu qui ne faisait pas Un avec toutes choses vivantes ou inanimées. J'avais en effet le sentiment que Dieu n'était pas seulement à l'intérieur de chacun d'entre nous, mais que la moindre composante de notre expérience ne pouvait qu'être 100 % divine.

Je ne m'en rendais pas compte à l'époque, mais ma soif de « connaissance » m'avait fait entamer un cheminement intérieur vers plus de compréhension ; ma propre manière de penser m'attirait vers des pensées similaires. J'ai l'impression que mes questions trouvaient lentement leurs propres réponses, m'ouvrant les yeux à une compréhension intérieure dont je sais aujourd'hui qu'elle est latente en chacun d'entre nous. À mesure que je poursuivais ma quête, des réponses étaient données à chacune des questions qui m'habitaient. Je ne savais jamais exactement à quel moment une réponse arriverait. Je sentais simplement, parfois après avoir bénéficié d'une « illumination » sur le sujet, que l'on m'avait fait don d'une compréhension intuitive, au moment où je ne m'y attendais pas. Si je partage cela avec vous, c'est pour montrer que les réponses que je recevais venaient de l'intérieur, car c'est également là que vous trouverez vos propres réponses.

J'ai été élevé dans la religion catholique : j'ai été baptisé et j'ai fait ma confirmation, mais j'ai rapidement constaté qu'une grande partie des enseignements que je recevais, des règles et des rituels que l'on m'enseignait, était en contradiction avec les conclusions auxquelles j'étais intuitivement parvenu, et même tout à fait incohérente. Par exemple, j'ai toujours considéré que chacun d'entre nous fait de son mieux, compte tenu de son éducation, de sa compréhension et de ses incompréhensions. Par conséquent, si une vie devait être soumise au jugement divin – et je ne crois pas que ce soit le cas – le péché n'apparaîtrait que comme une « erreur » honnête, due à une profonde incompréhension de la nature de la réalité. Il ne saurait donc y avoir de démérite entraînant une damnation éternelle.

Est-ce qu'un Père rempli d'amour, me disais-je, ne serait pas davantage animé par un esprit de compassion que par une volonté de revanche envers Ses enfants encore relativement faibles, momentanément aveuglés par les illusions du temps et de l'espace ? Même les parents humains font preuve de plus de compréhension envers les enfants issus de leur chair et de leur sang que ce « Père » que décrivent bon nombre de nos religions. Le péché, tout comme ses connotations passées et présentes, ne peut être qu'une invention de l'homme, ai-je fini par conclure, et non d'un Dieu omniscient et compréhensif. À cette époque, comme aujourd'hui encore, je me disais que nos soi-disant péchés sont simplement là pour nous servir de maîtres, et non de bourreaux.

Ainsi, bien qu'élevé dans une religion traditionnelle, j'avais également besoin d'explications pertinentes et, surtout, j'ai toujours pensé que de telles explications étaient à notre portée. Plutôt que de simplement rejeter ce qui n'avait pas de sens à mes yeux dans mon éducation catholique, j'ai cherché les points de convergence entre ce qui m'était enseigné et ce que je ressentais, déduisais ou comprenais rationnellement, et une fois « ma coupe » bien remplie, j'ai porté mon regard au-delà de la religion pour le plonger en moi-même et j'ai commencé à tirer mes propres conclusions sur la vie, les rêves et le bonheur. Par exemple, je considère que Jésus est venu nous dire (comme d'autres prophètes l'ont également fait) que nous sommes tous les « enfants de Dieu ». Jésus enseignait que nous sommes tous capables de faire ce qu'il a fait : croyez et vous recevrez ; frappez et l'on vous ouvrira ; sur la Terre comme au ciel ; vous êtes des dieux. Je crois qu'il n'y a ni péché, ni mal, ni enfer, sinon dans notre propre esprit, et que Jésus est venu sur Terre pour être un exemple vivant de ces enseignements et pour montrer un meilleur chemin à ses compagnons de route, au cours d'une sombre période de l'histoire, durant laquelle diverses croyances restrictives étaient si ancrées dans la culture dominante que rares étaient ceux capables d'élargir leurs pensées et, par conséquent, leur monde. Cette manière de penser n'est pas nouvelle. Mes propres conclusions vont dans le sens de vérités formulées par diverses religions et philosophies spirituelles remontant à l'aube des temps et qui, toutes, nous parlent de notre pouvoir, de notre magnificence et de notre divinité. Et quand nous entrevoyons finalement notre réalité spatio-temporelle de ce point de vue là, qui est celui de ceux-là mêmes qui l'ont créée, nous mesurons enfin le pouvoir immense que nous manions pour façonner notre existence.

Nos soi-disant péchés devraient seulement nous servir de maîtres, non de bourreaux.

Bien que je me sois senti exclu durant toute mon enfance, et même une bonne partie de ma vie adulte, aujourd'hui, j'estime que j'ai beaucoup de chance d'avoir le point de vue qui est le mien et j'éprouve de la gratitude pour l'aliénation que j'ai ressentie durant la majeure partie de ma vie, cette vie qui m'a conduit jusqu'à vous. Et comme je me considère toujours comme un étudiant et un aventurier, je pense que ma mission de vie ressemble beaucoup à la vôtre : mettre en *pratique* la sagesse éternelle, ces vérités sans âge sur la nature de la réalité, de manière à me forger consciemment ma propre réalité joyeuse, afin de m'y épanouir.

La plus grande de toutes les aventures

Je considère que vous et moi vivons actuellement une *aventure* à nulle autre pareille. Il ne fait aucun doute que la vie est suffisamment dangereuse pour qu'on la considère comme une aventure ; aucun d'entre nous n'est jamais certain d'être encore là le lendemain. Et chaque jour nous apporte son lot d'expériences à la fois nouvelles et excitantes. Se rendre dans une destination lointaine comme Le Caire ou Istanbul est fascinant, mais même en restant dans le confort de votre maison, vous vivrez encore plus de défis, de stimulations et d'histoires d'amour dans une existence bien vécue. Chaque journée, par la dose d'inconnu qui la caractérise, ne fait qu'intensifier l'aventure.

Or, n'est-ce pas précisément l'inconnu, les incertitudes, qui font d'une aventure une aventure ? Nous avons tous des espoirs, des rêves, des inquiétudes et des peurs, qui découlent de l'incertitude fondamentale de l'existence. Il suffit de réfléchir deux minutes pour constater que c'est précisément cette incertitude qui fait la *valeur* de toute cette aventure. Si l'on vous offrait un stylo magique qui vous permette, chaque matin, d'écrire exactement les événements que vous souhaitez voir se dérouler ce jour-là, avec la certitude qu'ils se produiront effectivement, mesurez-vous à quel point votre vie deviendrait *effroyablement* ennuyeuse ? C'est vrai, combien de fois pourriez-vous gagner à la loterie et en être totalement bouleversé ?

De plus, dans la vie, où que l'on se trouve – à Katmandou ou à Nairobi – les meilleures choses sont toujours gratuites. La liste des plus grands cadeaux que la vie puisse nous offrir est interminable : le rire d'un enfant, l'étreinte de son amour, un moment de jeu avec son chien, aller nager dans l'océan, écouter de la musique, manger, partir en randonnée, regarder tomber la pluie, planter un arbre, passer une soirée au coin du feu, discuter avec des amis – tout cela est gratuit ! Notre vie est *effectivement* merveilleuse, et toutes ces petites joies se récoltent çà et là, au fil de nos aventures quotidiennes.

Mais ce qui est sans doute le plus extraordinaire, dans cette aventure, c'est que nous avons tous le pouvoir de concevoir et de réaliser nos rêves même les plus fous. Après tout, quel serait l'intérêt d'une aventure, si nous ne pouvions pas en partie contrôler son issue, ou si nous ne pouvions pas non plus choisir les plaisirs et les leçons que nous en retirons ? Vous allez peut-être me dire qu'avec l'inconnu, on ne peut pas savoir tout ce que nous réserve l'avenir, mais sans même avoir à lire une autre phrase de ce livre, vous savez *déjà* que vous *pouvez* vous fixer certains buts et commencer à vous en rapprocher avec beaucoup d'efficacité.

Dans la vie, c'est vous qui êtes le pilote ou le maître de plongée de votre propre destin ; chaque jour, vous pouvez choisir votre travail, les relations que vous souhaitez cultiver ou non ; chaque jour, c'est à vous que revient le choix d'accepter ou non vos déceptions pour en tirer des leçons inestimables et chèrement gagnées. Ce sont ces décisions, associées à nos attitudes, à nos croyances et, bien sûr, à l'utilisation de notre imagination, qui nous font progresser sur notre chemin personnel et qui pointent sans hésiter vers les « safaris » de demain.

Trouvez votre rythme

Alors, comment fait-on pour maximiser son aventure à travers le temps et l'espace ? Pour cela, il y a deux pas à franchir : premièrement, *comprendre* cette aventure. Par analogie, vous n'allez pas essayer de conduire une voiture avant d'avoir compris comment elle fonctionne et de connaître les règles de la circulation. Pour poursuivre avec la même analogie, une fois que vous connaissez votre véhicule et le Code de la route, il n'appartient qu'à vous de vous mettre à la place du conducteur, de tourner la clef, d'enclencher une vitesse et de vous lancer ! En d'autres termes, *d'appliquer* ce que vous avez compris, cette compréhension dont j'ai dit précédemment quel était ce que vous et moi avions de commun dans nos missions de vie respectives.

Chose curieuse, la plupart des gens semblent croire que, du seul fait qu'ils sont vivants, ils connaissent automatiquement tout ce qu'il y a à savoir de la vie. Les gens ne prennent pas le temps de *réfléchir* au fait qu'il existe peut-être bien plus de choses qu'ils n'imaginent. Par exemple, il ne leur est jamais venu à l'esprit que les « choses » ne sont peut-être pas ce qu'elles semblent être, or effectivement, *elles ne sont pas* ce qu'on croit *!* Par chance, il suffit d'entamer une nouvelle réflexion pour commencer à voir les choses telles qu'elles sont vraiment et pouvoir ainsi tout changer radicalement.

Or, quand on y songe, quoi de plus facile que de penser ? Et quoi de plus gratifiant ? Après tout, toutes les grandes découvertes, les avancées majeures ou même nos révélations personnelles ne sont jamais qu'à une pensée de nous ! De fait, la prochaine invention bouleversante qui changera le cours de notre civilisation ne se situe pas bien loin dans le futur. Elle ne se trouve pas à quelques millions ou milliards de dollars de nous, elle n'est pas davantage séparée de nous par une personne ou une entreprise. Elle existe *à une pensée de nous*, à la distance d'une pensée d'ici et maintenant ; elle n'est qu'à une pensée de toutes les pensées que nous cultivons, des pensées mêmes que vous entretenez en cet instant.

Par exemple, il a fallu tout d'abord penser que les gens pourraient voyager par les airs *avant* que se concrétise l'aviation. De même, la pensée que l'énergie électrique devrait pouvoir être captée et utilisée *a précédé* la réalité de l'électricité. D'abord viennent les rêves – tomber amoureux, s'acheter une maison ou trouver un emploi – puis, *clic, clic, clic*, les rêves commencent à se réaliser.

En réalité, étant donné qu'une grande partie du monde est toujours en « mode de survie », y compris ici aux États-Unis, on peut à la fois comprendre et pardonner le fait que si peu de personnes aient soumis l'expérience que nous partageons (et qui nous semble aller de soi) à une certaine dose de réflexion nouvelle. Pourtant, les temps sont en train de changer et, comme le monde s'apprête à le découvrir, nous avons sous les yeux depuis l'aube des temps toute la vérité sur notre pouvoir.

Faites attention aux souhaits que vous émettez

Avez-vous déjà entendu quelqu'un dire, « Attention à ce que vous désirez, vous risquez de l'obtenir » ? Ça ne m'étonnerait pas. On a tous entendu ça une fois ou l'autre. Et, vous savez quoi ? Je parie que vous y croyez, ou du moins en partie, n'est-ce pas ?

Mais comment ou pourquoi une telle chose pourrait-elle être vraie ? Quel mystérieux *principe* pourrait être à l'œuvre ici, capable de transformer un désir en une réalité ? Vous n'êtes probablement pas superstitieux, alors, comment cela se fait ? Pour quelle raison pensez-vous que ce que l'on désire peut se réaliser ?

Vous avez probablement déjà entendu parler du pouvoir de la pensée positive ou de ce nouveau terme à la mode (popularisé par le livre et le DVD *Le Secret*), « la Loi de l'Attraction ». Mais vous êtes-vous déjà demandé qu'est-ce qui active la pensée positive ou la Loi de l'Attraction ? Il y a bien *quelque chose* à l'œuvre ! Je ne serais pas étonné non plus que vous ayez entendu parler de la visualisation. Si ça se trouve, vous l'avez déjà essayé, et peut-être avez-vous déjà obtenu de jolis succès grâce à elle. Mais vous êtes-vous déjà demandé pourquoi ou comment fonctionne la visualisation ?

Tous ces concepts disent à peu près la même chose, alors pourquoi les gens sur tous les continents y croient, sans jamais s'interroger sur leur mode opératoire ?

C'est intrigant. Ça cache quelque chose d'important, de très important. Ma mère a pour habitude de dire, « Il n'y a pas de fumée sans feu », or ce qu'on observe ici est d'une telle amplitude que ces flammes éclipsent tous les incendies qu'a jamais connus l'humanité. Alors, que se passe-t-il au juste ? Et, s'il y a bel et bien quelque chose, est-ce que ça ne vaut pas la peine de creuser un peu et d'y réfléchir pour le découvrir, le comprendre et en tirer parti ? Cet effort ne justifierait-il pas pratiquement n'importe quel sacrifice ? Et comment !

Les pensées se réalisent

En seulement quatre mots à ne jamais oublier, car ils peuvent changer votre vie, la réponse à la question ci-dessus – à ce à côté de quoi nous sommes passés – est la suivante : « Les pensées se réalisent ! ». Et voilà. *Les pensées se réalisent* ! Voilà le principe sous-jacent qui transforme un désir en une réalité. Voilà ce qui est à l'œuvre dans la pensée positive et dans la Loi de l'Attraction, voilà pourquoi la visualisation est efficace.

C'est parce que *les pensées se réalisent* que nos rêves et nos cauchemars prennent vie, puisque les pensées que nous cultivons deviennent effectivement les « choses » et les événements qui se manifestent dans notre vie. Ce principe immuable est aussi fiable que la loi de la gravitation, c'est-à-dire pas seulement de temps en temps, mais à chaque instant, et pas seulement non plus avec nos pensées positives, mais également avec toutes les autres. D'ailleurs, on ne peut pas s'opposer au fonctionnement de ce principe.

Voilà une nouvelle fantastique, puisqu'à chaque minute de chaque jour nous avons la possibilité de choisir ce que nous pensons. Bien entendu, nos paroles et nos actes sont également très importants, et nous aurons l'occasion d'en parler abondamment dans les chapitres qui suivent, mais les premières comme les seconds ne sont que des extensions de nos pensées. *Nos paroles et nos actes ne sont en effet que des pensées avec des ailes*. C'est dans la pensée que *tout* commence. Armé de ce principe, vous pouvez virtuellement manifester tout ce que vous imaginez dans votre vie, sans vous limiter à l'attraction de choses matérielles. Vous pouvez également imaginer plus d'amour, plus de joie et de rire.

Notre vie prouve que nos pensées possèdent des propriétés analogues à celle d'un élément matériel, des propriétés dont découlent certains principes et certaines lois. Mais, jusqu'à très récemment, ces propriétés ont échappé à la sagacité de nos scientifiques, de nos ingénieurs et même de la plupart de nos philosophes, puisque, de toute évidence, elles échappent à nos perceptions physiques et à nos instruments d'observation habituelle.

Par chance, pour ceux qui ont besoin de preuves scientifiques, la physique quantique est en train de reprendre les choses là où Albert Einstein les avait laissées, pour tenter d'expliquer les propriétés de la pensée et l'influence d'un observateur sur l'expérience à laquelle il se livre. Mais, avec ou sans preuve scientifique, pour dire les choses le plus simplement possible, nul ne peut nier que les pensées existent. Or à toute chose qui existe correspondent forcément certains principes, certains traits et caractéristiques.

Ce que j'affirme, comme d'innombrables instructeurs à travers les âges (chacun avec ses propres termes), c'est que sitôt qu'une pensée est émise, c'est comme si elle possédait instantanément son propre pouvoir et sa volonté de se concrétiser ou, tout aussi miraculeusement, comme si elle se mettait à attirer son équivalent le plus proche (d'où la Loi de l'Attraction). C'est un peu comme si elle ne possédait qu'une seule et unique mission : se manifester dans la vie de celui qui l'a émise, dans les limites du temps et de l'espace. Si vos pensées concernent des objets matériels, elles deviendront ces objets-là. Et si vos pensées se rapportent à des événements ou à des circonstances, elles vont alors organiser les acteurs et les accessoires de votre vie, de manière à provoquer ces événements ou ces circonstances-là. *Les seuls facteurs contraires sont les autres pensées que vous nourrissez en même temps*, qui peuvent prendre tout un éventail de « teintes », que l'on qualifie habituellement de croyances, d'attentes, d'anticipation et d'intentions, pour n'en citer que quelques-unes. Si vous avez des pensées d'amour, de haine ou d'autres émotions, vos pensées vont modifier les circonstances *matérielles* de votre existence, de manière à ce que vous viviez ces émotions-là aussi souvent que possible.

Avertissements

Voici quelques-uns des attributs de ce principe dont vous devriez avoir conscience. Peu importe quelles sont vos pensées, peu importe qu'elles vous servent ou non, qu'elles soient bonnes ou mauvaises, justes ou pas. Par rapport à ce principe, les pensées ressemblent à la pesanteur, dans le sens où elles ne discernent pas et ne jugent pas *ce à quoi* vous pensez : elles ne font exister. *Donc, à vous de choisir soigneusement vos pensées !*

En tant que créateurs, la pensée est littéralement notre seul point d'influence sur le monde et sur la magie de la vie. Contrairement à ce que l'on nous a enseigné quand nous étions enfants, du genre « une pensée n'est qu'une pensée, quelque chose d'abstrait et d'éthéré ; ce qui est réel, c'est la chaise, la table et la nourriture qu'il y a dans ton assiette », il s'avère en réalité que c'est l'inverse qui est vrai. Ce sont nos pensées qui sont « réelles » ; c'est d'elles que part tout ce qui deviendra tangible dans notre vie – elles sont une forme de prématière, en quelque sorte – alors que les « objets spatio-temporels » ne sont que le reflet de ce qui a d'abord été pensé, individuellement ou collectivement, et ne sont donc guère plus qu'un mirage. Dans le même ordre d'idées, *rien* n'a plus d'importance dans la façon dont nous provoquons nos succès ou nos échecs que les pensées que nous nourrissons.

S'agissant maintenant des pensées que nous cultivons à propos des autres, nous *pouvons* « miraculeusement » attirer des personnes *qui possèdent des pensées analogues et des rêves complémentaires aux nôtres* – des partenaires potentiels en amour ou en affaires, des clients, des patients, et ainsi de suite – avec une précision stupéfiante, tout en repoussant simultanément les autres. Par contre, on ne peut *pas* faire en sorte que *telle personne* se comporte comme on voudrait. Il est tout simplement impossible de manipuler autrui par la pensée et, fort heureusement, les autres ne peuvent pas davantage nous manipuler de la sorte. On peut parfois influencer les autres ; les manipuler, jamais. Pour qu'un partenariat, une amitié ou même une relation conflictuelle existent, il faut que l'autre soit aligné sur nos pensées ou d'accord avec elles. Or, compte tenu des quelque 7 milliards d'individus présents sur la planète, parmi lesquels choisir, nous pouvons toujours trouver *exactement* ce que nous cherchons, du moment que nous n'essayons pas de décider *qui* ce sera. Alors, au lieu de nourrir certaines pensées sur telle personne en particulier, essayez plutôt ceci : ôtez-la de vos pensées et essayez plutôt d'imaginer les sentiments que vous souhaitez éprouver ou l'issue finale de ce que vous désirez vraiment.

Par exemple, si vous souhaitez le retour de votre ex-dans votre vie, ne pensez pas à lui ; concentrez-vous plutôt sur l'amour que vous désirez connaître et partager. Laissez ensuite vos pensées vous apporter ce que vous désirez vraiment, à savoir – dans ce cas – des sentiments d'amour envers la « bonne » personne, et non pas envers tel individu en particulier. J'entends déjà les protestations de certains qui me diront que c'est vraiment cette personne précise qui leur manque, ainsi que l'amour qui s'échangeait entre eux. Je sais à quel point il peut être difficile de faire cette transition de « l'autre » vers « soi », aussi vais-je approfondir un peu mon explication. Pour l'instant, permettez-moi de vous dire que si vous êtes effectivement accroché à « quelqu'un » en particulier, alors, il y a bel et bien *quelque chose* qui vous échappe. Vous vous méprenez sur votre moi merveilleux, sur cet Univers magique ou encore sur les possibilités infinies qui restent à votre disposition pour vivre les années les plus heureuses et les plus romantiques de votre vie. Et, peut-être que si cette personne précise n'est plus présente dans votre vie, ou qu'elle est sortie de votre influence, c'est justement pour que vous découvriez la vérité sur ce qui vous a échappé jusqu'ici, afin que puisse se présenter à vous quelqu'un qui vous corresponde encore mieux que vous l'imaginez pour l'instant.

Voici la bonne nouvelle : quoi qui vous fasse défaut, cette chose ou cette personne n'est qu'à une pensée de vous, et donc infiniment plus proche et plus facile d'accès que l'ex-à qui vous restez accroché. Et sitôt que vous vous mettrez à y penser, prenez garde, parce que l'amour qui vous manque va très rapidement débarquer dans votre vie sous une forme telle que vous n'en avez jamais connue auparavant : et c'est précisément ce dont vous devez déjà vous réjouir !

***Rien* n'a plus d'importance dans la façon dont nous provoquons nos succès ou nos échecs que les pensées que nous nourrissons.**

Laissez-moi vous donner un exemple de la meilleure façon d'utiliser vos pensées pour influencer une personne précise. Imaginons que vous souhaitiez améliorer les performances de votre enfant à l'école. Ce que vous avez de mieux à faire, c'est de vous imaginer qu'il est joyeux, qu'il s'amuse et qu'il est confiant, car au fond, c'est bien ce que vous recherchez, non ? Cette technique est beaucoup plus efficace que de visualiser des choses précises arrivant à votre enfant, comme une amélioration de ses notes ou un excellent résultat dans tel ou tel domaine. Ce que nous souhaitons véritablement, c'est le bonheur, que ce soit pour les autres ou pour nous-mêmes, or rien n'est plus facile à imaginer : *visualisez* des visages souriants, *ressentez* la chaleur d'une étreinte et *entendez* dans votre tête des louanges et des félicitations.

Dans ce que vous imaginez, efforcez-vous de ne pas préciser en détail la façon dont les choses arriveront. Le processus de manifestation est toujours rapide et harmonieux, de même que des bulles d'air au fond de l'océan trouvent toujours le chemin le plus rapide vers la surface, sauf si nous interférons avec. Vos pensées, comme ces bulles d'air, sont paramétrées pour se manifester aussi rapidement que possible, *sauf si d'autres pensées y font obstacle*. Par exemple, si vous dites « Je serai seulement heureux quand untel fera telle chose », vous vous fermez à toutes les autres façons dont vous auriez pu être tout aussi heureux. Ne vous souciez pas de *comment* les choses doivent se produire. Continuez de vivre normalement – en frappant à certaines portes, en soulevant certaines pierres – sans vouloir absolument que votre solution se trouve derrière telle porte ou sous telle pierre, et *en ne songeant qu'au résultat final auquel vous aspirez*.

Les preuves

Vous aimeriez bien avoir quelques preuves que *les pensées se réalisent*, n'est-ce pas ? C'est facile. Très facile. Mais, comme on ne peut ni voir ni suivre une pensée, une fois qu'elle a été émise, c'est ailleurs qu'il faut chercher la preuve de son existence. Et le meilleur endroit où chercher, c'est tout simplement autour de vous. Voici quelques preuves tirées de ma propre vie :

La première fois que j'ai vraiment pu constater que *les pensées se réalisent*, j'avais neuf ans et je prenais des cours d'équitation à Cherry Hill, dans le New Jersey, même si sur le moment je n'ai pas compris ce qui se passait. À l'époque, ma mère nous emmenait tous les week-ends, ma sœur et moi, suivre un cours d'équitation où nous apprenions à marcher au pas, à trotter et à galoper. Au bout de six semaines, nous eûmes notre premier concours hippique. À ce jour, je revois encore très clairement les juges se mettre en ligne et les six concurrents que nous étions, chacun sur son poney, au milieu du manège, au moment de l'annonce des résultats. Quand j'ai entendu mon nom appelé en tout premier, j'étais tellement excité que j'en suis presque tombé de ma selle... avant de comprendre que je venais juste de gagner le ruban vert pour avoir terminé sixième sur six !

Bon, mais j'étais du genre résiliant, alors j'ai continué de faire du cheval (en réalité, je pense que c'était surtout parce que ma mère y tenait) et peu de temps après j'ai appris qu'un nouveau concours hippique s'annonçait. Cette fois, j'ai demandé à ma mère, « Comment je dois faire pour gagner ? Maman, je veux gagner ». Et elle m'a répondu, « Mike, tu dois faire trois choses : premièrement, monte avec les talons bien en bas. Ensuite, monte avec les épaules rejetées en arrière. Enfin, chaque soir avant de te coucher, prie et demande à Dieu de t'aider à faire de ton mieux ». Quelle façon formidable de formuler les choses !

J'étais gonflé à bloc. Le gourou de ma vie s'était adressé à moi et m'avait dit tout ce que je devais savoir pour gagner. Je me rappelle même qu'au cours de la semaine précédant le concours, j'attendais impatiemment le moment du coucher, de façon à pouvoir parler avec Dieu de ma victoire. Et le jour du concours, je suis effectivement passé de la dernière à la première place. Il n'est pas dans mes habitudes de me vanter (de toute évidence), mais depuis ce jour-là j'ai gagné bon nombre d'autres rubans bleus, au propre et au figuré, dans un large éventail d'activités.

Mais aujourd'hui, quand je repense à la semaine qui a précédé ce deuxième concours hippique, je prends conscience qu'il se passait autre chose, chaque soir, au cours de mes conversations avec Dieu, une chose qui a sans doute fait *toute* la différence. Au cours de ces cinq ou dix minutes de prière, je ne nourrissais *que des pensées de victoire*. Je visualisais ce ruban bleu, et non plus le vert. J'entendais mon nom appelé en tout dernier, et non en premier. Et je me voyais en train de recevoir ce trophée surmonté d'un petit cheval. Chaque soir, je ne cessais de visualiser la victoire et d'y penser, *et ce sont ces pensées qui se sont finalement réalisées.*

La deuxième fois que j'ai pu observer en toute conscience ce même principe – *les pensées se réalisent* – survint peu de temps après l'obtention de mon diplôme. Je venais d'être embauché par Price Waterhouse, qui se nomme aujourd'hui PriceWaterHouseCoopers, que l'on considérait à l'époque comme la crème des huit plus grandes sociétés de comptabilité et qui reste à ce jour une entreprise mondiale renommée et très estimée. Malheureusement, mes trois premiers mois à ce poste furent un vrai cauchemar. Je faisais tout de travers. Tout ce dont je me mêlais tournait au désastre. J'étais une catastrophe ambulante et, durant cette brève période, j'avais déjà accumulé cinq ou six évaluations de chacun des secteurs majeurs dans lesquels j'avais travaillé. Chacune disait à peu près la même chose : « Mike Dooley... *doit* faire des progrès ».

Je ne crois pas être en mesure de vous faire ressentir à quel point ce fut un épisode horrible de mon existence. J'avais la peur au ventre du matin au soir, craignant de me faire virer de mon tout premier emploi dans le monde réel, un job que j'avais mis des mois à décrocher et dont j'avais veillé à ce que toutes les personnes que je connaissais sachent bien que je l'avais obtenu...

Je me rappelle être rentré à la maison, un soir (je vivais encore avec ma mère, à l'époque), m'être avancé dans le séjour et avoir dit à ma mère avec la conviction la plus absolue que j'allais être renvoyé. Or, à cette époque, j'avais déjà admis l'idée que *les pensées se réalisent*, et pourtant ce n'est qu'au moment de m'entendre dire, « Maman, je vais me faire virer... je sais que je vais me faire virer », que m'est venu l'éclair proverbial de compréhension. Soudain, j'ai pris conscience de toutes les *pensées* sinistres que je cultivais non-stop depuis des mois, des pensées qui ne faisaient qu'aggraver la situation.

Je me suis alors immédiatement allongé sur le canapé du séjour, j'ai fermé les yeux et commencé une visualisation. Bon, ça ne paraît pas très difficile, mais quand vous êtes un mauvais vérificateur des comptes, *comment* diable en devenez-vous soudain un bon ? Après tout, un mauvais vérificateur ne sait pas ce que fait un bon, sans quoi il ne serait pas mauvais !

Alors, voici ce que j'ai visualisé et que vous pouvez également faire, chaque fois que vous ne savez pas *comment* atteindre tel ou tel résultat : je me suis *exclusivement* concentré sur le résultat final, sans me demander un instant *comment* j'allais y parvenir. Je ne me suis pas mis à me visualiser en train de réaliser des vérifications que je ne savais pas faire. Je me suis plutôt imaginé en train d'arpenter les couloirs de Price Waterhouse (PW) avec le sourire aux lèvres, content d'être en vie et très heureux de travailler là. Je me suis vu en train de dire « Bonjour ! » à tous mes collègues et je les ai vus me retourner mon salut (ce qui, à l'époque, ne se produisait pas). À dater de ce jour, dès que j'étais rentré du travail, je faisais mon petit exercice de visualisation.

Trois semaines plus tard, le téléphone se mit à sonner dans le bureau de notre équipe. Alors que nous étions une quinzaine de nouveaux vérificateurs, je savais que cet appel m'était destiné, puisque j'étais le seul à ne pas encore avoir été assigné à un groupe de vérification sur le terrain... En l'occurrence, non seulement cet appel était effectivement pour moi, mais il émanait du chef des ressources humaines. Tandis que mon cœur battait la chamade et que mon front se perlait de sueur, il m'expliqua que le département fiscal de l'entreprise manquait de bras, au moment d'aborder la saison la plus chargée de l'année, et – non sans quelque hésitation – il ajouta que le département de vérification « ne voyait pas d'objection » à me prêter au département fiscal.

Non, ce n'était pas du tout une bonne nouvelle ! Comme tous les nouveaux vérificateurs, le département fiscal m'apparaissait comme un endroit terriblement complexe, un monde totalement différent, mais je n'avais pas le choix. On venait de me *prêter* à ce département.

Pourtant, en moins de temps qu'il ne faut pour le dire, je me suis *effectivement* retrouvé à arpenter les couloirs de PW avec le sourire aux lèvres. Il s'avère en effet que le département fiscal m'adorait et que j'avais moi-même grand plaisir à y travailler. Mon prêt à court terme se mua en transfert permanent et, à dater de ce jour, ma carrière chez PW décolla pleinement.

Je me suis *exclusivement* concentré sur le résultat final, sans me demander un instant *comment* j'allais y parvenir.

Ne me trouvant ainsi plus sous la guillotine de la peur d'être viré de mon premier job dans le monde « réel », je parvins enfin à cultiver des pensées de réussite, et non de seule survie. De plus, l'une des choses que j'ai faites à l'époque, pour m'aider à *penser* au succès, a été de me fabriquer un petit album pour visualiser jusqu'au moindre détail de la vie dont je rêvais. J'ai tout simplement pris quelques feuilles de papier blanc dans la machine à photocopier (gracieusement offertes par PW, sans doute) et sur chacune d'elles j'ai collé une photo d'une chose que je désirais, découpée parmi les publicités des magazines. Mon album comprenait ainsi de belles montres, de magnifiques maisons, des voitures de luxe et des destinations de rêve comme Londres, Paris, Hong Kong et Tokyo. Entreprendre de grands voyages était l'un de mes buts à long terme, notamment parce que je n'avais aucune raison de croire que je pourrais le réaliser alors que j'étais tout frais émoulu de l'Université. Mais, puisque j'étais en train de concevoir la vie de mes rêves, je me disais que je pouvais quand même inclure ce but-là. Rétrospectivement, je me dis que c'est dingue à quel point je me suis trompé ! J'ai totalement sous-estimé le pouvoir stupéfiant de la pensée.

Les rêves se réalisent vraiment

Dix mois plus tard, alors que je suivais une formation pour PW à Reston, en Virginie, j'ai découvert que notre entreprise offrait chaque année une mission à l'étranger à un petit groupe d'employés triés sur le volet. Cette formation se déroulait à la fin du mois de novembre, cette année-là, quelques jours avant la fête de Thanksgiving. Six semaines plus tard, peu après le début de la nouvelle année, j'avais pris mes quartiers et travaillais désormais dans la capitale ensoleillée de l'Arabie Saoudite : Riyad.

Vous ne verrez peut-être pas là un rêve qui s'est réalisé, et je dois reconnaître qu'il n'y avait pas de photos du Moyen-Orient dans mon album personnel, et que je n'avais même *jamais* entendu parler de Riyad, six semaines avant que j'en parle comme de « chez moi ». Mais j'avais *effectivement* visualisé le résultat final auquel j'aspirais – la vie de mes rêves – et quand j'y repense, toutes choses bien considérées, je ne vois pas ce qui aurait pu m'en approcher plus rapidement.

En effet, au cours de ce séjour en Arabie Saoudite, je parvins à accumuler suffisamment de vacances, d'heures supplémentaires et de jours fériés à rattraper pour pouvoir ensuite disposer de trois mois de libre avec solde.

Sans compter que cette mission s'accompagnait d'une prime de pénibilité et du remboursement d'un billet d'avion tous les six mois pour rentrer chez soi, que je pouvais utiliser pour me rendre n'importe où dans le monde. Je ne demandais pas mieux !

J'ai ainsi fait deux fois le tour du monde, j'ai pu visiter toutes les villes et tous les pays de cette planète dont j'avais jamais rêvé, que ce soit en Afrique, en Asie ou dans les mers du Sud. J'ai même failli faire une attaque, un beau matin, alors que je prenais mon petit-déjeuner à l'Hôtel Regent de Kowloon, à Hong Kong. Perdu dans mes pensées, l'instant d'avant, presque frappé par la foudre l'instant d'après, je pris soudain conscience, en quittant des yeux ma tasse de café pour contempler le paysage qui s'offrait à moi derrière les gigantesques fenêtres de l'hôtel, que j'avais devant moi exactement la même vue de l'île d'Hong Kong que celle que j'avais découpée et collée dans mon petit album personnel, pile deux ans plus tôt.

Une fois ma mission terminée au Moyen-Orient, je me vis offrir pour mon retour la ville qui figurait au sommet de ma liste. Je fis l'acquisition d'un appartement très agréable au centre-ville de Boston, ce qui me permettait de traverser Faneuil Hall chaque jour pour aller au travail et en revenir. Dix-huit mois plus tard, au moment d'apprendre ma nomination imminente au poste de manager, la seconde meilleure promotion possible, à part devenir associé, j'ai pris la décision de passer à autre chose et de poursuivre un autre de mes rêves : celui de devenir entrepreneur. Le seul problème, c'était que je n'avais pas la moindre idée de la *façon* dont on devient un entrepreneur, ni de ce que mon entreprise pourrait bien offrir.

Ma tâche – notre tâche – consiste premièrement et surtout à définir notre rêve, et plus particulièrement *son résultat final*, dans les moindres détails.

Par chance, les leçons que la vie m'avait apprises à ce stade m'avaient clairement montré que pour qu'un rêve se réalise, vous n'avez pas besoin de savoir *comment* ça va se faire, puisque le « comment » est du domaine de l'Univers. Ma tâche – notre tâche – consiste premièrement et essentiellement à définir notre rêve, et plus particulièrement *son résultat final*, dans les moindres détails.

Je me suis donc défini le rêve suivant : avoir ma propre entreprise, quitter Price Waterhouse, vendre mon appartement et déménager à Orlando, en Floride. En l'espace de quelques mois, je me suis associé avec mon frère, graphiste, et ma mère, quelqu'un de super, et ensemble nous avons lancé TUT Entreprises Inc. : « Totally Unique T-shirts ». Au cours des 10 années suivantes, nous avons vendu à nous trois plus d'un million de ces T-shirts.

Je pourrais remplir les 11 prochains chapitres d'autres aventures et mésaventures qui, toutes, ont été précédées par mes pensées, sans pour autant parvenir à tout vous raconter. Mais vous savez qui d'autre pourrait faire pareil ? Vous, bien sûr. Car votre connaissance ou votre ignorance de ce principe n'affecte en aucune façon son fonctionnement et son efficacité.

Vos pensées se sont *toujours* réalisées dans votre vie ; elles le font d'ailleurs en ce moment même et continueront de le faire aussi longtemps que vous en aurez. Mais, au lieu de chercher dans votre propre vie des preuves de ce que j'avance (car on n'est pas toujours aussi objectif qu'on voudrait avec soi-même), observez plutôt la vie de vos amis, des membres de votre famille, de vos collègues et de vos voisins, et voyez à quel point leur chance et leur malchance font écho à leurs pensées.

Et tant qu'à penser à d'autres personnes, songez également à celles qui vivent actuellement dans la richesse et l'abondance. Si vous ne connaissez pas beaucoup de gens riches, pensez à des célébrités – des rock stars, des acteurs, des grands patrons – et demandez-vous, « Quelle est *la chose* qu'ils ont tous en commun (à part de l'argent) ?! ».

Est-ce qu'ils sont tous allés à Harvard pour décrocher un MBA ? J'en doute. Parmi mes amis les plus riches, certains ont eu de la chance de décrocher leur bac. Alors, sont-ils tous nés dans des familles riches ? Loin de là. Du moins pas ceux que je connais. Avaient-ils tous un Q.I. ou un Q.E. élevés ? Allons, soyons sérieux. On connaît tous des gens riches et idiots, n'est-ce pas ? Franchement, il suffit d'allumer sa télé pour en voir quelques-uns ! Alors, quelle chose – en dehors de l'argent – ont-ils tous en commun ?

Au minimum, ils croyaient tous que « ça » pouvait leur arriver. Or, sitôt que vous croyez quelque chose, que ce soit justifié ou non, que ce soit « bon » ou « mauvais », vous ne pouvez pas vous empêcher de cultiver *des pensées* qui vont dans le sens de vos croyances. Nos pensées reflètent nos croyances (dont nous parlerons davantage plus loin). Une fois que vous nourrissez certaines *pensées*, qu'arrive-t-il ? Elles s'efforcent de se concrétiser sous la forme d'objets ou d'événements dans votre vie. Telle est la loi.

Songez maintenant à toutes les personnes riches que vous connaissez, qui possèdent deux fois moins d'intelligence, de charme ou d'élégance que vous (je suis sûr que vous en trouverez au moins une), et qui gagnent pourtant deux fois plus que vous chaque année. Demandez-vous pourquoi. Comment ça se fait ? Ne sommes-nous pas tous faits de la même pâte, de chair et d'os, avec un cœur qui bat et du sang rouge qui parcourt nos veines ? En réalité, il n'y a absolument aucune différence entre vous et ces personnes-là, comme il n'y en a pas davantage entre vous et moi. Nous sommes tous exactement pareils, à une exception : nos pensées. Telle vie peut aller dans « cette direction-ci » et telle autre dans « cette direction-là », mais au final, n'est-ce pas toujours la résultante des pensées différentes que cultive chacun ?

J'imagine que, pour la plupart d'entre vous, vous êtes d'accord avec moi et que vous vous dites, « Oui, c'est vrai. Je le vois bien. Les pensées se réalisent, c'est l'attitude qui compte, et c'est nous qui créons notre propre réalité ; d'ailleurs, j'ai toujours été quelqu'un de positif ». Pourtant, je ne crois pas que vous compreniez vraiment – du moins, pas encore – car je ne pense pas que vous ayez vraiment saisi qu'il n'y a *jamais* la moindre exception à ce principe. *Les pensées se réalisent* ; il n'y a pas de circonstances atténuantes, il n'y a aucune exception à la règle, ce qui veut dire que vos pensées sont responsables de toutes les choses merveilleuses et « difficiles » qui vous soient jamais arrivées. Non seulement ça, mais vos pensées sont même la seule et unique raison pour laquelle *la moindre chose* s'est ou non produite dans votre existence jusqu'ici.

Se libérer de tout doute

J'ai bien conscience que mes propos peuvent vous paraître extrêmes et assez radicaux, mais je fais exprès de vous pousser jusqu'à vos limites. Je veux que vous poussiez votre compréhension de ce principe à l'extrême, afin de vous forcer à admettre qu'il vous pose quelques difficultés. Pourquoi ? Parce qu'en affrontant nos difficultés, quelles qu'elles soient, nous parvenons à les dépasser et à mieux comprendre la vérité. On peut en effet comprendre la vie ; vos questions ont effectivement des réponses, pour autant que vous en sachiez assez pour bien les poser. À partir de là, pour peu qu'on comprenne pleinement ce principe, on peut l'utiliser sans douter de soi et sans s'imaginer qu'il y a d'autres forces à l'œuvre qui sapent nos efforts.

Alors, à moins que vous n'ayez déjà considéré ce principe comme étant « absolu », il y a vraisemblablement deux obstacles qui vous empêchent de pleinement comprendre que ce sont effectivement vos *pensées* qui créent *totalement* votre réalité.

« Pourquoi n'ai-je pas encore gagné au loto ? »

Vous pourriez honnêtement vous demander, « Eh bien, Mike, si *mes pensées se réalisent* d'une façon aussi prévisible que la loi de la gravitation, qu'en est-il de tous mes rêves qui ne se sont jamais réalisés ? Pourquoi n'ai-je pas encore gagné au loto ? ». Votre première objection, par conséquent, consiste à affirmer qu'il y a des choses que vous désirez – des choses que vous *brûlez* d'acquérir, auxquelles vous avez peut-être *pensé* durant des mois ou des années – qui ne se sont pourtant jamais réalisées.

La réponse est très simple. On n'a jamais envie d'une seule chose, n'est-ce pas ? De même, on ne cultive jamais qu'une seule pensée. D'ailleurs, les scientifiques affirment aujourd'hui que nous avons plus de 60 000 pensées par jour, en moyenne ! Alors, si nous nourrissons autant de pensées à la fois, n'est-il pas possible – voire très probable – que certaines d'entre elles se contredisent les unes les autres ?

Par exemple, vous rêvez peut-être d'atteindre le dernier échelon, dans votre entreprise, au point d'y penser chaque mois, chaque année ; vous visualisez le bureau du dernier étage ; vous vous voyez déjà en train de prendre toutes les grandes décisions et de guider vos « troupes ». Mais si, tout en cultivant ces pensées-là, vous revenez chaque jour du travail et vous dites avec amertume à votre femme, « Personne ne m'apprécie vraiment à ma juste valeur », ou « Personne au travail ne se rend compte des améliorations que je pourrais apporter », alors, ces pensées-là doivent elles aussi faire ce que font toutes les pensées : s'efforcer de se concrétiser dans votre réalité. C'est ainsi que celui qui pense ne pas être apprécié finit généralement par *effectivement* ne pas l'être, ce qui ne semble pas la meilleure façon de gravir un à un tous les échelons de l'entreprise.

De fait, certaines nuances subtiles qui affectent ce que vous concrétisez *peuvent* favoriser certains résultats au détriment d'autres, mais on peut résumer toutes ces nuances en trois mots : « vos autres pensées ». Or, ces *autres pensées* que vous cultivez sur la vie, sur les gens et sur le bonheur ont probablement été nourries avec plus d'intensité, d'émotion et de répétition que celles qui ne se sont pas encore manifestées.

Pour vous donner un autre exemple, imaginons que vous vous visualisiez régulièrement dans la richesse et l'abondance, que vous vous voyiez vivre dans une grande maison, conduire une voiture de luxe et voyager dans le monde entier. Mais, conjointement, vous avez toujours pensé (et vous continuez de le croire à ce jour, que vous en ayez conscience ou non) que les personnes riches ne sont pas spirituelles, ou qu'une grande richesse s'accompagne de gros problèmes... d'où une évidente contradiction ! Soit l'argent est quelque chose de merveilleux et de bon, et vous souhaitez en avoir, soit c'est quelque chose de mal et de négatif, et vous préférez l'éviter. Le fait de cultiver simultanément des pensées contradictoires vous positionne donc au milieu, quelque part entre trop et trop peu d'argent.

Comme vous le voyez, il est tout à fait possible que vos pensées entrent en conflit les unes avec les autres, sans même que vous en ayez conscience. J'expliquerai ultérieurement comment vous pouvez vous concentrer sur certaines pensées, mais pour l'instant, retenez que c'est à cause de conflits de ce genre qu'il vous est parfois arrivé de ne pas obtenir ce que vous désiriez. Mais malgré tout, les pensées qui l'ont finalement *emporté* émanaient également de vous. La leçon à retenir est donc la suivante : le fait que vous n'ayez pas obtenu ce que vous désiriez le plus fort ne signifie pas que vous n'avez pas reçu ce à quoi vous pensiez. Si certaines de vos pensées ne sont pas encore réalisées, c'est parce que *d'autres de vos pensées l'ont fait avant celles-ci* et leur ont fait obstacle.

« À qui appartenaient ces pensées-là ?! »

Le deuxième obstacle principal qui vous empêche de pleinement comprendre que *vos pensées se réalisent* vient du fait qu'au cours de votre vie des choses inattendues vous sont *effectivement* arrivées, que vous avez fait des expériences – certaines agréables et d'autres que vous n'oseriez jamais révéler – auxquelles vous n'avez jamais, au grand jamais, pensé auparavant. Vous allez donc me demander, « Alors, Mike, si *mes pensées se réalisent* d'une manière aussi prévisible que la loi de gravitation, *à qui* appartenaient ces pensées-là ?! ».

Illustrons cela par un exemple. J'aime me rendre à South Beach, à Miami, pour m'échapper le temps d'un week-end. J'adore l'énergie de Miami, sa culture émergente et toute la diversité de personnes qu'on y rencontre. Ainsi, pour moi, Orlando est le « point A » – là où je me trouve actuellement – et Miami le « point B », c'est-à-dire le but, la destination finale à laquelle je *pense*. Pour que je me rende du point A au point B, je dois effectuer un trajet. Celui-ci comportera immanquablement des éléments auxquels *je n'ai pas pensé*, comme de savoir si le trafic sera fluide ou non, si tel tronçon de la route sera en travaux et comportera une déviation, si je m'arrêterai pour me reposer ou pour prendre de l'essence, et si les visages des automobilistes que je croiserai seront plutôt souriants ou renfrognés. Mais toutes ces expériences auxquelles je n'ai pas *pensé*, à propos de ce trajet, n'en restent pas moins nécessaires pour que je parvienne à destination. Et le même genre d'expériences *impensées* accompagne tout ce que nous déclenchons chaque fois que nous nourrissons de nouvelles pensées.

Chaque fois que vous avez une nouvelle pensée, celle-ci doit prendre en compte le point où vous en êtes actuellement dans la vie, pour vous emmener dans la direction où elle pointe. Et pour passer du point A au point B, il vous faudra fréquemment traverser des régions *impensées*, ce qui ne veut pas dire pour autant qu'il puisse arriver n'importe quoi durant un tel parcours. Tout ce qui se produit effectivement pourrait bel et bien être prédit, sur la base de *toutes vos autres pensées* sur la vie, les gens et le chemin que vous souhaitez parcourir.

Par exemple, imaginons que vous pensiez à l'amour, à la joie et aux rires que vous aimeriez voir augmenter dans votre vie. Pour obtenir plus ou moins de n'importe quelle chose, ou pour produire un changement de quelque sorte dans votre existence, vos pensées doivent vous faire franchir une distance à travers le temps et l'espace, dans le monde matériel, afin que se manifestent les circonstances permettant la réalisation de vos rêves. Et comment vos pensées vont-elles bien pouvoir accomplir cela ?

Imaginez par exemple que vous tombiez « accidentellement » sur un ami que vous n'avez pas vu depuis longtemps et que vous renouiez cette amitié, et que cela vous fasse ensuite rencontrer d'autres personnes : ça y est, vous êtes lancé ! Vous pourriez également trouver par « coïncidence » un chien ou un chat abandonné que vous décidez d'adopter, et qui, dès lors, vous procure une joie immense dans la vie. Autre possibilité, suite à une succession de « mésaventures » apparentes, vous pourriez être forcé de déménager dans une nouvelle ville que vous finirez par adorer.

Comme vous le constatez, chaque fois que quelque chose d'inattendu ou d'*impensé* survient sur votre route, c'est *toujours* une étape nécessaire pour atteindre « l'endroit » auquel vous pensiez, car, comme vous le savez, il n'existe ni accident ni coïncidence dans le temps et l'espace.

S'il existait vraiment des accidents et des coïncidences, nous serions alors privés de notre pouvoir ; on ne pourrait plus affirmer qu'il nous a été donné de dominer sur toute chose, ni que nous sommes des créateurs divins et surnaturels ; on devrait nous mettre en garde contre les risques de malchances, coups du sort et autres aléas possibles. Cela voudrait dire que nous ne serions au mieux que les cocréateurs de nos expériences les plus intimes et les plus personnelles. Cela signifierait également qu'il pourrait se passer n'importe quoi, en dépit de tous nos efforts, en dépit de notre existence même. De même qu'une chaîne n'est aussi forte que son maillon le plus faible, s'il existait une réalité où il pourrait ne nous rester parfois que le 0,001 % de notre incroyable pouvoir, cela voudrait dire que par moments nous n'aurions plus aucun pouvoir du tout. Et si, ne serait-ce que durant quelques secondes, nous pouvions n'avoir aucun pouvoir (d'autant que ces secondes-là pourraient se manifester au hasard, à des moments-clés de notre existence), cela reviendrait pratiquement au même que de n'avoir aucun pouvoir de toute notre vie, *au point de rendre nulle et non avenue la raison même de notre existence ici-bas*. Hors de question ! La vie est bien trop étonnante, majestueuse et parfaite pour qu'existent des accidents et des coïncidences susceptibles de nous priver de notre liberté, de notre gloire et notre pouvoir.

Pour prendre les choses maintenant du point de vue inverse, le fait que « tout a de l'importance » ne signifie pas pour autant que « tout a une signification profonde ». Tout a de l'importance, dans la mesure où chacune de nos pensées et de nos paroles, chacun de nos sentiments déclenche une création. Toutefois, une pensée prise au hasard, du genre « Mes amis sont généralement en retard », « On n'est jamais à l'abri d'une tuile » ou encore « Les hommes sont des menteurs » va ou non avoir de l'influence sur votre vie, compte tenu de toutes vos autres pensées, dont certaines peuvent s'opposer à celle-ci. Par exemple, le fait de vous cogner un orteil au beau milieu de la nuit n'est certes pas un « accident », mais il n'en a pas pour autant une signification profonde. Le sens et l'impact de ce geste dépendent de la convergence de toutes vos pensées, tant profondes que triviales.

Chaque fois que quelque chose d'inattendu ou d'*impensé* survient sur votre route, c'est *toujours* une étape nécessaire pour atteindre « l'endroit » auquel vous pensiez.

Par où commencer ?

Travailler sur ses pensées, cela veut dire en prendre conscience, afin de déterminer leur objet. La tâche peut sembler décourageante, surtout quand vous réalisez que vous n'avez pas arrêté de penser de la journée, sans jamais réfléchir à ce qui occupait vos pensées ! Sans oublier ces croyances cachées que vous cultivez – des croyances dont vous ne savez rien – qui sont responsables d'un certain nombre de vos pensées, pratiquement invisibles. Bon sang ! Par où commencer, alors ?

Faites simplement ce dont vous vous sentez capable. Votre vie comporte déjà assez de difficultés, pas vrai ? Au travail comme à la maison, quoi que vous fassiez, vous êtes toujours confronté à l'inattendu et, franchement, ce n'est pas toujours facile. Il nous est tous arrivé de traverser des périodes où l'on aurait bien aimé pouvoir quitter tel emploi ou telle relation, et nous en aller sans nous retourner, mais la plupart du temps on ne le fait pas. Pourquoi ?

Parce que nous savons qu'aussi difficiles que soient certaines situations, les bienfaits qu'on en retirera ensuite, ou le bon côté qui finira par en ressortir une fois qu'on les aura traversées, les surpassent. Nous savons que si nous faisons au moins ce dont nous sommes capables, les choses s'amélioreront ; elles s'améliorent *toujours*. Il en va de même avec le travail qu'on fait sur ses pensées. Faites-le, tout simplement ! Faites ce dont vous vous sentez capable.

La visualisation : des images (ou des sentiments) en tête

Si vous avez compris que votre monde gravite effectivement autour des pensées que vous choisissez, alors nul besoin d'être grand clerc pour en déduire qu'il serait bien, de temps en temps – idéalement tous les jours – de cultiver délibérément les pensées que vous voulez voir se manifester. Je vous recommande de commencer par la visualisation, car tout le monde peut trouver cinq minutes par jour pour visualiser ce qu'il veut, et ça ne coûte pas un sou. Voici quatre règles que je suis et qui m'aident à visualiser :

1 | **N'en faites pas trop.** Ne visualisez jamais plus de cinq minutes d'affilée, car on se met facilement à rêvasser et à perdre le fil de ses pensées. Il vaut mieux une bonne visualisation de cinq minutes qu'une mauvaise de quinze ou de trente ; c'est la qualité qui prime sur la quantité. Quand je me visualisais en cinq minutes en train de changer de carrière chez Pricewater House, ces cinq minutes s'opposaient à toute la journée où je me faisais du souci, craignant de me faire licencier, et pourtant ce sont elles qui l'ont emporté. Et si elles ont gagné, au bout du compte, malgré cet énorme déséquilibre, c'est parce que nous avons un penchant naturel pour la victoire et le succès (j'en parle davantage au chapitre 6, « L'Univers magique »), ce qui rend la visualisation d'autant plus puissante.

2 | **Traitez-vous avec douceur.** Allez-y mollo. Soyez patient. Ne vous en voulez pas si vos pensées redeviennent négatives ou si vous recommencez à vous faire du souci dans la journée. Je sais comment ça fait. Vous conduisez votre voiture, en vous disputant intérieurement avec quelqu'un, ou alors vous êtes inquiet parce que les choses ne vont pas comme vous

voulez au travail ou à la maison. Quand vous commencerez à prendre conscience de vos pensées, vous vous surprendrez à en avoir de pas très jolies, et ça peut même vous arriver pendant que vous visualisez. Ce n'est pas grave ! Au moins vous développez votre conscience comme jamais auparavant, et c'est déjà un bon début. Même lorsque je me visualisais en train d'arpenter allègrement les couloirs de PW, *je me surprenais quand même à avoir peur d'être viré !* Que faisais-je, alors ? Que *pouvais-je* faire ? Je faisais ce dont j'étais capable : je poursuivais ma visualisation en faisant de mon mieux... et cela suffisait.

3 | **Mettez-y de la joie**. Si vous voulez vraiment énergiser et dynamiser vos pensées, ajoutez-y de l'émotion. Toutes les pensées ne sont pas pareilles. C'est vrai, elles veulent toutes se concrétiser, mais en dehors de cela, elles présentent des niveaux d'intensité différents : ce sont les émotions qui font monter ou baisser le volume. *L'émotion, c'est du pouvoir à l'état pur*, et lorsqu'on l'infuse dans sa visualisation, les choses arrivent beaucoup plus rapidement. Ressentez donc les émotions qu'évoque ce que vous visualisez. Ressentez l'excitation, la joie, le plaisir, la victoire ou que sais-je, qui accompagneront la manifestation de vos pensées. En conférence, le public me demande souvent que faire si l'on ne parvient pas à voir des images mentales. Je réponds de ne pas s'inquiéter, car ça peut même être un avantage. Je leur dis de ne pas se soucier des images et de se concentrer sur la clarté des *sentiments* qu'ils souhaitent éprouver. Plus vous parvenez à ressentir de la joie, plus les détails concrets de votre existence s'organiseront rapidement pour permettre une vraie manifestation.

4 | Ne visualisez pas plus d'une à deux fois par jour. D'abord, parce que votre vie et votre bonheur dépendent du présent, et non du futur, et que passer trop de temps à penser à vos espoirs futurs risquerait de vous faire négliger tout ce que vous possédez déjà et dont vous pouvez être heureux. Deuxièmement, si vous pensez trop à la réalisation de vos rêves, vous risquez de devenir de plus en plus conscient de l'écart séparant votre état actuel de celui que vous désirez atteindre. Cette distance peut vous sembler tellement insurmontable que vous risquez de douter de vous-même, de perdre confiance et d'arrêter complètement de visualiser.

Sur quoi devraient porter vos désirs ?

Le principe qui veut que *les pensées se réalisent* est le moyen suprême de parvenir à vivre la vie de vos rêves. C'est vraiment la seule règle qui compte et sa compréhension est le premier pas pour maîtriser votre vie et réaliser vos rêves. Vous n'avez pas besoin de savoir *comment* ça marche. Il suffit que vous sachiez que ça marche *vraiment*. Infailliblement. Ne l'oubliez jamais. Ne vous en écartez jamais. Plus vous garderez cette vérité à l'esprit, plus vous en verrez la preuve se manifester dans votre vie, et vous prendrez alors conscience qu'elle était active depuis toujours.

***L'émotion, c'est du pouvoir à l'état pur*, et lorsqu'on l'infuse dans sa visualisation, les choses arrivent beaucoup plus rapidement.**

C'est votre conscience de ce principe, soutenue par les preuves de son efficacité, recueillies dans votre vie, qui vous fera accéder à votre plein pouvoir ; vous croirez en vous-même et en votre capacité inhérente à modifier délibérément le cours de votre vie. Vous poursuivrez vos rêves avec plus de confiance que jamais auparavant. Pourquoi ? Parce que vous comprendrez que leur réalisation exige avant tout de les rêver ! Or qu'y a-t-il de plus simple ?

Maintenant, avant de conclure ce chapitre, j'aimerais vous poser une question, en souhaitant que vous y répondiez de façon très égoïste. Si un seul de vos désirs pouvait se réaliser – n'importe quoi, tout ce que vous voulez – quel serait ce désir ? Voudriez-vous un milliard de dollars ? Souhaiteriez-vous la santé ? Ou plutôt l'amour ? Auriez-vous envie d'avoir des millions d'autres vœux ? Quel serait votre désir ?

Bon : si vous m'avez bien lu, *vraiment attentivement*, et si vous comprenez vraiment que les pensées se matérialisent dans votre vie, sous la forme d'objets et d'événements, je sais quel est votre désir. Car en toute logique, vous ne pouvez désirer qu'une seule chose. Je sais qu'il serait que les choses soient exactement telles qu'elles sont actuellement, afin que vous puissiez rester vivant dans ce royaume que vous dirigez grâce aux pensées que vous choisissez, un royaume où l'on vous a effectivement rendu maître de toutes choses... n'est-ce pas ? Car vous avez désormais compris que vivre en tant que création, au milieu de vos propres créations, comme c'est le cas pour nous tous dans cette jungle du temps et de l'espace, est ce que vous pouvez espérer de meilleur.

Les pensées se réalisent ! Il n'y a pas de conditions préalables, pas d'intention cachée, ni aucune variable inconnue qui contrecarre vos projets dans ce Jardin d'Éden, dans ce paradis des paradis où chacun d'entre nous est effectivement maître de sa destinée.

2 LES CROYANCES

Tout ce qui affecte nos pensées affecte notre vie. Or, rien n'affecte davantage nos pensées que nos croyances. Dans ce chapitre, je m'intéresserai à la façon dont nos croyances façonnent nos pensées et, par conséquent, notre monde.

Penser, c'est croire

Jour après jour, nous ne pouvons faire autrement que d'avoir des pensées et, chose surprenante, nous n'avons pratiquement pas conscience de la plupart d'entre elles. Pourtant, à mesure que nous nourrissons sans cesse ces pensées, nous les visualisons également, nous les anticipons et, au bout du compte, nous manifestons la vie même que nous vivons. Inconsciemment, et sans effort, nous donnons vie à chacune de nos expériences, en ne prêtant pratiquement aucune attention à nos pensées et aux mécanismes qu'elles mettent en œuvre. Et c'est bien ainsi. Mais ce dont nous devrions au minimum avoir conscience, c'est que nos pensées quotidiennes habituelles et notre imagination vagabonde forment le gros de ce qui nous traverse la tête, aussi sont-ce ces pensées-là qui sont responsables de la plupart de nos expériences.

Alors, la question à un milliard de dollars est la suivante : « Comment puis-je réorienter le flot de mes innombrables pensées quotidiennes, de façon à ce qu'il soit au service de mes besoins et mes désirs ? ». Et la réponse à un milliard de dollars est celle-ci : « En alignant vos croyances sur la vie de vos rêves ».

Ce que vous croyez, c'est ce que vous penserez.

En d'autres termes, pour maîtriser vos pensées et votre imagination, et – par conséquent – votre vie et votre destin, vous devez tout d'abord devenir maître de leur capitaine : vos croyances. Si vous veillez à ce que vos croyances sur la réalité et sur la place que vous y occupez soient alignées sur vos rêves, vous pouvez être sûr que vous allez tout naturellement et automatiquement avoir les « bonnes » pensées, même quand vous n'y faites pas attention. Et ce sont alors ces pensées-là qui formeront les objets et événements qui se manifesteront dans votre vie.

Croire, c'est penser

Pour commencer, qu'est-ce qu'une croyance ? Laissez-moi vous donner quelques exemples en vous posant quelques questions toutes simples auxquelles vous pouvez répondre par deux ou trois termes descriptifs. D'abord, que pensez-vous des personnes, en général ? Par exemple : les gens sont bons, dignes de confiance et ils ont bon cœur ; ou ils sont plutôt sans consistance, naïfs et paresseux ? Bien. Puis, que pensez-vous de la vie en général ? Est-elle facile, difficile, stimulante ou ennuyeuse ? Et la santé ? Vous échappe-t-elle ou est-elle facile à conserver, rêvez-vous de l'avoir ou l'avez-vous déjà ? Enfin, parlez-moi de vous. Êtes-vous créatif, borné, déterminé, insouciant ou déçu ?

Quelles que soient les réponses que vous avez apporté à ces questions, vous venez de me faire part de certaines de vos croyances. Voici le truc : vous croyez que vos réponses ne sont que de simples observations sur la réalité et sur vous-même, mais en réalité ce sont elles qui vous ont aidé à *façonner* votre réalité. Si vous pensez que la vie est dure, par exemple, elle le devient. Elle ne *l'était* pas au départ, jusqu'à ce que vous vous mettiez à le croire. Au fil du temps, vous n'avez même plus remarqué que cette observation n'était que « votre opinion » et vous l'avez prise pour un fait, et c'est ainsi qu'une croyance est née en vous.

Nous avons des milliers de croyances. Toutes ne sont pas désirables, mais elles forment de fait la police de nos pensées. Ce sont elles qui élaborent les règles que doivent suivre nos pensées, et ces règles sont les plus rigides qui soient. Car, voyez-vous, en dehors d'une brève liste d'« absolus » et de « vérités » sur la vie, il n'y a pratiquement aucune règle. Voici donc cette courte liste d'absolus ou de vérités, que j'ai pu déduire de mes propres expériences et de mes observations personnelles.

Les Vérités de l'Être

Nous ne sommes tous qu'Un (nous émanons de l'Un, de Dieu, nous sommes divins, interconnectés). Rien n'existe hors de Dieu, rien ne peut être « non-Dieu ». Si une chose était « non-Dieu », d'où proviendrait-elle : *de quoi serait-elle faite ?* C'est là sans doute la vérité la plus fondamentale et la plus évidente. Il suffit d'un peu de contemplation pour le déduire, ce qui débouche sur la conclusion qu'ont épousée de nombreuses religions, à savoir qu'il n'a jamais existé et qu'il n'existera donc jamais qu'un seul Dieu. Tout le visible et l'invisible ne sont que Dieu à l'état pur. Chaque grain de sable, chaque vide intersidéral, chaque pensée et *chacun d'entre nous* est Dieu à l'état pur. C'est simplement notre habitude de ne nous fier qu'à nos sens physiques pour interpréter et juger la réalité qui rend cela difficilement compréhensible à nos yeux, d'où notre besoin de voir toute chose sous l'angle de la dualité. La vie nous semble dès lors être noir ou blanc, ceci ou cela, d'où le sentiment qu'ont certains que si Dieu existe, il doit aussi exister quelque chose d'opposé. Ce qui n'est pas le cas, et ne saurait l'être.

Les pensées se réalisent (nous sommes Créateurs). Nos pensées – qui, comme le dit la vérité précédente, sont *Dieu à l'état pur* – ont littéralement une énergie et une « force vitale » qui leur sont propres. Nos pensées sont « vivantes », conscientes et actives. Je ne veux pas dire par là qu'elles ont des caractéristiques humaines, de même que nous n'attribuons pas ce genre de qualités à un zèbre ou à une rose (alors qu'ils sont eux aussi Dieu à l'état pur). Elles possèdent néanmoins leur propre type de conscience, avec des caractéristiques et des propriétés d'attention spécifiques. L'une de ces propriétés, dans le temps et l'espace, est que nos pensées cherchent immédiatement et « intelligemment » à se manifester physiquement. Lorsqu'on voit les choses à travers le prisme du temps : Dieu devient la conscience, qui devient l'attention, qui devient des pensées, qui deviennent la matière. Ces transformations ne « Le » diminuent pas et ne « Le » rendent pas moins Dieu pour autant.

La vie (la conscience, Dieu, l'énergie ; nous-mêmes) est éternelle. Nous sommes les créateurs de cette dimension illusoire du temps (qu'Einstein qualifiait de relative), c'est pourquoi nous existions « avant » elle et existerons encore « après » elle. D'accord, cela troublera sans doute ceux qui ne s'appuient que sur leurs sens physiques pour interpréter la réalité, mais est-ce que notre essence même, notre existence elle-même, qui est de toute évidence indépendante de notre corps physique (comme l'ont prouvé l'état de rêve, les innombrables expériences de mort imminente et les récits de sorties hors du corps, sans oublier notre conscience de veille, car aucun d'eux ne peut logiquement être le produit de nos cellules, de nos atomes ou de nos molécules) ne rend pas la chose évidente ? Or, si notre conscience est indépendante du corps, elle l'est donc aussi du temps et de l'espace. (Le temps n'est qu'un attribut ou une mesure de l'espace ; les deux ne font qu'un, comme les axes X et Y qui forment le plan. On ne peut avoir d'espace sans temps, et vice-versa).

Seul existe l'Amour (seul existe Dieu). Cette formulation, qui ressemble à la première vérité, introduit la notion d'amour. Ne faut-il pas qu'une forme d'amour – l'amour divin, bien au-delà de l'amour humain que nous exprimons – soit la motivation et la raison qui sous-tendent *toute* réalité ? En l'absence d'amour, c'est-à-dire d'une forme d'attention portée à autrui, à quoi bon créer des mondes et développer la conscience ? De plus, s'agissant de l'intelligence divine et infinie, ou du Créateur de toutes « choses », peut-on imaginer qu'existe le plus infime recoin de la réalité qu'Il ait oublié, raté ou mal créé, au point d'en faire quelque chose qui ne soit pas rempli de son amour divin ? Ce qui nous amène à la vérité suivante.

Tout est bon (chaque chose est exactement telle qu'elle « devrait » être). Une fois encore, cette vérité – qui ressemble à d'autres ci-dessus, tout en ayant sa propre formulation – nous permet d'introduire un nouveau concept qu'il nous faut aborder : celui de la « chance ». Dans l'esprit divin, même si tout demeure possible, avec d'infinies possibilités d'expansion dans des royaumes inimaginables, il n'en reste pas moins que certaines éventualités de premier ordre, comme évoluer, grandir et continuer de faire Un avec l'esprit divin, au terme de l'aventure, n'ont *pas* été laissées au hasard. Les erreurs, les accidents, les *peut-être, si seulement* ou *j'aurais dû* et autres ça aurait dû sont impossibles, car tous les potentiels *généraux* de développement ont été perçus et compris à un niveau plus élevé, avant même que notre aventure commence. Par analogie, s'il existe un nombre infini de chemins qui mènent à Rome, aucun d'entre eux ne change Rome. Et même si, de notre point de vue extrêmement limité, il nous arrive des choses négatives, cette conclusion est tout simplement impossible à tirer, à la lumière du grand ordre des choses. De plus, si l'on prend en compte le fait que nous sommes Dieu à l'état pur, que nous sommes une énergie pure et éternelle, qui vit dans un monde de rêves et d'aventure de notre propre création, et que, *quoi qu'il arrive* au cours de cette aventure, nous retournerons tous à notre source céleste, devenus plus sages, plus complets, riches et puissants, la seule conclusion que l'on peut tirer est que tout « ça » est *vraiment bon et bien.*

Cette liste n'a pas la prétention d'être exhaustive, puisque chacune de ces vérités pourrait faire l'objet de plusieurs versions parallèles, comme celles figurant entre parenthèses, mais elle suffit à bien saisir la nature de notre réalité et à commencer à mettre en œuvre notre pouvoir d'une manière fantastique. J'aimerais également souligner que de toutes ces vérités, il n'en est qu'une qui comporte une variable : les pensées se réalisent. *Devinez qui pense en ce moment même ?*

Ces vérités sont absolues : elles sont pour nous ce qu'est l'eau pour un poisson, c'est-à-dire des données indiscutables. Elles sont immuables. Elles existent *même si vous n'y croyez pas*, et ce sont elles qui créent la scène sur laquelle nous vivons notre vie. Bien sûr, vous pourriez dire que ce ne sont là que mes croyances à moi et, franchement, j'ai très peu de preuves concrètes à vous fournir pour vous convaincre qu'elles sont vraies, d'autant qu'elles ne peuvent pas être objectivement mesurées. Mais faut-il que l'on puisse objectivement mesurer les choses pour que l'on sache *avec certitude* qu'elles existent ? Est-ce que le fait d'être incapable de prouver physiquement que vous avez rêvé d'une Corvette rouge la nuit dernière prouve à l'inverse que ce n'est pas vrai ? Est-il déraisonnable de demander à ce que chacun scrute sa propre vie pour y trouver la preuve de ces vérités-là ? N'est-il pas évident que chacune des vérités que je postule vise à vous faire accéder à votre vrai pouvoir : je n'ai pas d'autre intention que de vous libérer des limites que vous vous imposez ; et que, contrairement à de nombreuses doctrines religieuses, je n'exclus personne, en aucune circonstance, de la beauté de ces vérités ? Trouvent-elles un écho profond en vous ? N'ont-elles pas déjà été énoncées et partagées par de nombreuses autres personnes à travers les âges, dans les termes et les métaphores en vogue à chaque époque ?

Si cette manière de penser est nouvelle à vos yeux, il se peut que vous hésitiez quelque peu à l'accepter. Mais je peux vous garantir qu'en tant qu'étudiant acharné de la vie, j'ai passé les trente dernières années à imaginer et à chercher toutes les oppositions possibles à ces vérités. Or dans la durée, et grâce à l'élargissement de ma propre façon de penser, au-delà des limites habituelles, j'ai constaté qu'elles ont résisté à tous les assauts : de plus, je peux m'en servir pour comprendre et expliquer facilement tous les scénarios de vie possibles et imaginables.

Pour maîtriser vos pensées et votre imagination, et – par conséquent – votre vie et votre destin, vous devez tout d'abord devenir maître de leur capitaine : vos croyances.

Dans le cadre de ces vérités – en réalité, à cause de ces vérités – nous sommes virtuellement illimités, quoi que nous imaginions, sauf si nous *croyons* l'être et que soudain, nous nous trouvons enfermés par des règles, des limites et diverses conditions. Même si ces vérités ne se plient pas (car elles ne le font jamais), les expériences et manifestations qu'elles permettent *doivent*, elles, se plier aux limites que nous leur imposons.

Ce qu'il y a de vicieux, avec les croyances, c'est que même si nous ne le savons pas, elles limitent ce que nous nous « autorisons » à penser et, par conséquent, ce qu'il nous est ensuite possible de manifester dans notre vie. Elles nous masquent le fait que les « choses » pourraient être autrement. Par exemple, si vous croyez que les plus grands secrets de la vie ne peuvent être découverts par des esprits mortels, ou ne le devraient pas, non seulement vous ne réfléchirez pas au sens de la vie et vous bloquerez toute nouvelle pensée susceptible d'attirer à vous ce genre de réponses, mais votre perception de ce que vous observez dans la vie sera également limitée par vos croyances, ne vous permettant de voir que ce qui confirme votre théorie.

Vous pourriez même affirmer être ouvert à toutes les données contraires à vos idées, sauf que si vous ne *croyez* pas que de telles données existent, à cause de vos croyances de base, toutes les « preuves » qui se présenteront seront balayées et discréditées par votre raison. Vos croyances font donc office de filtre à travers lequel chacune de vos pensées doit passer, sauf que ces filtres sont invisibles. Invisibles, mais pas impossibles à découvrir.

Les croyances nous gouvernent

Imaginons que les croyances soient pareilles à des verres teintés et que la vision qu'elles vous procurent à travers ces lunettes représente les pensées que vous autorise le filtre de vos croyances. Est-ce que tout n'a pas l'air différent, sitôt que vous mettez ces lunettes ? Pourtant, après les avoir portées quelque temps, vous ne vous rappelez même plus que vous les avez sur le nez. D'ailleurs, vous avez même du mal à vous rappeler à quoi ressemblaient les choses auparavant, et la seule façon d'y parvenir est de les enlever.

En poursuivant cette analogie, imaginons maintenant que tout le monde porte des lunettes de soleil et qu'il n'y pas deux personnes qui aient la même teinte ; chacun a des verres différents. Certains ont des lunettes qui font voir tout en jaune, d'autres tout en vert, en bleu ou en rouge, avec des *milliards* de teintes intermédiaires. Bien, maintenant est-ce que le fait que chacun porte des lunettes différentes a le moindre effet sur la réalité, sur ce que les gens voient, ou seulement sur la *façon* dont ils le voient ? N'est-il pas possible que certaines personnes voient des couleurs – voire des « choses » – qui seront impossibles à discerner pour les autres ? Et n'est-il pas plus facile de voir les verres que portent les autres que les siens ? Je pense que vous voyez où je veux en venir.

À cet égard, les croyances sont exactement pareilles. La plupart du temps, nous n'avons même pas conscience d'en avoir, et encore moins de la façon dont elles opèrent, ce qui n'est pas *forcément* une mauvaise chose. Lorsque nos croyances sont alignées sur nos rêves, elles nous servent, mais dans le cas inverse, on a un gros problème ! Par chance, les croyances ressemblent aussi aux lunettes dans le sens où l'on n'est pas obligé d'adopter celles qui ne nous plaisent pas.

Nos croyances génèrent une sorte de matrice qui arrange et traite nos pensées, de façon systématique et sans jugement, représentant dans les faits un mécanisme qui nous permet de *penser* ou *non* dans tel ou tel sens. Par exemple, il se peut que vous désiriez quelque chose de tout votre cœur et de toute votre âme, mais si vous ne pensez pas la chose possible, vous ne pourrez pas cultiver les *pensées* nécessaires à sa réalisation. Ce qui explique pourquoi, de toutes vos pensées et vos espoirs, ce sont ceux que vous croyez *le plus plausible* qui se manifestent d'ordinaire, puisque ce sont eux qui ont bénéficié de la plus grande « permission » de penser. Les pensées qui se trouvent à l'extérieur de ce que vous jugez plausible, qu'elles soient absolument merveilleuses ou totalement diaboliques, ne se manifestent généralement *pas*, parce qu'elles sont trop difficiles à croire et donc à imaginer clairement et à *ressentir*.

Prenez le temps d'observer les pensées qui vous occupent quand vous conduisez votre voiture ou que vous faites vos courses. Est-ce que vous vous voyez spontanément en train d'être interviewé par *Time* magazine ? Est-ce que vous vous imaginez recevoir le Nobel de la Paix ? Vous visualisez-vous en train d'acheter une résidence secondaire dans un pays exotique, de l'autre côté de la Terre ? C'est peu probable. J'imagine que vous ne pensez pas non plus à une situation totalement apocalyptique, à la misère sans fin et aux souffrances, ni à la destitution et la pauvreté. Vous ne cultivez pas ces pensées-là, car elles ne sont pas alignées sur vos croyances, ce qui explique pourquoi la vie de la plupart des gens restent généralement toujours la même ! Nous continuons de nourrir le même type de pensées, alignées sur des croyances à peu près inchangées. C'est également la raison pour laquelle les riches deviennent encore plus riches et les pauvres plus pauvres : non en raison de certaines vérités sur le capitalisme ou à cause d'un fait de société, mais parce que les uns comme les autres continuent de penser les mêmes pensées qu'avant, qu'elles concernent l'abondance ou le manque, *en se fondant sur leurs croyances sous-jacentes.*

Allez-y progressivement

Dans le même ordre d'idées, permettez-moi de vous faire une suggestion. Comme pratiquement toutes nos croyances forment une sorte de mosaïque où tout est relié, s'il y a quelque chose que vous voulez *tout de suite*, ne vous fixez pas un but trop élevé, sans quoi vous n'y croirez pas assez pour commencer à le visualiser comme il faut et régulièrement. Je pense que vous me comprenez. Je ne vous dis pas de ne pas rêver grand, voire gigantesque ; je vous suggère seulement d'y aller progressivement et de vous fixer aussi quelques buts intermédiaires.

Par exemple, si vous conduisez actuellement une Toyota Corolla, il vous sera plus facile d'imaginer que votre prochain véhicule sera une Mercédès qu'une Lamborghini. Une fois que vous aurez la Mercédès, visez plus haut, puis encore plus haut. Dans l'intervalle, bien entendu, vous pouvez continuer d'avoir une voiture de grand luxe sur votre liste de véhicules à posséder un jour, mais sans insister *forcément* pour l'avoir dès le mois prochain. En mettant en scène vos rêves de cette manière-là, il est même possible que votre rêve d'acquérir un jour une voiture « exotique » stimule celui de posséder une Mercédès, car celle-ci apparaîtra comme une étape excitante qui rendra encore plus plausibles des réalisations plus importantes. De plus, si vous voulez absolument avoir votre Lamborghini tout de suite et que vous ne l'obtenez pas, à cause de l'enchevêtrement de croyances conflictuelles qui vous habite, vous risquez de rejeter totalement la visualisation comme une pure perte de temps.

De manière analogue, si vous ne prenez jamais de vacances, mais que vous en avez envie, commencez par vous projeter dans une destination proche et accessible plutôt qu'à Bali ou aux Seychelles. Si vous êtes malade et alité, imaginez-vous en train de jardiner, de faire la cuisine ou les courses, plutôt qu'en train de remporter un marathon. Si vous êtes seul et que vous vous ennuyez, visualisez-vous en compagnie d'un ami, pour une sortie sympa, plutôt qu'en train de franchir le tapis rouge des Academy Awards.

Quand vous déterminez vos buts, fiez-vous à vos sentiments. Montrez-vous modérément raisonnable dans *vos buts à court terme* et, si possible, efforcez-vous de comprendre les résistances émotionnelles qui se manifestent, car elles signifient que vous êtes en butte à des croyances restrictives qu'il vous faut explorer. D'un autre côté, si les buts que vous choisissez sont trop faciles, ils ne vous inspireront pas, et la façon dont vous les visualiserez manquera alors d'intensité émotionnelle. Trouvez quelque chose qui vous inspire, sans toutefois atteindre le point où ça vous semblera excessif.

La croyance favorise le ressenti, les sentiments accélèrent la réalisation

Ce sont aussi les croyances qui déclenchent l'émotion et, comme le chapitre précédent l'a mis en évidence, ce sont les émotions qui donnent toute leur puissance à vos pensées. Par exemple, quand vos croyances à propos de « quelque chose » sont suffisamment fortes, vous êtes alors plein d'anticipation, ce qui accélère le processus de manifestation. Quand vous croyez véritablement quelque chose – de bon ou de mauvais – vous ne cessez de retourner la même pensée dans la tête. Fort d'une telle répétition, vous ne pouvez pratiquement pas vous empêcher de *continuer* d'imaginer la joie ou la douleur que vous associez à cette pensée, quand elle se réalisera, ce qui en rend la représentation mentale d'autant plus chargée d'émotion et réelle. Plus votre visualisation est réelle, plus rapide en est la manifestation.

Au bout du compte, si votre croyance est assez forte, vous vous mettrez également à en préparer physiquement la manifestation, sans même faire attention à ce que vous faites. Par exemple, votre corps se met en mode préparatoire quand votre taux d'adrénaline s'élève, juste avant un événement important : autre exemple, vous commencez à regarder de nouvelles maisons avant même d'avoir décidé de vendre l'actuelle ; ou vous choisissez des habits qui ont une taille au-dessus ou au-dessous de ce que vous portez actuellement ; ou encore, vous vous récitez mentalement (ou à voix haute) les répliques de la dispute que vous anticipez.

Ces exemples illustrent la façon dont vos croyances stimulent vos pensées, vos sentiments et vos comportements. Dès lors, compte tenu du principe qui veut que *les pensées se réalisent*, soyez prêt à tout ! Sitôt que vous vous mettrez à retourner continuellement ces images dans la tête, en y ajoutant l'attente et l'émotion qu'ont également stimulées vos croyances, la manifestation de vos rêves, ou de votre cauchemar, deviendra pratiquement inévitable. C'est *vraiment* aussi facile que cela. Et le plus incroyable, c'est que c'est exactement ce que vous faites déjà, tous les jours. Vous n'avez donc pas besoin d'entraînement ou de pratique particulière. Vous n'avez qu'à continuer de faire ce que vous avez toujours fait. Sauf qu'en prenant conscience de vos propres exploits miraculeux en termes de manipulation de la matière, vous pourrez commencer à semer, à arroser et à cultiver les pensées qui fleuriront demain dans votre vie.

C'est grâce à vous que le temps et l'espace sont aussi merveilleux !

Vous êtes un artiste qui ne dort jamais, qui retouche constamment, quoiqu'inconsciemment, les images du tableau de sa vie, à grands coups de pensée, la peignant de manière aussi brillante ou douteuse que vos croyances le permettent. Et la cerise sur le gâteau, c'est qu'il n'y a rien de magique dans la manifestation de la pensée. C'est simplement l'un des principes de base du temps et de l'espace, qui fonctionne systématiquement, sans exception. Ce principe est à l'œuvre que vous soyez riche ou pauvre, en bonne santé ou malade, *et que vous en connaissiez l'existence ou non*. Mais, à partir du moment où vous le connaissez, vous pouvez immédiatement commencer à en faire un usage délibéré, à votre profit.

Il n'y a rien de nouveau au fait de donner corps à ses pensées ; ce qui est vraiment magique, c'est que quelqu'un ait le courage de semer de nouvelles pensées, de se fixer des buts actuellement au-delà de sa portée immédiate, et qu'il ait l'audace de croire qu'ils vont se réaliser.

Le courage de rêver

La transformation de pensées en objets et en événements n'est que la façon naturelle dont opèrent le temps et l'espace. La même règle s'applique à tout le monde, mais le seul fait de franchir le premier pas qui va du connu à l'inconnu met en œuvre le secret qui sous-tend toute la création. En un instant magique, dès que vous donnez des ailes à un rêve qui n'a plus qu'à atterrir, le véritable travail – à savoir oser imaginer – a été accompli. Les croyances stéréotypées de la société et les dogmes de l'époque, qui souhaitent confiner nos pensées à la sécurité de celles qui ont déjà été pensées, nous conjurent d'être prudents, conservateurs et avisés. Mais *pourquoi* ? De quoi aurions-nous peur ? Nous sommes des êtres spirituels, des êtres éternels, et quoi que nous fassions nous n'y changerons rien ! Osez rêver, croyez à vos rêves, et vous verrez alors la mécanique du processus de manifestation se mettre en route. Les pensées spectaculaires se manifestent aussi bien que les ordinaires, et au prix du même effort !

Vous êtes un artiste qui ne dort jamais, qui retouche constamment, quoiqu'inconsciemment, les images du tableau de sa vie, à grands coups de pensée.

Ce qui est aussi étonnant que d'oser rêver, c'est d'utiliser délibérément son imagination – ses pensées – pour parvenir à atteindre ses rêves. Je me demande souvent pourquoi si peu de gens prennent le temps de faire de la visualisation, bien qu'on sache aujourd'hui dans le monde entier combien cet outil est puissant. J'ai fini par conclure que c'est simplement parce qu'on ne comprend pas encore ce principe qui veut que *les pensées se réalisent*. Trop peu de gens ont conscience du degré effarant auquel leurs pensées sont puissantes, à telle enseigne que la même dose de discipline qu'il leur faut pour se laver les dents chaque jour leur permettrait d'amorcer le processus qui concrétiserait leurs rêves. Il ne suffit que de quelques minutes intenses, une fois par jour, pour déclencher les plus grandes percées dans la matière, tout en respectant les règles. Et même s'il était possible de les enfreindre, quoi de plus facile que d'obtenir ce à quoi vous pensez ?

Le fruit défendu

Alors, d'où viennent les croyances ? Dans le cadre du temps et de l'espace, toutes nos croyances découlent du concept occidental de « péché originel » qui correspond à ceci : considérer les illusions du temps et de l'espace comme étant indépendantes de nous-mêmes. Autrement dit, croire que cette pomme était « réelle » (comme le démontre le fait d'avoir mordu dedans), et non le simple reflet d'un monde spirituel intérieur dont découlent toutes les expériences. Dès lors, nous avons vu le monde comme étant séparé ou indépendant de nous, et nous avons décidé que pour notre sécurité, notre confort et notre plaisir, il nous fallait tout d'abord comprendre ce monde extérieur. Nous avons tout étiqueté et classifié, et nous en avons conclu que la vie était ceci, cela et d'autres choses encore, et parce que nous avons pensé ça, la vie est effectivement *devenue* ceci, cela et d'autres choses encore ; c'est ainsi que sont nées nos croyances sur le temps et l'espace. La pomme, et toutes les autres illusions de même nature, nous ont alors paru avoir une « réalité » indépendante de nous – bien que nous étions et que nous soyons encore leur créateur involontaire et celui qui les perpétue –, une réalité à laquelle il nous fallait réagir, au fil de notre vie, conférant ainsi à nos illusions un pouvoir et une indépendance qu'elles n'auraient jamais eus sans nous.

Jusqu'ici, nous ne sommes pas parvenus à nous voir comme les créateurs que nous sommes, ou nous l'avons oublié. C'est pourquoi nous sommes coincés, obligés de vivre dans les limites de nos croyances, dont nous croyons à tort que ce sont elles qui définissent le monde. En réalité, elles ne font que définir nos propres pensées et notre *perception* du monde. C'est ainsi que les « péchés » (les honnêtes erreurs) des parents se transmettent aux enfants, génération après génération. Quand vous étiez tout petit, vous avez adopté les croyances de ceux qui vous ont nourri et protégé. Tout comme vous mangiez la compote de pommes qu'ils vous donnaient tous les jours, vous avez également absorbé sans les questionner toutes leurs croyances. Vous n'aviez pas le choix ; c'était une question de survie. Toutefois, en devenant progressivement un jeune garçon ou une jeune fille, et en développant petit à petit votre propre réflexion, vous vous êtes également forgé vos propres croyances. N'ayant toujours pas conscience que vous manifestiez vos pensées, vous avez alors entrepris de définir non pas la vie elle-même, mais ce que votre *propre* vie allait devenir.

Bien entendu, les croyances de vos parents et de votre entourage, ainsi que la culture et l'époque dans lesquelles vous êtes né, ont beaucoup influencé vos propres croyances et, par conséquent, les pensées que vous choisissez de cultiver et, du même coup, la vie que vous menez. Par exemple, si votre famille ou votre entourage croyait que Dieu existe en dehors de vous et qu'Il juge et punit les gens, alors, chaque fois que vous observiez un malheur, vous y voyiez la preuve que ce Dieu-là existait. Cette croyance filtrait automatiquement tout votre vécu, sans même que vous preniez conscience qu'il existait d'autres options. Du coup, vous vous jugiez également vous-même, estimant que c'est ainsi qu'il fallait faire. Par conséquent, vous viviez dans la peur de ne pas être à la hauteur.

Plus choquant encore, chaque fois que vous étiez confronté à des faits réfutant vos croyances, vous les rejetiez comme relevant de l'inexplicable ou vous disiez, « Les desseins de Dieu sont insondables ». Même si vous éprouviez parfois un sentiment inexplicable d'unité avec toute vie, même si vous estimiez par moments avoir plus de compassion que votre propre Dieu, vous écartiez automatiquement toute idée qui ne s'accordait pas avec vos croyances.

Voici un autre exemple : si tout le monde croyait que pour connaître la richesse et l'abondance il suffisait d'un juste dosage de chance et de compétence, on pourrait en déduire qu'il ne vous faudrait à vous aussi qu'un peu de compétence, au bon moment et au bon endroit, pour faire fortune. Mais, du fait même de cette façon de penser, cette entreprise *deviendrait extrêmement difficile*. Le fait d'adopter une telle croyance finirait par vous faire croire que c'est une réalité, au point d'ignorer que les riches sont souvent ignorants, dépourvus de talent, voire les deux à la fois. Vous ne verriez tout simplement pas leurs défauts pourtant évidents, tout comme eux n'en ont pas conscience.

La bonne nouvelle, c'est que si notre éducation influence et façonne puissamment nos pensées, cela ne veut pas dire que nous ne puissions en changer pour autant. Vous ne pouvez peut-être pas vous débarrasser de votre passé, mais votre futur ne dépend que de ce que vous pensez ici et maintenant, et non de ce que vous avez été.

Les croyances forgent la réalité

Après l'une de mes dernières conférences, une femme s'est approchée de moi et m'a dit que le succès de certaines de ses amies l'étonnait souvent, car celles-ci étaient beaucoup moins spirituelles qu'elle (et, selon elle, certaines étaient même cupides) et n'avaient aucune conscience des principes fondamentaux de l'existence, comme *les pensées se réalisent*. Je lui ai répondu que nous connaissons tous des gens comme ça. Ce sont de vrais cadeaux, dans le sens où ils fournissent la preuve irréfutable qu'il n'y a personne d'assis sur un nuage en train de nous juger et de décider si nous sommes dignes ou non d'obtenir ce que nous désirons. Nous le méritons ! *Vous le méritez !* Ces gens-là prouvent que les pensées se *réalisent* effectivement, peu importe qui les pense et pour quelle raison. Plus encore, ces personnes-là nous prouvent qu'il n'y a pas besoin de commencer par devenir une sorte de « saint » parfait, merveilleux et désintéressé pour progresser, évoluer et voir enfin ses rêves se réaliser. Il suffit d'être capable de rêver et de croire à ces rêves.

Vos croyances ne se contentent pas de filtrer vos pensées ; elles stimulent également votre imagination. Les pensées qui vous traversent l'esprit, délibérément ou non, jour après jour, brossent des portraits et créent des scénarios d'expérience qui n'attendent plus que votre « arrivée ». Par exemple, si vous en êtes venu à croire que les gens sont malhonnêtes et qu'ils vous voleront sitôt qu'ils en ont l'occasion, certaines des pensées que vous cultivez finiront par être affectées par cette croyance. Pour observer cela, imaginons que vous ayez prévu de partir en vacances en laissant votre maison vide. Si vos pensées sont prioritairement consacrées à la planification de votre voyage, votre croyance sous-jacente que les gens sont malhonnêtes fera néanmoins jaillir involontairement la vision de cambrioleurs s'introduisant chez vous pour vous voler vos biens.

Cette vision-là, bien entendu, comme toutes celles que vous cultivez, manœuvrera pour se manifester dans le temps et dans l'espace, mais notez bien que votre croyance l'a précédée. C'est votre croyance, en effet, qui est à l'origine de vos images mentales de cambrioleurs.

Si l'on prend une autre situation : deux personnes peuvent être témoins d'une agression dans la rue, à un carrefour grouillant de monde, mais lorsqu'elles se rappelleront cet incident, l'une y verra peut-être la preuve de la sauvagerie humaine intrinsèque, tandis que l'autre se souviendra surtout des nombreux spectateurs préoccupés, cherchant à intervenir. Chacune de ces deux personnes a assisté au même événement, tout comme nous sommes les témoins des événements de notre existence tels que les filtrent nos croyances, et chacune a tiré des conclusions conformes à ses propres croyances sur la réalité. Une fois encore, les croyances sous-jacentes ont précédé les pensées et les conclusions qui ont suivi. Ces conclusions ont ensuite contribué à valider et à renforcer à leur tour les croyances de départ.

Jusqu'ici, vous croyiez sans doute que c'était votre réalité qui avait défini vos croyances, mais en fait ce sont bien vos croyances qui ont défini votre réalité. Jusqu'ici, vous avez gaspillé une grande partie de votre capacité à modifier certaines circonstances indésirables, car vous vous imaginiez seul contre le monde, au lieu de prendre conscience que *vous êtes le monde*. En effet, votre monde n'est que le reflet de vos pensées, de vos croyances et de vos attentes, comme l'écho dans un canyon.

Ce qui est presque effrayant, c'est qu'on peut se retrouver prisonnier de ce syndrome, parce que de telles croyances nous empêchent de projeter notre imagination au-delà de leurs limites. Si les frères Wright n'avaient pas cru qu'il était possible pour l'homme de voler, par exemple, ils n'auraient pas passé une seule minute à imaginer le transport aérien et en auraient même été parfaitement *incapables*. S'ils n'avaient pas d'abord cru le vol possible, ni leur rêve ni leur avion ne se seraient jamais envolés. Ce sont vos croyances qui *permettent* ou *interdisent* vos rêves.

Voir l'invisible

Bien, vous vous demandez sans doute maintenant quelles sont vos croyances et lesquelles d'entre elles vous limitent. Vous vous demandez aussi comment vous pouvez les découvrir, si elles sont vraiment invisibles. Eh bien, ne craignez rien, car aussi invisibles soient-elles, leurs résultats ne le sont pas.

Beaucoup d'auteurs ont suggéré d'écrire ses croyances, mais dans mon cas, cela n'a jamais marché. J'estime que de vouloir traquer ses croyances avec du papier et un crayon, c'est un peu comme surveiller une casserole sur le feu qui ne parvient jamais à ébullition. De plus, j'ai impression que je pourrais passer ma vie entière à rechercher des croyances problématiques, que je ne suis même pas sûr d'avoir, et vous savez ce qui se passe quand on essaye de trouver un problème : soit on le trouve, et on le renforce ainsi dans son esprit, soit – s'il était parfaitement inexistant – *on le crée de toutes pièces*, pour *pouvoir* le trouver. Alors, plutôt que d'essayer de noter toutes mes croyances – et il se peut, bien sûr, que cette technique vous convienne à vous – je choisis plutôt l'une des deux options suivantes : soit je décide d'« Observer et démanteler » mes croyances, soit je fonce, dans l'idée de « Passer au bulldozer et liquéfier » toutes les pensées restrictives qui interfèrent.

Observer et démanteler

Quand j'utilise cette approche, je joue tout simplement à l'espion et au détective sur moi-même. Je ne fais pas cela ouvertement, lors d'une séance délibérée, ni même de façon très consciente. Je m'occupe plutôt de mes affaires quotidiennes, en prêtant particulièrement attention à tout ce que je pense, dis et fais, puisque ces trois choses reflètent ce qui se passe dans ma tête. Si j'ai des limites en moi, elles se manifesteront dans mes pensées, mes paroles et mes actes.

Pour vous donner quelques exemples, vous êtes-vous déjà surpris à dire à quelqu'un, avec une petite touche d'envie, « Ça doit être super » ? Ce faisant, *même si vous plaisantez*, vous reconnaissez être incapable d'imaginer ce que c'est que d'avoir ou de faire ce dont il est question, *tout en suggérant* que vous ne le saurez probablement jamais ! Tâchez de vous surprendre la prochaine fois que vous direz cela, et demandez-vous pourquoi vous pensez que cet objet ou cette expérience sont hors de votre portée. Si vous suivez votre raisonnement aussi loin que possible, il y a de fortes chances que vous découvriez vos croyances à ce sujet.

Autre exemple, vous êtes-vous déjà surpris à râler au moment de recevoir une facture particulièrement salée ? À quoi pensez-vous à cet instant-là ? De toute évidence, votre comportement met en évidence la croyance qu'il est difficile de gagner de l'argent et que la probabilité que les choses changent dans un avenir proche est infime ou inexistante ! Or, bien évidemment, de telles croyances, *même si elles sont le reflet exact de votre situation actuelle*, ne peuvent que contribuer à perpétuer les mêmes circonstances. Si vous voulez initier un changement, celui-ci doit venir de l'intérieur. Vous devez le cultiver en pensée, en dépit des circonstances présentes.

Voilà ce que je fais depuis des années, chaque fois que je reçois une facture inattendue : je dis alors à la personne qui me la présente, « Purée ! Quelle chance que je sois riche ! ». En général, ça la fait rire, ça me fait rire aussi, ça me libère de mes limites mentales et c'est également une affirmation formidable, car ce n'est pas là quelque chose que je croyais autrefois à tous les niveaux de mon être. En répétant cette formule maintes et maintes fois, celle-ci a indiscutablement fini par devenir l'un des facteurs ayant contribué à la liberté financière dont je jouis aujourd'hui.

Vous êtes-vous déjà surpris à conduire plus lentement, pour économiser de l'essence, ou à faire les courses en vérifiant le prix de chaque article, ou encore à ajuster le thermostat, chez vous, pour limiter vos dépenses ? Il nous est tous arrivé d'agir ainsi – moi y compris – mais tous ces gestes reflètent des croyances sous-jacentes en la rareté, aux limites et à votre incapacité à avoir et à faire tout ce que vous voulez. Je ne suis pas en train de suggérer qu'il ne faut pas savoir être frugal, par moments, mais je dis qu'en observant de tels comportements en vous, vous pouvez découvrir certaines de vos croyances sur la réalité qui ne reflètent pas la vérité. Vous direz sans doute que ce n'est pas une croyance, que vos ressources sont vraiment limitées, et j'en conviens. Mais *pourquoi* vos ressources sont-elles limitées, alors que toute votre vie prouve que vous vivez dans un Univers où *les pensées se réalisent* ? Pourquoi avez-vous de la difficulté à vous concentrer sur la richesse et l'abondance ou, inversement, pourquoi restez-vous fixé sur le manque et les limites ? Bien sûr, les réponses à ces questions peuvent vous paraître insaisissables ou difficiles à trouver, mais pour l'instant, la seule chose qui compte c'est d'observer vos contradictions. Adoptez une posture de responsabilité. C'est l'acceptation de votre responsabilité qui vous restituera votre pouvoir, et nous aborderons au chapitre 4, « La vie vous attend », comment contrer les comportements de ce genre, sans avoir trop à s'éloigner de sa zone de confort.

Vous est-il déjà arrivé de vouloir quelque chose, mais de vous surprendre à dire le contraire à vos amis ? Par exemple, vous aimeriez vraiment vivre une relation de couple riche et profonde, mais vous vous entendez dire à ce sujet que les couples ne durent jamais ou que ce ne sont pas des relations naturelles. Autre exemple, vous cherchez à perdre du poids et vous êtes bien déterminé à y parvenir, mais vous vous surprenez à dire à une amie que, peu importe ce que vous mangez, vous n'arrivez pas à perdre des kilos. Ce sont là d'autres exemples où vous exprimez vos croyances prétendument invisibles. Comme je l'ai dit auparavant, une croyance n'est rien d'autre qu'une opinion sur la réalité. Aussi, chaque fois que vous vous surprenez à exprimer une opinion, en pensée, en paroles ou en acte, prenez conscience que vous venez d'épingler une croyance qui s'emploie activement à forger la vie que vous vivez.

Passer au bulldozer et liquéfier

Aussi stupide que soit cet intitulé, l'approche « Passer au bulldozer et liquéfier » fonctionne très bien dans mon cas. Je m'autorise tout simplement à me sentir si motivé par mes désirs et mes buts que j'ai le pouvoir de *Passer au bulldozer et Liquéfier* sans effort et automatiquement toutes les croyances restrictives qui se mettent en travers de mon chemin. Comment ? En déterminant rationnellement toutes les raisons pour lesquelles je devrais – et mérite de – obtenir ce que je désire, *puis en passant à l'action.* Parfois, je prends même du papier et un crayon, et j'énumère point par point toutes les bonnes raisons pour lesquelles mon but est parfaitement atteignable et même *inéluctable*.

Dans ce cas, plutôt que *d'Observer et démanteler*, je fonce physiquement dans la direction de ce que je veux, armé jusqu'aux dents de la compréhension de ce que je fais, de ma place dans la vie et de l'héritage qui est le mien en tant que créateur éternel et illimité. Lorsque je m'y tiens avec conviction et que je les *renforce par mes actes*, ces idéaux me permettent de contrer toutes les « attaques » que pourraient leur opposer mes croyances restrictives, invisibles ou autres. Dans le même ordre d'idées, je prends souvent le temps de méditer longuement sur la magie de la vie, sur les miracles de l'existence et la grâce de mon être. En prenant le temps de bien mesurer toute cette perfection, il devient de plus en plus difficile pour moi d'imaginer que je suis limité de quelque manière que ce soit.

Quelle que soit l'approche choisie, ce qui fait que ça marche, c'est que je finis par me débarrasser de mes vieilles croyances, grâce à une *compréhension* plus profonde de moi-même, de ma vie et de ma réalité. Et la meilleure façon d'arriver à une telle compréhension, c'est de suivre vos pensées et de mettre à jour la logique qui sous-tend les croyances restrictives en fonction desquelles vous viviez jusque-là. Si vous pensez qu'il est difficile d'avoir de l'argent, posez-vous la question pourquoi, pourquoi, pourquoi, et comparez vos réponses aux Vérités de l'Être exposées précédemment, et vous les verrez ainsi se dissoudre. Une compréhension supérieure est toujours nécessaire pour faire fondre ces vieilles croyances, car à la lumière d'une telle compréhension, ces croyances restrictives ne peuvent que disparaître, de même que l'obscurité recule sitôt que le soleil se lève. *Au final, vous n'avez même pas besoin de savoir quelles sont vos croyances restrictives*, du moment que vous commencez à comprendre ces grandes vérités et à vivre en accord avec elles, plus particulièrement dans les domaines de votre existence que vous souhaitez changer. Le chemin qui conduit à une telle compréhension n'a pas nécessairement à être long et difficile. Les Vérités de l'Être que j'ai énumérées sont très simples. Faites les vôtres. Vivez en accord avec elles. L'illumination s'accompagne d'une paix instantanée et de changements aussi rapides que l'éclair.

Aucun droit à payer

Il ne fait aucun doute que les croyances restrictives peuvent vous clouer sur place, mais l'inverse est également vrai, s'agissant des croyances positives. Ces dernières peuvent vous propulser jusque dans la stratosphère, par la seule puissance de l'amour, de la joie, de la santé et de l'abondance. Dans un cas comme dans l'autre, vos croyances sont pareilles aux poutres métalliques qui soutiennent les gratte-ciel de vos pensées : invisibles, mais extrêmement puissantes. Même dans la Bible, il est dit (Marc 9:23) *toutes choses sont possibles à celui qui croit*, sans aucune condition restrictive ! En effet, il n'est pas dit que toutes choses sont possibles à celui qui croit « *si* Dieu le dit », « *si* vous êtes quelqu'un de bien », « *si* vous n'avez commis aucun péché », « *si* vous priez » ou encore « *si* vous le méritez ». Il est simplement dit que toutes choses sont possibles à celui qui croit ! Et c'est parfaitement vrai, puisque vos croyances attirent à elles toutes les pensées nécessaires pour concrétiser vos désirs dans le monde physique. Virtuellement toutes les clés du succès dont vous avez pu entendre parler jusqu'ici ne viennent que loin derrière les croyances.

Intéressez-vous à n'importe quel « succès » dont on parle aujourd'hui dans les médias, dans n'importe quel domaine, et posez-vous les questions suivantes : y a-t-il une constante dans le passé de tous ces gens, y a-t-il une religion, une formule, un rituel ou un rite à l'origine de leur succès ? Toutes ces personnes étaient-elles des modèles de vertu, nées dans de bonnes familles, de parents moralement irréprochables ? Sont-elles toutes allées à l'université, avaient-elles toutes acquis une discipline personnelle, et consacraient-elles toutes du temps, chaque jour, à s'entraîner, à répéter et à se former ? Ont-elles toutes eu un bon conseiller, de bonnes relations ou un coup de chance ? Faisaient-elles toutes beaucoup d'heures supplémentaires ?

Non, non, non, non, non, non et non. Leurs exploits n'étaient en rien le résultat de telles tergiversations. Elles ont obtenu le succès, parce qu'elles y *croyaient*. Voilà pourquoi vous les connaissez, et c'est la seule et unique raison, même si *elles-mêmes* pensent autre chose. Les relations, les circonstances, la chance et les coïncidences qui se sont manifestées dans leur vie *sont la résultante de cette croyance* qui les a attirés à eux et a forgé l'existence dont ils jouissent aujourd'hui.

Chaque fois que vous vous surprenez à exprimer une opinion, en pensée, en paroles ou en acte, prenez conscience que vous venez d'épingler une croyance qui s'emploie activement à forger la vie que vous menez.

Vous ne pouvez pas faire autrement que de prendre des décisions et de poser des actes en fonction des croyances qui sont les vôtres, quelles qu'elles soient, et que cela vous plaise ou non, et c'est précisément pour cela que vos croyances sont si importantes.

La prochaine fois que vous verrez un artiste, un inventeur ou un grand entrepreneur accompli, ne vous dites pas

« Tiens, voici untel, un type doué, innovant et puissant », mais pensez plutôt, « Tiens, voici quelqu'un comme moi, qui *croit* à son talent, à sa créativité et à son pouvoir ». Vous n'êtes ni chanceux ou maudit, ni protégé ou abandonné, ni populaire ou méprisé, ni en bonne santé ou malade, ni riche ou pauvre, mais vous êtes libre de *croire* que vous l'êtes, et il en sera ainsi. Nous ne sommes rien d'autre, dans le temps et dans l'espace, que des machines à penser ; voilà tout. Nous pensons, et *nos pensées se réalisent*. Bien sûr, il est indispensable de passer à l'acte, mais comme vous allez le lire plus loin, nos actions découlent généralement de nos croyances. Et chaque fois que nous ne commençons pas par cultiver les croyances qui nous permettent de passer à l'acte, nous pouvons plutôt commencer par agir *délibérément* – franchissant ainsi un pas minuscule en direction de nos rêves – pour mettre en place en nous les croyances que nous voulons posséder (ce point sera davantage développé au chapitre 4, « La vie vous attend »).

Pour vivre la vie dont vous avez toujours rêvé, vous devez aligner ce que vous voulez sur vos croyances – ce n'est pas une question de vertu, de pratique, d'argent, de patience, de bonnes relations, de tolérance, de prière, de méditation, de karma ou de « bonté », mais de croyances et *seulement de croyances* – en particulier la croyance en votre succès inéluctable. La plupart des gens ne s'autorisent pas à croire à l'inéluctabilité de leur succès, aussi longtemps qu'ils n'ont pas l'impression de vivre « comme il faut », d'avoir reçu la « bonne » éducation, de s'être suffisamment consacrés à leur « Dieu », ou d'être de bons parents. Mais en réalité, ils pourraient avoir accompli la même chose et encore bien davantage, et cela, beaucoup plus tôt et plus souvent, si seulement ils s'étaient autorisés à cultiver des pensées de succès sans avoir les diplômes, l'âge, l'expérience, la sagesse requis, puisque seule compte la croyance au succès.

Que se passe-t-il dans la tête des gens qui s'imposent tant de conditions préalables ? Ils vivent tous en fonction de règles, dont certaines sont assez évidentes, mais ils partagent également une croyance restrictive très profonde, qui émane à nouveau de la notion de péché originel : ils pensent qu'on doit connaître tous les détails physiques de la *façon* précise dans nos rêves vont se réaliser.

Nous avons des dialogues intérieurs qui ressemblent à ceci : « Je connaîtrai l'abondance une fois que mon roman sera devenu un best-seller ». Mais à quoi bon limiter les moyens infinis d'atteindre l'abondance au seul couloir des ventes d'un roman ? Et, dans le même ordre d'idées, pourquoi faire peser sur l'écriture d'un livre le fardeau d'engendrer la richesse ? « Je serai heureux quand j'aurai perdu ces kilos en trop. » Excusez-moi, mais quel rapport y a-t-il entre le bonheur et le poids ? Aucun, sauf si l'on fait le choix de penser ainsi, de le dire et de le croire. Ce genre de paramètres que l'on s'impose à soi-même ne sont que la résultante d'une croyance très limitée en nos capacités surnaturelles, et notamment celle qui veut que *les pensées se réalisent*, et ces gens ignorent la véritable magie qui sous-tend chaque nouvelle manifestation. C'est cela qui nous fait croire que nous devons être capables de déterminer logiquement et physiquement de quelle *façon* exacte nos rêves sont censés se réaliser, ce qui a pour effet très concret d'engendrer des restrictions et des limites qui n'ont aucune raison d'être.

On se dit que quand on sera vieux, on va ralentir et prendre le temps d'aller sentir les roses, de voyager peut-être un peu et d'apprécier pleinement la vie. Mais pourquoi remettre vos rêves à plus tard ? J'ai beaucoup voyagé dans la vie, et je suis toujours étonné, quand je reviens chez moi, d'entendre tant de mes amis me dire qu'ils rêveraient de voyager autant. Ce n'est pas qu'ils forment ce rêve, qui m'étonne, mais qu'ils ne le traduisent pas en acte, car je sais très bien qu'ils ont à la fois les ressources financières et le temps nécessaire pour faire ce dont ils prétendent rêver depuis toujours. Pourquoi ne le font-ils pas ? Parce qu'ils ne croient pas que le reste de leur vie soit en ordre. Parce qu'ils ont lié plusieurs de leurs rêves les uns aux autres, ou qu'ils se sont imposé certaines limites. C'est comme si les lunettes de soleil qu'ils portent ne leur permettaient pas de voir que leurs rêves sont parfaitement réalisables dès maintenant !

Quoi que vous désiriez, faites-vous cadeau dès aujourd'hui de la portion dont vous êtes capable. Et si vous sentez une résistance en vous, suivez cette queue qui s'agite jusqu'au chien invisible auquel elle appartient. Profitez de la vie aujourd'hui, en vivant vos rêves au degré qu'il vous est possible d'atteindre pour l'instant, voilà probablement une des choses les plus efficaces que vous puissiez faire pour élargir votre système de croyances, tout en désactivant vos croyances restrictives, y compris les invisibles.

Astuces avancées de visualisation pour court-circuiter les croyances restrictives

Voici deux choses que vous pouvez faire pour vous assurer qu'aucune croyance restrictive ne vous retient, même si vous ne savez pas laquelle :

1 | **Quand vous visualisez, focalisez-vous toujours sur le résultat final de ce que vous désirez.** Ne laissez entrer dans votre tête aucune autre image précisant comment, pourquoi et où votre rêve se réalisera.

Aucun de ces détails ne doit figurer dans votre image. Ne vous consacrez qu'à votre vision et laissez votre cerveau déductif prendre des vacances. Rappelez-vous que les bulles d'air trouvaient toujours le chemin le plus rapide pour remonter à la surface et que, de même, vos pensées – libérées du fardeau de savoir *comment* – trouvent toujours la façon la plus rapide de se manifester sous la forme d'objets et d'événements dans votre vie.

2 | **Ne liez pas vos rêves les uns aux autres.** Visualisez-les un à la fois. Si vous voulez l'abondance, visualisez l'abondance. Si vous voulez un best-seller, visualisez un best-seller. En vous concentrant sur le résultat final, et en ne faisant pas dépendre un rêve d'un autre, vous éliminez toute obstruction du processus de manifestation, permettant ainsi aux forces invisibles de l'imagination de déterminer la distance la plus courte entre votre rêve et son expression physique.

Dans les domaines de votre vie où vous souhaitez mettre en œuvre des changements qui n'impliquent pas les concessions habituelles liées à des personnes, des choses, des lieux ou des époques particulières, vous jouissez d'une fantastique liberté de créativité et d'abondance, puisque vous vous libérez immédiatement de toutes les autres croyances qui auraient été présentes sinon. Si vous souhaitez l'amour, le bonheur, la santé ou la richesse, commencez par les créer dans votre esprit. Imaginez aussi précisément que possible à quoi ressemblerait votre vie si vous aviez déjà ce dont vous rêvez. Visualisez les sons, les couleurs, les sensations et, surtout, les émotions que vous vous attendez à éprouver. Voici par exemple un merveilleux résultat à imaginer : les réactions d'étonnement et de bonheur de votre entourage. Vous pouvez également vous imaginer en train d'aider d'autres personnes à réaliser la même chose que vous. Il n'est *pas important* que vous imaginiez au préalable pour quelle raison les gens réagiront joyeusement, ni quelle sorte d'aide vous allez exactement leur apporter. En ne vous souciant pas de ces détails, vous laissez l'Univers les déterminer pour vous, de la manière la plus rapide et la plus harmonieuse possible.

Des possibilités infinies

J'entends souvent des gens dire qu'il est difficile de s'occuper de ses croyances, car elles sont chargées de mystère et prétendument enfouies au plus profond de la psyché. Mais ce sont aussi des croyances et si, par hasard, ce sont les vôtres, ne les laissez pas vous empêcher de faire ce que vous pouvez. N'allez pas penser que vous devez d'abord épingler et vous défaire de toutes vos croyances, avant de pouvoir faire le moindre progrès. En matière de croyances, le travail qu'il vous est demandé n'est pas « tout ou rien ». Le moindre voyage commence par un simple pas, et il en va de même pour ce travail sur ses croyances. Faites ce que vous pouvez, n'en faites pas plus qu'il n'est confortable et suivez vos sentiments et vos impulsions ; ainsi, au fil de vos progrès, vous atteindrez des niveaux de compréhension toujours plus élevés, et votre conscience vous procurera des points de vue toujours nouveaux. Vous vous mettrez ainsi à voir des choses qui vous étaient invisibles avant d'avoir commencé, et vos progrès – doublés de l'énergie déjà accumulée – vous donneront plus d'assurance et de confiance en vous.

Profitez de la vie aujourd'hui, en vivant vos rêves au degré qu'il vous est possible d'atteindre pour l'instant, voilà probablement une des choses les plus efficaces que vous puissiez faire pour élargir votre système de croyances.

Rappelez-vous que nous sommes tous faits de la même étoffe, de sorte que ce qu'un seul d'entre nous a accompli, tous peuvent le faire. C'est tellement simple, tellement évident. Tout se résume aux pensées que vous choisissez de cultiver. Chacun d'entre nous rédige son propre Livre de la Loi, dans lequel nous édictons toutes nos « obligations » et nos « interdictions », mais il existe un autre livre, le Livre des Possibilités Infinies, dont vous avez à peine entamé la lecture. Et la meilleure façon d'en feuilleter les pages est d'aligner vos croyances sur la vie de vos rêves.

Ce sont vos pensées qui produisent l'étincelle qui actionne toute chose, y compris le temps et l'espace, et ce sont vos croyances qui vous disent quoi penser et comment. À part quelques très rares illusions communes, nous sommes tous régis par un ensemble de « règles » qui gouvernent les aspects les plus profonds de notre existence : nos croyances. Mais, dans le temps et l'espace, nous pouvons croire ce que nous voulons, pour quelque raison que ce soit ; or, quoi que nous croyions, il en sera ainsi. Réfléchissez à ces idées. Retournez-les dans tous les sens. Remettez en question tout ce qui n'a pas de sens à vos yeux, jusqu'à ce que cette signification vous apparaisse *vraiment*, car cela ne manquera pas d'arriver. Efforcez-vous de comprendre, de votre manière à vous, qu'il existe certaines vérités connaissables sur notre réalité, des vérités qui vous révèlent clairement votre pouvoir. Cherchez et vous trouverez, frappez et on vous ouvrira, *croyez* et votre volonté sera faite.

3 | CHÈRES ÉMOTIONS

Alors, quel est votre plus cher désir ? Une maison à la campagne ? Que désirez-vous de tout votre cœur et de toute votre âme ? Rencontrer l'amour de votre vie ? Quels sont les désirs pour lesquels vous seriez prêt à tout : plus d'amis ? Plus de rires ? Plus de temps ?

En fait, je pense que nous avons beaucoup de points communs, car ce à quoi vous aspirez le plus est également ce que je désire de tout cœur : être heureux. Or la bonne nouvelle, comme vous le savez déjà, c'est que le bonheur *ne dépend que d'un travail intérieur* ! Et la façon dont vous pouvez faire ce travail, c'est justement ce dont traite une grande partie de ce chapitre.

Avant d'aller plus loin, j'aimerais faire une distinction entre nos émotions et nos intuitions, ces dernières faisant l'objet d'un chapitre à part dans ce livre, « Des cadeaux du ciel » (chapitre 5). Pour l'instant, je me contenterai de dire que lorsque je parle de nos émotions – le bonheur, la tristesse, la colère ou la dépression – je me réfère aux *sous-produits* de nos expériences dans le temps et dans l'espace, filtrés par nos croyances. Les sentiments, par contre, jaillissent quasiment de l'immensité de notre moi spirituel présent, et se manifestent sous la forme d'éclairs de compréhension, de pressentiments, d'instincts et d'impulsions qui nous aident à trouver notre chemin, à prendre une décision ou à dresser de nouveaux plans.

Mais qu'est-ce que le bonheur ? C'est l'émotion que nous éprouvons spontanément chaque fois que nous pensons que les circonstances de notre existence sont positives, harmonieuses et agréables. *Hmm*... « chaque fois que nous *pensons* que les circonstances de notre existence sont positives ». C'est *vraiment* une excellente nouvelle, car cela veut dire que c'est nous qui décidons quand nous sommes heureux, d'après de la façon dont nous *percevons* les circonstances de notre existence. Et, comme nous savons que les circonstances spatio-temporelles ne sont que le reflet de nos pensées dans le temps et dans l'espace, nous savons également que nous pouvons modifier ces circonstances, si elles nous déplaisent, en nous occupant de nos pensées et de nos croyances.

La perception, c'est la vision que nous avons de nous-mêmes et du monde, *filtrée par nos croyances*.

La solution à court terme qui vous procurera le bonheur consiste à changer votre *perception* des circonstances qui vous semblent déplaisantes ; la solution à long terme est d'aligner vos pensées et vos croyances sur tout ce que vous souhaitez que votre avenir vous réserve, afin de pouvoir *changer* ces circonstances-là. Ces options sont toutes deux valables, mais comme nous avons déjà longuement parlé de la manière de changer le futur en travaillant sur ses pensées et ses croyances, ce chapitre s'attardera davantage sur nos émotions présentes ou, mieux encore, sur notre perception des circonstances environnantes.

Aux yeux de l'observateur

La perception, c'est la vision que nous avons de nous-mêmes et du monde, *filtrée par nos croyances*. Je vais vous en donner un exemple personnel : quand mon frère, ma mère et moi avons lancé TUT (Totally Unique T-shirts), l'activité que j'exerçais avant d'entamer ma carrière d'écrivain et d'orateur, les débuts ont été très lents. Les « bureaux mondiaux » étaient coincés dans mon minuscule appartement d'Orlando, et je me souviens que par un beau jour de printemps, cette année-là, j'ai décidé de m'octroyer une pause. Je me suis donc rendu à la piscine commune de mon immeuble pour me détendre et prendre le soleil. Auparavant, je travaillais encore pour PW, aussi me disais-je que je pouvais profiter un peu de ces accalmies que l'on rencontre parfois quand on lance une nouvelle entreprise. Malheureusement, mes vieilles croyances qui me disaient qu'il faut travailler dur, se sacrifier et lutter de toutes ses forces pour réussir dans la vie, ont éveillé en moi de forts sentiments de culpabilité, doublés de l'impression d'être paresseux... autant dire que je n'étais pas heureux. Au final, cette matinée à la piscine se révéla assez lamentable.

L'émotion du bonheur, qui est finalement ce que nous recherchons *tous*, est le produit de notre perception, comme toutes nos émotions, or nos perceptions sont elles-mêmes le produit de nos croyances.

Si j'avais pensé à modifier mes perceptions, ce matin-là, j'aurais pu considérer que ce temps que je passais au bord de la piscine était la *preuve* même que j'étais en train de concrétiser mes rêves. J'aurais compris que je méritais effectivement de profiter de la vie autant que je le voulais. Alors, de ce point de vue là, j'aurais pu apprécier l'air frais du printemps et la fraîcheur de l'eau, j'aurais écouté les oiseaux et pleinement savouré le paradis qui était le mien.

Mais, au lieu de cela, je m'en suis voulu de ne pas travailler plus dur, et je me suis fait du souci, me disant que je négligeais mes responsabilités.

Par chance, j'ai toujours gardé en mémoire ce fameux matin et j'ai souvent repensé à la leçon qu'il m'a value, car dans les deux ans qui ont suivi, TUT a dépassé le million de dollars en ventes annuelles. Quand j'y repense, je me dis que si, par ce beau matin de printemps, j'avais eu la moindre idée du succès que connaîtrait bientôt notre entreprise, et à quel point mes efforts porteraient leurs fruits, j'aurais vraiment pu prendre du bon temps. Aujourd'hui, chaque fois que je suis pris de doutes ou que je culpabilise à propos de ce que je fais, ou que je me demande si je travaille assez dur, je change de perception et je me dis, « Oh, Mike, si seulement tu savais la réussite qui t'attend dans un avenir proche, tu te relaxerais vraiment et tu apprécierais tout ce que cette journée te procure déjà ! ».

Cette émotion qu'est le bonheur – qui est au fond ce à quoi nous aspirons *tous* – est le produit de notre perception, comme toutes nos émotions, et notre perception est elle-même le produit de nos croyances. Vous voulez modifier votre façon de voir telle ou telle chose ? Observez simplement vos croyances. Et en pareil cas, il est plutôt facile de trouver vos croyances, puisque vous disposez déjà d'un point de départ évident : *les émotions déplaisantes que vous éprouvez.*

Ainsi, les émotions (et en particulier le bonheur) ne sont pas seulement un but à atteindre, mais également de formidables indicateurs qui pointent dans la direction des croyances qui nous empêchent de voir les choses sous un nouveau jour. Elles nous disent exactement autour de quoi gravitent nos pensées et *donc, quelles sont nos croyances*. Et chaque fois qu'elles sont déplaisantes, elles servent à nous rappeler que notre perception actuelle ne se fonde pas sur la vérité, mais sur l'interprétation erronée que nous en faisons.

La joie n'est qu'à une pensée de vous

J'ai récemment eu une nouvelle occasion de voir à quel point nos croyances déterminent puissamment nos perceptions et, du même coup, ce que nous ressentons, lorsque la relation que j'avais avec ma petite amie a pris fin. La première semaine, cette rupture a été très douloureuse pour moi : j'avais cette sensation particulière de nausée et de douleur bien réelle qu'accompagne le sentiment d'avoir le cœur brisé. Mais au cours de la même semaine, il y a aussi eu certains espoirs quant à l'avenir de cette relation, du moins dans mon esprit, des moments où j'ai soudain cru (perçu) que les choses allaient peut-être s'arranger entre nous.

À ma grande surprise, durant ces moments où j'ai cru que ça allait se raccommoder, mes émotions douloureuses et tout leur cortège de symptômes physiques *ont totalement disparu* en l'espace d'une seconde ! D'ailleurs, durant ces instants, qui n'ont jamais duré plus d'une demi-journée, je me rappelle m'être demandé comment j'avais bien pu être à ce point dévasté par cette rupture potentielle. Puis, sans avertissement, une nouvelle conversation ou une nouvelle prise de conscience de ma part me montrait que la relation allait effectivement prendre fin et je me retrouvais aussitôt plongé à nouveau dans le désespoir.

Ainsi, même au cours de ces brefs répits durant lesquels je me croyais à nouveau aux anges, je n'en restais pas moins aveugle aux croyances qui liaient mon bonheur et l'amour que je portais à une autre personne. Ces renversements de situation se produisirent plusieurs fois en l'espace d'une semaine, accompagnés des mêmes observations de ma part. Si je n'en avais pas fait l'expérience par moi-même, je ne suis pas sûr que j'aurais été aussi facilement convaincu du pouvoir *instantané* qu'exercent mes croyances sur ma perception de moi-même et, par conséquent, sur les émotions que j'éprouve.

Désormais, quand je traverse une mauvaise période, je repense à cette prise de conscience et je me rappelle que mes sentiments négatifs se fondent toujours sur une perception/croyance erronée de ma situation. Sachant à quelle vitesse je peux me sentir mieux, je me mets immédiatement à cultiver des pensées plus lumineuses qui élargissent les frontières de mes croyances et de ma perception. Je m'attends alors à me sentir mieux, ce qui ne manque pas d'arriver. Tout comme j'ai été le témoin de la puissance qu'exerçaient mes croyances sur mon bonheur, j'ai pris conscience que ces dernières peuvent faire pareil avec n'importe laquelle de nos émotions. À tout moment, nous ne sommes littéralement *qu'à une pensée* de nous autoriser à adopter de nouvelles croyances qui peuvent nous remplir d'une joie indicible, d'un bonheur profond et d'un sentiment de bien-être total, ici et maintenant.

Qu'arriverait-il si quelqu'un venait aujourd'hui vers vous – quelqu'un ressemblant au « Dieu » auquel croient la plupart des gens – et qu'il vous dise que dans un futur très proche, tous vos rêves vont se réaliser ? Les transformations psychologiques et physiques que vous subiriez dépassent tout ce que vous pouvez imaginer. Vous vous sentiriez dilaté, confiant, soulagé, excité, heureux, *et bien d'autres choses encore*. Vous planeriez au-dessus de tout, quels que soient les imprévus qui puissent se présenter ce jour-là. Rien ne pourrait vous décontenancer. Vous seriez indomptable, rien ne vous arrêterait, vous seriez aux anges. Alors, qu'en conclure ? En ce moment même, pourquoi ne vous dites-vous pas que tous vos rêves vont bientôt se réaliser ? Que vous faut-il pour cela ? C'est vous qui détenez la clé – le monde est à vous – car on vous a donné la liberté de penser ce que vous voulez et, de la sorte, de créer tout ce que vous pouvez imaginer.

Nos émotions colorent chacune de nos expériences ; en leur absence, qu'est-ce qui aurait encore de l'importance ?

Rien du tout ! Si nous n'étions animés d'aucune émotion, que poursuivrions-nous dans la vie ? Qu'est-ce qui nous motiverait ? Qu'est-ce qui nous préoccuperait ? Rien, absolument rien. Nos émotions nous comblent de récompenses et de leçons, et les plus positives d'entre elles justifient que l'on se fraie un chemin à travers les négatives, pour en profiter.

Ce sont les émotions qui donnent un sens à notre existence, et les plus désagréables d'entre elles servent à nous montrer comment nous réaligner sur les vérités de l'existence. Elles attisent notre désir de vivre une vie meilleure, elles nous poussent à relever les défis, non pas de ceux qui vont nous écraser, mais bien ceux qui vont nous illuminer.

Nos défis - *Le plat de résistance*

Il est dans la nature humaine d'aimer les défis, car nous savons au plus profond de nous que toute épreuve peut être remportée ; que nous sommes des êtres uniques, destinés à l'emporter ; que nous ne pouvons pas échouer ; et qu'un jour nous connaîtrons le triomphe, la plénitude émotionnelle et la richesse, grâce à la sagesse que nous confèrent nos émotions qui nous aident à rester sur le bon chemin. La décision de relever un défi n'a pas à être triste, surtout quand on prend conscience que chaque défi est un « cadeau » qui nous procurera une plus grande compréhension des choses et un bonheur plus profond qu'on n'oserait l'imaginer.

Spirituellement parlant, peu importe qui vous êtes, où vous vous trouvez ou encore quels sont vos problèmes : compte tenu du nombre infini d'aventures parmi lesquelles nous pouvons choisir, nous finirons toujours – dans l'éternité – par atteindre le sommet. De plus, en quoi la vie serait-elle encore aventureuse si elle était exempte de tout défi, si nous avions tous un corps parfait, une estime de soi inébranlable et que nous vivions une existence parfaite et tranquille ? Beurk ! Et si, aussi douloureux puissent-ils être momentanément, nous pouvions truffer notre parcours d'obstacles, *à la condition explicite qu'ils puissent tous être surmontés ?* Et si nous savions que notre terrain de jeu nous offre la promesse de la réalisation de nos rêves et de nos espoirs les plus fous, et *qu'aucun danger auquel nous pourrions être confrontés ne restera insurmontable ?* Pas mal comme concept, non ? Mais évidemment, il ne conviendra pas aux mollassons célestes. Ce concept n'est destiné qu'aux aventuriers qui sont prêts à être secoués et instruits par leurs émotions. Cette aventure-là est *parfaite pour vous*, n'est-ce pas ?

Ce sont les émotions qui donnent un sens à notre existence, et les plus désagréables d'entre elles servent à nous montrer comment nous réaligner sur les vérités de l'être.

L'alternance même de nos émotions nous dévoile un chemin vers une nouvelle forme d'illumination, une porte vers la sagesse et la paix, inconnue avant que le temps et l'espace n'accèdent à l'existence. Ici, vos émotions deviennent les poteaux indicateurs pointant vers la Terre promise, et ce qui vous semble juste et bon vous incite à poursuivre dans la même direction. Dans l'intervalle, les émotions déplaisantes ou déconcertantes peuvent contribuer à nous ouvrir le cœur à une compréhension plus profonde des choses. Ensemble, vos émotions se joignent au chœur de vos voix intérieures, s'adressant à vous par l'intermédiaire de vos sentiments et de vos impulsions, pour vous encourager à aller de l'avant et à franchir votre parcours d'obstacles de matière et d'événements.

Les gens concrétisent leur pensée ; cela n'a rien d'étonnant. Mais à mesure que nos pensées nous propulsent dans la vie, elles nous font également passer par tout un kaléidoscope d'émotions, dont chacune ajoute un joyau précieux à notre couronne de compassion et de compréhension. Voilà pourquoi *c'est le voyage, et non la destination, qui compte*, dans le temps et l'espace, car c'est durant le voyage que nos émotions colorent notre expérience, tout en nous donnant un aperçu de nos croyances. Nos émotions se révèlent être notre réaction psychologique aux objets et aux événements auxquels nos pensées ont donné vie, et leur intensité dépend totalement de notre capacité à comprendre ces objets et ces événements-là. Moins nous avons de compréhension, plus éprouvons d'inconfort, voire de douleur. *Plus* nous avons de compréhension, plus nous sommes dans la joie et l'acceptation. Lorsqu'on les accepte et qu'on les reconnaît, nos émotions désagréables représentent une thérapie naturelle, administrée à la bonne dose et au bon moment. Ces émotions-là sont si efficaces que leur seule présence suffit souvent à rectifier toute erreur de compréhension. On observe cela facilement chez un enfant qui pleure et qui se met soudain à éclater de rire, avant même que ses larmes aient séché.

Mais vos émotions n'ont pas à vous mettre en larmes pour que vous en profitiez et que vous en tiriez des leçons. Elles sont semblables à une rivière qui vous traverse constamment, porteuse de richesses qui n'attendent que votre reconnaissance pour vous être accessibles. Elles forment une ressource qui peut vous permettre, à tout moment, de découvrir quelles sont vos pensées, d'en déduire la nature de vos croyances et de comprendre par là même le genre de vie que vous êtes en train de vous forger.

Chaque défi est un « cadeau » qui nous apportera une plus grande compréhension des choses et un bonheur plus profond qu'on n'oserait l'imaginer.

J'aimerais m'attarder maintenant sur certaines des émotions les plus courantes que nous éprouvons, pour vous expliquer comment et pourquoi elles se manifestent dans notre existence et ce que leur présence signifie, le plus souvent. La première de toutes ces émotions est, bien entendu, l'amour.

L'amour

Je crois qu'il existe deux sortes d'amour : celui dont tout le monde parle quand on dit qu'on tombe amoureux, et celui que manifeste à notre endroit Dieu ou l'Univers. Ces deux sortes d'amour sont si différentes l'une de l'autre qu'il faudrait en réalité un tout nouveau mot pour décrire celle dont suinte l'Univers. Mais comme ce mot n'existe pas pour l'instant, j'utilise le terme d'« amour infini ».

L'amour infini (inconditionnel)

« Au commencement », l'étincelle qui a permis au temps et à l'espace de faire une entrée explosive dans l'existence fut un souhait ou un désir démesurément grand, émanant de l'intelligence divine. En un clin d'œil, ce qui n'existait pas auparavant a soudain pris vie, et c'est ainsi que le ciel et la terre naquirent. Par simple déduction, cette intelligence divine était forcément bien intentionnée, puisque le mal finit toujours par s'autodétruire. Cette intelligence divine devait également être toute-puissante, comme le démontre simplement l'existence même de cet Univers si vaste, complexe et époustouflant. De plus, cette intelligence divine devait être seule et unique, puisqu'on peut *toujours* faire remonter l'origine de chaque chose, partout, à une seule et unique source. Enfin, cette essence créatrice était nécessairement tout amour, tant la création et l'évolution dépendent d'elle (et ce, depuis des milliards d'années). En outre, comme je l'ai déjà relevé précédemment, si l'amour n'existait pas, à quoi bon se donner la peine d'élaborer toute une création ?

Quand on observe l'immensité de l'Univers ainsi que la perfection, l'équilibre et l'harmonie qui sont présents dans la nature, il ne fait aucun doute que l'on a affaire à un créateur d'un amour infini. Il ne saurait y avoir de place, dans une telle conscience, pour l'imperfection ou pour autre chose que l'amour. Au commencement n'existait que cette conscience, et celle-ci ne pouvait contenir que l'amour divin. Par conséquent, tout ce qui a émané d'elle ne pouvait également qu'être fait de cet amour infini.

Si l'amour n'existait pas, à quoi bon se donner la peine d'élaborer toute une création ?

L'amour infini est présent partout, toujours. Il n'a pas d'antonyme. Il *est* le temps, l'espace et la matière. Il *est* la pensée, la conscience et l'énergie. L'amour infini est le moment présent ainsi que toutes les formes de conscience qu'il contient. Il est le désir et la réalisation du moindre rêve jamais rêvé, l'esprit même de la vie dans sa danse infinie d'évolution joyeuse. Par conséquent, il est impossible d'échapper à cet amour, même si on le voulait ; il est absolu. En cet instant même, peu importe qui vous êtes, l'amour infini vous tient dans le creux de sa main, une main assez grande pour tenir, garder et *comprendre* les individus même les plus perdus et les plus vils. Un amour infini de ce genre n'est pas un amour sentimental ; il ne dépend ni du temps, ni de l'espace ou de la matière ; il est indépendant des pensées, des croyances et des perceptions. Mais, s'il ne s'agit pas d'un amour émotionnel, pourquoi est-ce que je le mentionne ici ? Parce qu'il est votre héritage – c'est ce dont vous êtes fait – et c'est également *votre destination*. Vous pouvez toujours y puiser pour y trouver réconfort et soutien, mais il nous arrive trop souvent d'en oublier l'existence indéfectible, qui est invisible à nos yeux tant que nous ne la cherchons pas.

Mon raisonnement peut paraître quelque peu naïf à certains, mais parfois les réponses que nous cherchons sont très simples. Quant aux divers coins de ce monde où la preuve d'un tel amour infini ne semble pas visible, cela tient sans doute au fait que, du point de vue extrêmement limité que nous offrent nos seuls sens physiques, il ne nous est pas possible de tout discerner. Nous sommes malgré tout en mesure de comprendre que, dans le temps et l'espace, il se produit bien plus de choses que notre œil ne peut voir. Et il suffit d'observer l'abondance, la perfection et l'harmonie ahurissantes qui rendent possible toute vie sur cette planète pour en conclure, sans prendre trop de risques, que quelque chose d'immensément bon sous-tend toute chose.

L'amour humain

L'amour humain *est* beau, lui aussi, mais il est presque toujours sentimental, ce qui veut dire qu'il est conditionnel – qu'il dépend de croyances et de perceptions – et qu'il peut donc être donné ou repris. Malheureusement, s'y mêlent souvent des conflits, des attentes et des espoirs. Il est souvent fluctuant, car il n'est ressenti que lorsque les circonstances correspondent à un moule prédéfini ou lorsque certaines règles personnelles sont satisfaites, et il est également subordonné à l'approbation, au respect, à l'amitié ou à la réciprocité. Il est rarement véritablement inconditionnel, *voire jamais.*

L'amour ne fait mal que lorsqu'une de vos croyances vous donne de vous-même et de la réalité un point de vue limité.

Si l'amour humain est devenu ainsi, c'est parce que la perception de nos illusions nous semble plus réelle que la réalité dont elles émergent, aussi notre amour se fonde-t-il sur des choses et des circonstances spatio-temporelles, plutôt que sur l'esprit qui les meut. En cherchant tout d'abord l'esprit, cependant, nous pouvons discerner un autre amour et puiser dedans, un amour qui est éternel, plein de compassion, d'inspiration et de pardon, un amour inflexible, *véritablement* inconditionnel et qui ne se fonde *nullement* sur des émotions.

Le bon côté de l'amour humain, en dehors de son évidente beauté, c'est qu'il a beaucoup à nous apprendre, et que lorsque nous en souffrons, c'est que nous avons vraiment de précieuses leçons à en tirer. L'amour ne fait mal que lorsqu'une de vos croyances vous donne de vous-même et de la réalité un point de vue limité. Et en toute vraisemblance, cette perception erronée a toujours été présente dans votre vie, sauf qu'elle était masquée par diverses circonstances, y compris – tout récemment – la relation amoureuse qui était la vôtre avant que vous commenciez à souffrir.

Mais les épreuves douloureuses n'apparaissent pas dans notre vie par hasard ; elles arrivent quand nous sommes prêts à les affronter. Aussi, n'allez pas croire que votre douleur est due à la malchance, voyez-la plutôt comme le signe qu'il est temps d'évoluer et d'accéder à une compréhension plus élevée de vous-même et de la vie. Servez-vous de cette souffrance pour épingler les croyances restrictives qui sont les vôtres. De la sorte, votre cadeau viendra de votre disposition à effacer cette douleur, en cherchant et en trouvant des vérités plus élevées à propos de votre réalité, y compris celle de votre magnificence éternelle, ce qui vous épargnera à l'avenir toute erreur de compréhension et toute possibilité d'éprouver la même douleur pour les mêmes raisons.

Vous sentez-vous rejeté et indigne d'être aimé ? Comment est-ce possible, sachant que vous baignez dans cet amour depuis la naissance, en tant que fils/fille de l'Univers, qui ne fait qu'un avec son moi divin. Avez-vous l'impression de devoir tout recommencer, quand une relation tourne mal ? Il n'y a rien de mal à tout recommencer. C'est ce que nous faisons tous, tous les jours, *même en restant dans la même relation*. Les gens ne cessent de changer et d'évoluer, et aucune relation n'est aujourd'hui comme elle était voici un an ou simplement un mois. Avez-vous l'impression d'être seul contre le monde entier ? Comment serait-ce possible, alors qu'il existe des milliards d'autres êtres, ici et maintenant, qui vivent les mêmes aventures que vous, pour ne rien dire de tout l'Univers auquel vous êtes intimement lié ? La douleur est normale, quand notre compréhension est erronée, mais elle donne naissance à de nouvelles prises de conscience. Autoriser sa présence dans votre vie est donc aussi important que de la laisser vous quitter. Lorsqu'elle se manifeste, même si votre souffrance ne vous apporte pas encore l'illumination, vous serez plus avancé sur ce chemin que vous ne le pensez. Vous serez ainsi mieux préparé à connaître un bonheur encore plus grand à l'avenir, et vous aurez franchi un cap dans la compréhension des mystères de votre cœur.

La douleur est normale, quand notre compréhension est erronée, mais elle donne naissance à de nouvelles prises de conscience. Autoriser sa présence dans votre vie est donc aussi important que de la laisser vous quitter.

La haine, c'est ce qui reste quand l'amour se retire, ce qui veut dire que si l'amour n'avait pas été présent à l'origine, il ne pourrait y avoir aucune haine. Entre deux inconnus, la haine n'en est pas ; il s'agit soit de peur, soit de colère. Entre amis, par contre, la haine est le reflet de cet amour émotionnel qui pose des conditions, et dans le cas présent, la condition non satisfaite était vraisemblablement la réciprocité de l'amour. Rappelez-vous que c'est de perception dont nous parlons ici, or *percevoir* que l'amour n'est pas réciproque ne signifie pas forcément que ce soit vrai.

Pour que la haine existe, il faut qu'une règle que vous avez décrétée ou qu'une condition que vous avez posée n'ait pas été respectée. En comprenant la douleur que provoque en vous votre haine, vous pouvez la suivre et remonter jusqu'à la cause de votre perception erronée. Aviez-vous le sentiment que votre bonheur dépendait de quelqu'un d'autre ? Si oui, rappelez-vous que le bonheur n'est en réalité que le produit de la perception, et que *vous seul* contrôlez vos perceptions. Avez-vous le sentiment qu'on vous a manqué de respect ? Le manque de respect est comme les défis : on n'en est victime que lorsque notre façon de penser ou nos erreurs de compréhension rendent nécessaire un apprentissage supérieur. Ces pensées-là, couplées à toutes vos autres pensées, ont donné naissance à des circonstances idéales pour un tel apprentissage. Et même si vous ne voyez pas l'utilité de ces circonstances, qui vous semblent peut-être cruelles, cela ne signifie pas pour autant que vos propres objectifs intérieurs n'aient pas été atteints, ni que vous n'avez pas attiré cette leçon à vous. Il n'est pas facile de discerner la perfection des choses quand on ne se sent pas respecté, mais si l'on comprend qu'il n'y a pas d'accident ni de coïncidences (ou, comme j'ai formulé la question un jour à un ami religieux, pour qu'il la comprenne dans ses propres termes, « Pensez-vous que Dieu commette des erreurs ? »), on comprend du même coup qu'il y a toujours une raison à tout ce qui arrive – une raison à laquelle nous somme étroitement liés –, l'acceptation de ce fait nous aide à guérir de notre douleur.

La haine, c'est quand l'amour se retire.

La peur

La peur est une notion effrayante, mais ne vous contentez pas de la ressentir, utilisez-la ! Chacune de vos émotions déplaisantes vous crie que vous possédez des croyances restrictives ou que votre compréhension est erronée, et il en va de même pour la peur. Permettez-moi de vous raconter une expérience personnelle que j'ai faite en rapport avec elle.

Au cours de ma vie, j'ai parcouru des centaines de milliers de kilomètres en avion, sur les lignes aériennes les plus douteuses et sûr tous les types d'avion imaginables. Pourtant, voici une quinzaine d'années, alors que je survolais les États-Unis, j'ai soudain regardé la Terre depuis mon siège près de la fenêtre, d'une altitude de quelque 11 000 m, et j'ai soudain été pris d'une terreur comme je n'en avais jamais ressenti auparavant. Et je parle bien de terreur. C'était comme si chacune des cellules de mon corps vibrait de peur, une peur horrible, une peur qu'on ferait pratiquement n'importe quoi pour éviter. Cette peur, qui semblait surgir de nulle part, me traversa de part en part. Je n'avais jamais eu le vertige auparavant, aussi ai-je été choqué d'éprouver une telle émotion.

Eh bien, cette terreur continua de faire sporadiquement son apparition sur pratiquement tous mes vols, durant les sept à huit années suivantes, et comme elle me semblait irrationnelle, je ne parvenais pas à épingler les croyances restrictives ou les erreurs de compréhension qui lui avait permis de se manifester. À la place, je me suis donc mis – chaque fois qu'elle revenait (et entre mes divers vols) – à bombarder mon cerveau de toutes les raisons que j'avais de ne pas avoir peur, à commencer par les statistiques sur la sécurité aérienne, par le fait que je suis un être spirituel indestructible, que les soi-disant accidents (comme les coïncidences) n'existent pas, que la mort n'est qu'une illusion – des trucs de ce genre – et à force de m'imposer régulièrement et délibérément de voir les choses d'un autre point de vue, *tout en me forçant à prendre l'avion chaque fois que j'en avais l'occasion*, cette terreur a finalement disparu. C'est un peu comme si cette peur existait dans l'une des nombreuses pièces de la demeure de mon esprit, et que j'avais appris où se trouvait cette pièce et développé la capacité de l'éviter. Et si je ne sais toujours pas comment cette pièce est apparue, je sais au moins que je me porte beaucoup mieux maintenant que j'ai réussi à la traverser et que, grâce à elle, je suis parvenu à graver dans mon être de plus grandes vérités sur moi-même et sur le monde où je vis, qui manquaient visiblement à mon répertoire.

Bien sûr, toutes les peurs ne sont pas aussi évidentes. La peur de l'échec, la peur d'être déçu, d'être blessé ou encore de ne pas être approuvé, par exemple, sont toutes des peurs pratiquement invisibles, jusqu'au moment où l'on est mis à l'épreuve. Et alors, boum ! Là, vous vous rendez compte qu'il se passe quelque chose ! Mais, une fois encore, si vous êtes confronté à cette épreuve, c'est qu'il est temps pour vous de grandir, ce que vous ne pouvez faire qu'en affrontant vos peurs et, chaque fois que c'est possible, en remontant jusqu'aux croyances restrictives à l'origine de vos perceptions erronées. Comme je l'ai fait dans le cas de cette peur de l'avion, j'utilise l'approche *Passer au bulldozer et Liquéfier* pour gérer mes croyances restrictives, et je supplante par la compréhension toutes les croyances invisibles ayant donné naissance à cette peur, tout en *traduisant en acte* les vérités qui se rapportent à ma condition et à ma réalité. Incidemment, je n'ai jamais réussi à trouver quelles étaient les croyances restrictives à l'origine de ma peur de voler, *ce qui montre qu'il n'est même pas nécessaire de trouver le coupable* pour dépasser une situation et aller de l'avant.

La tristesse et la dépression

Ce que j'ai lu de meilleur sur la dépression provient de l'un des livres de Jane Roberts, dans la série des *Seth* : la dépression est simplement le résultat d'un sentiment d'impuissance, impuissance à changer de situation, d'où le sentiment d'être prisonnier de sa vie. Si telle est votre situation, le premier pas consiste à l'affronter et à l'admettre. Puis, prenez conscience que vous êtes effectivement puissant. Vous avez simplement perdu un peu d'élan. C'est un peu comme en vélo ; vous devez continuer d'avancer pour garder l'équilibre. Je sais que c'est plus facile à dire qu'à faire, particulièrement au beau milieu d'une situation stressante ou difficile, aussi le meilleur conseil que je puisse vous donner est de commencer par de tout petits pas, en vous *forçant* à opérer des changements dans les domaines de votre vie qui vous posent le plus de problèmes. Si vous êtes seul, allez dans un centre commercial (ou n'importe où), et souriez en cherchant des visages amicaux. Vous n'avez pas besoin d'entamer de conversation avec quelqu'un, mais allez-y, mettez-vous en mouvement.

Si quelque chose vous rend triste, après les premiers stades de la guérison qui peuvent nécessiter de passer un certain temps seul, encouragez-vous à vous concentrer sur d'autres choses : sortez dans de nouveaux endroits, essayez de nouvelles choses, prenez votre vélo et allez faire un tour. Et même si ce n'est pas facile au début, rester là à ressentir la tristesse ou la douleur qui vous habite n'a rien de facile non plus. C'est seulement en faisant quelque chose à ce sujet que vos émotions finiront par disparaître. *Faites toujours ce dont vous êtes capable*. Peut-être ne rencontrerez-vous personne au centre commercial, mais en chemin, vous verrez peut-être une publicité pour un événement qui vous intéresse (c'est là un exemple de ces synchronicités magiques de la vie qui n'arrivent que lorsqu'on passe à l'action). En restant actif, en réactivant peut-être une vieille amitié ou en recommençant un jeu ou un sport que vous aimiez autrefois, vous allez peut-être vous forger de nouvelles amitiés et faire des expériences que vous n'imaginez même pas pour l'instant. Et la cerise sur le gâteau, c'est que lorsque vous faites ce dont vous êtes capable, vous êtes beaucoup plus disponible pour toutes les autres pensées merveilleuses qui s'efforcent de surgir dans votre vie, sous la forme de nouvelles manifestations. Or ces pensées sont tout bonnement incapables de se manifester, si vous êtes inatteignable parce que vous restez chez vous à attendre un miracle.

La colère

La colère ressemble à la dépression en ce qu'elle résulte d'une perte apparente de pouvoir ou de contrôle, subie durant un certain temps. Mais, au lieu que cette sensation de perte soit surmontée par un sentiment passif de dépression, ou au lieu de gérer constructivement ces perceptions, à mesure qu'elles se présentent, on a laissé la situation couver lentement jusqu'au moment où la colère finit par exploser. Bien entendu, comme c'est vous qui laissez déborder votre rage, c'est également vous qui en subissez les conséquences, sous la forme de troubles de la santé, d'un stress accru dans vos relations et d'une absence de solution véritable à ce qui vous perturbait au départ. L'ironie, avec la colère, c'est qu'on l'exprime toujours pour tenter de corriger ou de rectifier une situation, mais que son expression provoque à chaque fois exactement l'inverse.

La colère ne fait qu'aggraver les choses, tant pour vous-même que pour la personne à qui vous en voulez, sans oublier la relation qui vous unit. Et, comme la colère est destructrice, il est très important de la gérer, et non de la supprimer. Lorsqu'on l'étouffe, elle ne manque pas de réapparaître, amplifiée par les tentatives de la faire taire. Par contre, si vous prenez vraiment le temps de ressentir votre colère, vous pouvez commencer à la comprendre. Si vous êtes fâché contre quelqu'un qu'il vous est impossible d'éviter, commencez peut-être par comprendre qu'il fait de son mieux, même si ce mieux-là ne vous semble pas voler bien haut. C'est là qu'il en est, dans son évolution spirituelle.

Prenez conscience que c'est vous qui êtes responsable de votre colère, et non quelqu'un d'autre ni même les événements de votre vie. Les autres sont simplement ce qu'ils sont, avant que vous ne passiez par là et que vous les jugiez sur la base de vos croyances ; et c'est alors que votre émotion apparaît. Si vous n'étiez pas là, il n'y aurait pas de colère, ou – tout au moins – il n'y aurait pas *votre* colère. Et si vos sentiments vous paraissent justifiés, quel bien en ressort-il, si vous êtes toujours prisonnier de votre rage ? Travaillez donc plutôt sur vos pensées, vos croyances et vos perceptions, afin d'éviter l'expression de cette colère ou – tout aussi important – sa suppression.

Le chagrin

Le chagrin est sans doute le plus sombre de tous nos sentiments. Il résulte généralement d'une perte, provoquée parfois par un décès. Cette émotion vous ôte toute envie de vivre. Chacun d'entre nous connaît un jour le chagrin, et nous devons tous parvenir à le surmonter. Le temps en est le meilleur remède, tout comme s'autoriser à pleinement ressentir cette émotion. Ensuite, toutefois, il est nécessaire de faire l'effort délibéré de se remettre dans le bain.

Le chagrin, comme toutes les émotions négatives, est également le résultat de croyances restrictives qui vous disent que votre perte est permanente et éternelle.

Mais dans la mesure où vous êtes un être spirituel et éternel, vous devriez comprendre qu'aucune perte n'est permanente, qu'il n'y a pas d'adieu final ni de séparation irréconciliable ; ce ne sont là que des illusions. Vous retrouverez un jour les êtres que vous aimez, cela ne saurait tarder. Dans l'intervalle, vous bénéficiez toujours de ce cadeau qu'est la vie, de cette opportunité inestimable de vivre, d'aimer et de rire. Votre tour n'est pas fini, dans le temps et dans l'espace, et l'orchestre continue de jouer. Le fait qu'un être cher soit « parti sans vous » signifie à n'en pas douter qu'il vous reste des choses à faire.

Mon oncle avait pour habitude de dire, « Les choses ne sont jamais aussi noires qu'elles paraissent », et si cette noirceur nous paraît parfois absolument impénétrable, un jour viendra où il vous semblera impossible d'avoir pu voir les choses sous un jour aussi sinistre. On est tous passés par là, et quand viendra votre tour, accrochez-vous ; les choses finiront par passer.

La culpabilité

La culpabilité, tout comme la définition humaine du péché, ne devrait servir qu'à nous instruire, et non à nous punir. Nous sommes là pour apprendre, et non pour être parfaits, et aucune de vos transgressions ne peut vous éloigner de votre divinité (aucune ne l'a jamais fait, d'ailleurs), quoi que vous ayez pu faire. De même, rien de ce que vous avez pu commettre ne peut empêcher l'amour infini de l'Univers de vous illuminer. Quand la culpabilité se manifeste, laissez-la blasonner dans votre mémoire la leçon que vous avez apprise, afin que vous ne répétiez jamais la même erreur. Mais, et c'est tout aussi important, continuez de regarder vers l'avenir avec espoir et optimisme.

La joie et le bonheur

Dieu merci, toutes nos émotions ne sont pas désagréables. La joie et le bonheur sont des émotions qui vous indiquent que vous avez appris certaines leçons qui vous ont donné accès à la paix, l'acceptation et le plaisir spirituel intérieur. Et, que vous le voyiez ou non, ce sont là les fruits de vos douleurs passées, des défis et des obstacles que vous avez surmontés et vaincus. Par exemple, vous considérez peut-être qu'un séjour à Hawaï est le summum des vacances et qu'il vous apporte le bonheur ; vous pensez peut-être même que votre joie est due à la beauté du paysage, à l'atmosphère paisible et au climat parfait. Mais en réalité, ce que vous ressentez, c'est la fierté d'avoir persévéré, d'avoir insisté et affronté les défis que vous avez connus – parfois, voici plusieurs années – et qui vous ont conduit à ce moment de votre vie où vous pouvez décider d'aller passer vos vacances dans une destination idyllique. Du fait que vous avez su gérer ces situations difficiles et ces peurs, oubliées depuis longtemps, vous avez évolué et vous vous êtes renforcé dans votre capacité à vivre la vie de vos rêves.

La preuve, posez la question à quelqu'un qui vit à Hawaï. Il vous dira, « C'est un lieu comme un autre », même si c'est un endroit magnifique, en l'occurrence. Mais aucun lieu ne peut vous procurer la joie ou le bonheur ; ces émotions-là viennent de l'intérieur. Et c'est bien de là qu'elles viendront, quand vous aurez atteint la maîtrise de vos perceptions.

Laver le sable aurifère

Vos émotions sont des joyaux qui ont chacune une leçon à vous apporter. Si vous vous en occupez, leurs enseignements vous révéleront les croyances qui sous-tendent les illusions que vous avez créées. Mais pour vous en occuper, vous devez d'abord les ressentir. Ce n'est qu'ainsi que vous pourrez comprendre la raison de leur présence dans votre vie et la sagesse qu'elles vous apportent. Si vous éprouvez des émotions qui vous font du mal ou vous distraient, remontez jusqu'à leur source, leurs racines – jusqu'aux croyances qui leur ont donné naissance – et efforcez-vous de comprendre tout ce que vous ne saisissez pas pour l'instant. Comme les mauvaises herbes que vous arrachez au jardin, ne vous contentez pas d'en couper la partie apparente, sans quoi elles reviendront. Arrachez-les avec leurs racines, afin de vous en débarrasser complètement.

Quand vous étouffez vos émotions, elles s'accumulent comme l'eau derrière un barrage, car toute pensée, une fois qu'elle est née, cherche à se manifester dans le temps et dans l'espace. Si on les empêche constamment de s'exprimer, nos émotions finissent pas exploser avec une telle intensité qu'elles nous empêchent de porter sur notre existence un regard équilibré. Elles vous imposent violemment une vision si déformée de votre « réalité » que vos réactions consécutives risquent à leur tour d'être totalement disproportionnées.

Ne pas écouter ses émotions, c'est comme ignorer une odeur de fumée chez soi ; c'est refuser de reconnaître que certaines de vos croyances sous-jacentes en sont à l'origine. Reconnaissez les sentiments désagréables qui vous habitent ; c'est vous qui en êtes la source, et vous seul pouvez vous en défaire ou les remplacer, après avoir compris la raison de leur présence. Vous pouvez changer vos sentiments, mais pour ce faire, vous devez commencer par vous-même. Passez à l'action, faites quelque chose et rappelez-vous que vous vivez dans un monde juste et parfait, un monde qui ne vous lance un hameçon que lorsque vous êtes prêt à bouger, à comprendre, à évoluer et à être plus heureux qu'avant.

S'il est important de ne pas étouffer ses émotions, il est tout aussi important de ne pas se vautrer dedans. Les émotions sont naturellement fluides ; elles vont et viennent comme les marées. Laissez-les suivre leur cours, et vous verrez qu'elles vous offrent de nouvelles perspectives, vous administrant leurs propres remèdes à la dose qui convient.

Reconnaissez les sentiments désagréables qui vous habitent ; c'est vous qui en êtes la source, et vous seul pouvez vous en défaire ou les remplacer, après avoir compris la raison de leur présence

Le fait d'avoir une émotion désagréable ne signifie pas pour autant que vous deviez soudain vous mettre à explorer les tréfonds de vos croyances. D'ailleurs, à moins qu'elles ne vous écrasent, il suffit de ressentir ses émotions pour en faire une sorte de thérapie. Mais *ressentir* une émotion est tout autre chose que de se vautrer dedans. Quand vous vous vautrez dedans, vous les renforcez ; et vous en attirez donc d'autres de même genre. La tristesse engendre la tristesse, pas seulement d'une personne à l'autre, mais également dans votre propre esprit ; tout comme le bonheur engendre le bonheur.

Les semblables s'attirent

Non seulement vos pensées deviennent ou attirent certaines choses, mais elles attirent également à elles d'autres pensées analogues ; chaque pensée attire des pensées de même nature, chaque sentiment des sentiments identiques. Je crois que c'est ainsi que je suis parvenu à déduire de nombreuses vérités sur le temps et l'espace. En réfléchissant à ces choses-là, en pensant et en remettant en question certaines « vérités », j'attire à moi des pensées et des réponses sur ces sujets. Vous avez peut-être déjà entendu parler d'illumination spontanée ? C'est la même chose : un phénomène où, sans raison apparente et sans stimuli extérieurs, vous recevez soudain les réponses à certaines questions ou les solutions à certains dilemmes qui vous échappaient totalement, encore quelques minutes auparavant.

Il y a également une autre raison étonnante pour laquelle les pensées et les émotions se perpétuent, qui est liée au fait que *les pensées se réalisent*. Les pensées de tristesse ou de bonheur s'efforcent de se concrétiser, mais c'est compliqué. Si des émotions, comme la dépression ou la joie, ne peuvent devenir des objets physiques, leur expression sur ce « plan de manifestation » *peut* néanmoins se réaliser quand certains événements et circonstances de votre vie s'organisent de telle sorte que vos réactions traduisent précisément ces émotions-là. Par exemple, je suis passé par une période où j'ai décidé de visualiser qu'on me félicitait. Je visualisais très clairement mes voisins, mes amis et mes associés en train de me couvrir de louanges, de me serrer vivement la main, de me faire des compliments accompagnés d'une franche tape sur l'épaule, en évitant délibérément de déterminer quel événement produirait ce résultat-là. Je me suis contenté d'imaginer les émotions qu'éveilleraient en moi toutes ces félicitations.

Au cours des mois et de l'année qui ont suivi cette période où je me visualisais en train d'être félicité, les ventes de TUT ont atteint des sommets, pulvérisant certains records. Je me suis acheté une nouvelle maison plus grande ; j'ai adopté mon premier chien ; et d'autres réalisations ne tardèrent pas à suivre. On n'arrêtait pas de me féliciter. Bien sûr, je faisais également beaucoup d'autres choses, à cette époque, qui ont également contribué à ces succès, mais ce que je veux souligner ici, c'est qu'en cultivant ou en ruminant certaines émotions, positives ou négatives, ces pensées-là vont littéralement attirer les *circonstances et les événements* qui permettront précisément à ces émotions de perdurer.

Un autre exemple de ce processus est la spirale infernale dans laquelle on voit certaines personnes s'enfoncer, qui fait que leurs pensées et leurs émotions, renforcées par chacune de leurs infortunes, finissent par atteindre une puissance incroyable, engendrant d'autres pensées et émotions du même type, et encore plus d'infortunes. Leur vie se transforme en un véritable cercle vicieux. La bonne nouvelle – la *formidable* nouvelle – est que les spirales paradisiaques sont encore plus courantes et beaucoup plus en accord avec notre nature fondamentalement optimiste ; c'est pourquoi l'on en observe fréquemment. Les pensées et les émotions merveilleuses que nous cultivons attirent des manifestations et des circonstances merveilleuses, qui attirent à leur tour encore plus de pensées et d'émotions merveilleuses, et ainsi de suite. Et il ne suffit que de quelques pensées et/ou émotions pour mettre une telle spirale en branle.

Une nouvelle astuce de visualisation avancée

Ce qui précède est très important : permettez-moi de clarifier ce point et de vous suggérer à nouveau, quand vous visualisez, de prendre parfois du temps pour imaginer des émotions positives et joyeuses, sans penser à aucun objet ou événement particulier. Par exemple, je m'imagine de temps en temps en train de courir dans toute la maison en agitant les bras dans tous les sens au-dessus de ma tête, poussant des cris de triomphe et braillant à tue-tête, à cause d'une nouvelle formidable (non définie) que je viens de recevoir, ou encore en train de sortir par la porte d'entrée de ma maison et de sauter de joie. (Il m'arrive effectivement de me comporter ainsi !) Je me vois en train de rouler sur la rocade qui contourne Orlando, écoutant une musique joyeuse à plein volume et criant « Yiii-haaa ! » à pleins poumons, à peine capable de contenir la joie que j'éprouve, tout en imaginant également que mes amis et mes voisins m'appellent pour me féliciter pour une victoire ou une réalisation dont j'ignore tout.

Les visualisations de ce genre sont assez amusantes à faire, alors n'hésitez pas à vous laisser complètement aller. La magie que vous invoquez va littéralement réarranger tous les « meubles » de votre vie, pour que de tels sentiments se manifestent vraiment.

Vous n'êtes pas vos sentiments

Une autre façon de gérer ses émotions, particulièrement les plus déplaisantes d'entre elles, consiste à ne pas les laisser nous définir. Par exemple, après ma dernière rupture, j'ai été submergé de nombreuses émotions désagréables. Je me sentais triste, d'où le sentiment d'avoir échoué, puis je me suis dit que j'étais quelqu'un d'impossible à aimer, indigne d'être apprécié à cause de son caractère et de sa personnalité, et je ne cessais de penser à chacune de mes faiblesses. Mes émotions me poussaient à m'étiqueter, à me définir et à me limiter moi-même ; je me montrais de plus en plus aveugle à toutes mes qualités et mes forces, incapable d'apprécier ma personnalité unique.

Si je n'y avais pas prêté attention, j'aurais à mon tour pu me laisser entraîner dans ma propre spirale infernale. À la place, je me suis rappelé que ces émotions-là n'autorisent que des perceptions spécifiques et n'éveillent en moi que des croyances restrictives, et qu'elles ne définissent en rien *qui je suis*. J'ai alors entrepris de les utiliser comme les outils qu'elles peuvent être, sans plus chercher à définir qui j'étais, et je me suis mis à explorer mes croyances. Je me suis également rappelé que je suis avant toute une machine à penser, que mes pensées teintent les circonstances de ma vie à venir, et que je suis le seul à programmer ce que je choisis de penser.

Ce ne sont pas nos émotions qui nous définissent ; elles ne font que souligner les perceptions et les croyances qui sont les nôtres à un moment donné. Elles sont pareilles à un baromètre qui mesure la compréhension que nous avons acquise de nous-mêmes et de notre vie, mais elles ne sont pas *qui* nous sommes. Laissez donc vos émotions vous faire découvrir vos propres structures de pensée et de croyance.

Ce que vous voulez vraiment

Chaque fois que nous pensons désirer de nouvelles « choses », ce que nous désirons vraiment, ce sont les sentiments que nous attendons de la possession de ces choses-là. Mais, bien entendu, ce n'est jamais une « chose » qui éveille un sentiment en nous ; c'est le chemin qu'elle nous pousse à parcourir et les réalisations auxquelles nous l'associons. Voilà pourquoi on trouve tant de gens malheureux parmi ceux qui ont gagné au loto, car ils s'imaginaient au départ que leur rêve s'était réalisé, mais ils se sont ensuite retrouvés profondément malheureux, voire ruinés. Voilà l'interprétation que j'en fais : nous avons tous envie de nous retrouver dans le « cercle des gagnants » du grand jeu de la vie, pour ainsi dire, car en général les personnes qui sont membres d'un tel cercle sont de celles qui ont su persévérer et réaliser ce qu'elles voulaient. Mais pour se retrouver dans le cercle des gagnants, il faut, par définition, relever certains défis et les « gagner », non pas en étant meilleur que les autres, mais en atteignant les objectifs mêmes que vous vous êtes fixés précédemment. Alors, votre plus grande récompense sera le bonheur d'avoir achevé ce pèlerinage, d'avoir gagné malgré vos peurs et vos doutes. Ce qui vous rendra heureux, c'est de faire ce que vous aimez, de le faire bien et de relever les défis qui se présentent en chemin. C'est comme si la vie vous récompensait par le succès professionnel, le succès dans vos relations, mais aussi la réussite sous des formes aussi bien matérielles que *non matérielles*. Mais, vouloir ces récompenses sans faire l'effort ; vouloir parvenir à destination sans avoir cheminé ; ou rêver de se retrouver dans le cercle des gagnants sans avoir « fait la course » dénote une profonde erreur de compréhension de la vie, et plus particulièrement de la nature des défis, des rêves et du bonheur.

La voie rapide

Chose intéressante, ce qui nous inspire, c'est ce que nous voulons ressentir, par comparaison avec nos sentiments actuels, aussi ne devons-nous pas oublier que ce que nous ressentons *maintenant* n'est qu'une perception. Bien sûr, aucun rêve n'est inatteignable et rien n'est hors de votre portée, mais si vous prêtez attention à la perception de votre situation actuelle, en vous reconnaissant le mérite d'être parvenu jusque-là et en vous aimant tel que vous êtes, alors, fort du bonheur qu'une telle tournure d'esprit ne manquera pas de générer, il sera beaucoup plus facile d'aller là où vos rêves veulent vous entraîner. C'est vrai, au fond : qui selon vous en accomplira davantage ? Celui qui démarre déjà heureux, ou celui qui est motivé par ses malheurs ?

Nous sommes tous différents, et il est vrai que le mécontentement peut parfois être une puissante motivation, mais nous savons tous que les gens heureux vont plus loin – et plus vite – dans la vie, que les malheureux. Quand vous êtes heureux, vous n'éprouvez guère de *stress* à changer votre vie. Ce qui ne veut pas dire que vous ne devriez pas changer, ni que vous n'allez pas le faire, mais cela signifie *clairement* que vous vous ferez beaucoup moins de souci ; vous n'aurez pas l'impression d'avoir le poids du monde sur les épaules ; et vous n'aurez pas davantage le sentiment que votre bonheur n'est plus qu'à un contrat, une négociation, un jour, un rêve ou une personne de vous.

Des joyaux dans la couronne de votre compréhension

Parmi tout ce que nous pouvons accomplir, que ce soit aujourd'hui ou en l'espace de milliers d'incarnations, il n'y a pas grand-chose qui puisse se comparer au simple fait *d'exister* en ce moment même. En cet instant, nous sommes vivants dans le temps et l'espace. En cet instant, nous sommes libres de penser ce que nous voulons. En cet instant, c'est à notre tour de profiter du soleil. Il y a des millions de gens sur Terre qui donneraient pratiquement n'importe quoi pour être à votre place, pour avoir votre vie et jouir des perspectives qui sont les vôtres. Tout ce que vous possédez actuellement est d'ailleurs infiniment supérieur à ce que ces gens-là pourraient rêver d'avoir. Vous avez beaucoup de chance. J'ai beaucoup de chance. Et pourtant. Il est si facile de l'oublier et de se montrer mécontent, incapable d'apprécier ce que l'on a. Tâchez de vous prendre sur le fait, chaque fois que vous vous comportez ainsi, et vous pourrez utiliser vos émotions pour comprendre pourquoi votre perception est déséquilibrée et, plus encore, quelles sont celles de vos croyances qui vous éloignent de la vérité, afin de pouvoir délibérément réaligner votre vie merveilleuse et miraculeuse sur ce qui vous plaît.

Les émotions sont en réalité la récompense que procure toute aventure dans le temps et dans l'espace, car ce sont-elles qui donnent leur sens et leur profondeur à chacune de nos expériences. Quand on les laisse faire, elles nous montrent à quel moment nos illusions atteignent leurs niveaux les plus captivants, mettant du même coup en évidence les croyances qui exercent la plus grosse influence sur notre vie. Elles sont les trophées inattendus qu'apporte une odyssée dans la jungle du temps et de l'espace, et elles ont pour fruit une sagesse et une compassion inatteignables par notre seul intellect.

Accueillez vos émotions, pour mieux les comprendre, en particulier les plus déplaisantes d'entre elles, et appréciez la signification qu'elles ont – mais aussi leur beauté – dans votre vie. Ainsi, grâce à cette aventure, vous en viendrez à vous connaître, à connaître votre divinité et le pouvoir formidable que vous maniez, un pouvoir si grand, en réalité, que tous vos rêves restent à jamais possibles, où que vous en soyez dans votre vie à l'heure actuelle.

4 LA VIE VOUS ATTEND

Les gens disent souvent que la seule constante, dans la vie, c'est le changement, mais je crois qu'on peut voir les choses autrement, d'une manière plus adéquate. La vie ne change jamais ; elle est parfaite et accomplie. La vie est comme un écran géant sur lequel on projette des films, un écran qui ne change jamais, contrairement aux images qui se reflètent sur lui. Or ici, dans le temps et l'espace, c'est nous qui projetons nos pensées sur le grand écran de la vie ; c'est nous qui changeons constamment, et non la vie. En soi, la vie est très prévisible, pour peu que l'on arrête de rester fixer sur les effets de nos créations pour observer plutôt les principes sous-jacents immuables qui sont à l'œuvre.

Permettez-moi d'élaborer un peu plus sur la construction de ce théâtre spatio-temporel dont nous sommes tous les acteurs. N'est-il pas évident qu'il doit y exister certains principes inviolables ? Si soudainement les vaches se mettaient à voler, si les océans pouvaient disparaître, si les villes bougeaient, ou encore si les objets physiques ne cessaient d'apparaître et de disparaître, on ne pourrait se fier à rien. Que ferait-on d'une réalité dans laquelle les règles, ou les accessoires, ne cesseraient de changer sans nous consulter ? Il serait tout bonnement impossible de vivre dans le temps et l'espace sans certains principes inviolables. C'est d'autant plus vrai si l'on croit que l'une des raisons fondamentales pour lesquelles nous sommes là, c'est précisément pour découvrir le pouvoir absolu qui nous est donné de façonner notre vie à notre guise.

Si donc vous comprenez que la « vie » est constante, vous devez également croire en la nécessité de certains principes absolus et inchangeables qui rendent cela possible (que j'ai qualifiés précédemment de Vérités de l'ÊTRE), et croire également qu'il n'existe *aucune* force extérieure à vous, capable de manipuler le résultat de vos pensées, de vos croyances et vos intentions. Si de telles forces extérieures existaient (des forces « autres que nous »), capable d'influencer la direction que prend notre vie ou les choses que nous manifestons – qu'il s'agisse d'anges, de dieux ou de votre bonne étoile – alors, une fois encore, on ne pourrait affirmer qu'il nous a été donné de maîtriser toutes choses sur la Terre. Il nous faudrait plutôt dire que nous pouvons dominer *la plupart* des choses ; ou en certaines occasions seulement ; ou en fonction de certains critères, de certaines circonstances ou jugements qui ne dépendent pas de nous. En l'absence de principes immuables, on ne pourrait pas davantage dire, comme dans la Bible, « Toutes choses sont possibles à celui qui croit ». Il faudrait rajouter certains avertissements et restrictions, du genre, « du moment qu'on est vendredi, que Saturne est à l'ascendant ou que Gabriel n'est pas loin ».

Si nous forgeons notre propre réalité, alors nous forgeons effectivement notre réalité, et ce n'est pas un emploi à mi-temps, tributaire de Dieu-sait-quelles conditions variables. Ce n'est qu'en étant d'une constance parfaite et indéfectible que la vie peut, comme un miroir, refléter avec exactitude ce que nous projetons sur elle. Les implications de cela sont renversantes, car cela veut dire qu'à partir du moment où l'on comprend ces principes tout simples, et qu'on bâtit sa vie sur le roc de leur vérité, la manifestation de nos rêves est tout bonnement inévitable.

Voilà ce que je veux dire quand j'affirme que « La vie vous attend ». Votre vie, pour les raisons évoquées ci-dessus, est un *canevas vierge* comprenant bien plus d'espace de créativité et d'expression que vous n'imaginez. Quand il est question de définir la vie, nous avons tendance à raisonner en termes de généralités, mais la vie « en général » n'existe pas. Vous avez votre vie, j'ai la mienne, et il existe des milliards d'autres aventuriers qui ont leur propre vie ; mais la vie « en général », connais pas. Nos vies sont autrement plus personnelles, précieuses et uniques qu'on ne nous l'a enseigné, car elles sont beaucoup plus *le résultat de ce que nous pensons* que de l'évolution ou du destin.

C'est un peu comme si nous imaginions que nous sommes tous assis dans le même théâtre – le grand théâtre de la vie – et que nous croyions regarder tous le même spectacle, avec seulement chacun un point de vue différent, alors qu'il est beaucoup plus exact d'affirmer que chacun d'entre nous est assis tout seul dans son propre théâtre. En dehors des principes inchangeables de la vie, nous basons tous notre existence sur des règles et des vérités différentes, s'appuyant à leur tour sur des croyances différentes. (J'espère que vous me suivez, car, fort de cette perspective, vous allez prendre conscience que tous les aspects que vous avez attribués à la vie « en général » ne s'appliquent en réalité qu'à *votre* vie à vous. Votre existence n'est que le reflet extérieur de tout ce que vous pensez, croyez et attendez.)

Il n'y a pas de « vie » sans vous, il n'y a qu'un potentiel inerte qui a besoin que vous lui donniez sens, forme et finalité. La vie vous attend pour que vous la *viviez*, à *votre* façon. « Vivre » est un verbe ; il signifie passer à l'action, et c'est justement de cela qu'il s'agit. La vie attend que vous *passiez à l'action*, que vous exerciez votre libre arbitre, que vous choisissiez votre chemin en en utilisant les principes pour invoquer la magie qui sous-tend la création, afin de vivre l'existence dont vous avez toujours rêvé. *C'est pour cela que vous êtes ici !*

La danse suprême de la vie

En passant délibérément à l'action, en progressant physiquement vers vos rêves, vous mettez tout l'Univers en branle. *L'action est la clé*. C'est la démonstration des attentes qui vous animent, et elle envoie des ondes de choc à travers votre intention invisible. C'est grâce à elle que vous produisez l'étincelle, puis l'Univers allume le feu. C'est comme si nous étions aux commandes de notre vie (comme le capitaine qui tient le gouvernail d'une embarcation à voile futuriste, extrêmement complexe) et que nous nous contentions de donner des ordres, tandis que d'innombrables membres d'équipage, machines et ordinateurs passent à l'action aussitôt. La seule différence, c'est que notre existence personnelle et les ordres que nous donnons sont infiniment plus complexes et élaborés qu'un tel navire, et qu'au lieu d'avoir à notre disposition un équipage, des machines et des ordinateurs potentiellement faillibles, *nous disposons au contraire d'un Univers infaillible et aimant – d'une extension de nous-mêmes – doté de principes inviolables.*

Cela vous paraît difficile à croire ? Voici quelques exemples incontestables de votre relation à l'Univers à l'œuvre[1], dans cette danse suprême de la vie, au cours desquels vous y puisez sans effort pour terminer ce que vous avez commencé et ce que vous lui avez ordonné de faire : vous commencez des phrases que vous ne savez même pas comment vous allez terminer, et pourtant vous les finissez toujours et elles sont parfaitement sensées. *D'où vous viennent ces phrases ?* Vous exécutez des mouvements musculaires extrêmement complexes chaque fois que vous faites la moindre activité physique, et vous n'avez pourtant pas la plus petite idée de la façon dont vous vous y prenez... *et personne d'autre non plus !* Vous ouvrez n'importe quel livre – comme celui-ci – et vous voyez sur chaque page des gribouillis noirs qui représentent une information qui n'existe pas sur ces pages, *mais qui existe bien quelque part.*

L'intention, c'est-à-dire la pensée sans action, ne suffit *pas.*

Dans chacun de ces exemples, c'est vous qui, par votre intention et vos *actions consécutives*, mettez en œuvre la magie de l'Univers. L'intention, c'est-à-dire la pensée sans action, ne suffit *pas*. Mais sitôt que vous ouvrez la bouche pour parler, que vous avancez les jambes pour marcher ou que vous ouvrez un livre pour en lire les pages, ces *actes physiques* impliquent de manière indubitable que vous *croyez* que votre intention portera ses fruits. Ces gestes intensifient suffisamment l'énergie de votre intention initiale pour qu'elle atteigne le point de bascule ; la masse critique est alors atteinte, ce qui permet à l'Univers de prendre le relais, *du seul fait des actes apparemment insignifiants que vous avez posés*. Vous n'avez même pas besoin de savoir *comment* achever le processus entamé, car le seul

---

1 Je me souviens avoir lu deux ou trois de ces exemples dans un livre de Jane Roberts, de la série des *Seth*, voici plus de 30 ans. Ils sont tellement évidents et pertinents que je voulais partager ici avec vous.

fait de l'avoir déclenché démontre que vous croyez qu'il parviendra d'une manière ou d'une autre à son terme. Votre intention originale (votre vision, votre désir ou votre rêve), soutenue par vos attentes et renforcée par les actes que vous avez posés, suffit à provoquer les mouvements musculaires, l'articulation nécessaire ou la formulation d'idées mis en branle par la magie de la vie, grâce au principe qui veut que *les pensées se réalisent.*

Vous avez envie de me dire que c'est votre subconscient qui finit vos phrases et qui fait battre votre cœur ? Même si vous croyez cela, qu'est-ce que votre subconscient ? Et où se trouve-t-il, de toute manière ? Il n'est certainement pas situé *physiquement* dans votre cerveau. Il émane de votre moi spirituel, ce qui, à nouveau, nous ramène au fait que c'est la pensée qui déclenche certains principes dans l'invisible, qui active un processus apparemment magique pour chaque manifestation que nous observons. Et s'il y a quelque chose qui active cette magie-là plus que tout, c'est bien de danser la danse suprême, *d'accompagner physiquement nos rêves* en faisant ainsi la démonstration de notre croyance indubitable dans les processus que nous avons involontairement mis en œuvre.

Les actes que nous posons ou non révèlent quelles sont celles de nos pensées auxquelles nous croyons le plus ou le moins. Fort de cette compréhension, nous voyons aussitôt combien il est important, pour la maturation de nos rêves sur le canevas vierge de notre vie, de passer à l'action. *Cela ne tient pas tant à ce que nous accomplirons grâce aux quelques petits pas ainsi franchis, mais par le seul fait de les avoir posés, nous prouvons ce à quoi nous croyons vraiment, incitant ainsi la magie de la vie à finir ce que nous avons commencé.*

Voyons cela de plus près.

L'action, ou la croyance en mouvement

La mise en œuvre de l'intelligence divine, ou de l'Univers, débute avec les pensées que vous choisissez de cultiver, et celles-ci, bien sûr, découlent le plus souvent de vos croyances. Il n'en demeure pas moins que nous sommes des créatures physiques et qu'il faut donc du mouvement et de l'action pour accomplir quoi que ce soit ; sans quoi nous resterions au lit à rêver ou sur l'ordinateur à surfer. Observons donc le mouvement de nos actes et de nos réalisations, pour voir ce qu'ils signifient et découvrir ce qu'ils peuvent nous apprendre.

On dit parfois qu'un acte gracieux ou fluide, que ce soit dans la danse, en athlétisme ou simplement dans la vie quotidienne, est de la poésie en mouvement, mais en réalité, nos actes sont des *croyances en mouvement*. Ils relient le présent que nous connaissons au futur que nous espérons atteindre dans le temps et l'espace. Ils constituent les extensions physiques de nos croyances, et semblent souvent être une réaction au monde qui nous entoure. Par exemple, si vous croyez que vous allez être dévoré par un lion qui vous charge, *vous vous mettez à courir !* Ou, si vous croyez que vos compagnons d'aventure sont des gens bons et merveilleux, vous les accueillez à bras ouverts. Et si vous croyez que vous créez votre propre réalité, vous assumez la responsabilité de tout ce qui s'est jamais produit dans votre vie, tout en vous comportant d'une manière responsable, jour après jour, fort de cette croyance. En général, nous nous alignons *automatiquement* sur nos croyances.

Parfois, lorsque les gens m'entendent expliquer le principe « *Les pensées se réalisent* », ils veulent me corriger en ajoutant qu'il faut aussi être convaincu de ses rêves pour leur donner suite et *passer à l'action*. Mais pour moi, cela va sans dire, car on ne peut pas faire autrement, dans la vie, que de traduire ses véritables croyances en *actes* ; c'est virtuellement impossible. Laissez-moi vous poser la question suivante : si vous saviez avec certitude, de tout votre cœur et de toute votre âme, que tout ce qu'il vous fallait faire pour rédiger un roman qui devienne un best-seller international, c'est de poser votre plume sur du papier et qu'alors toute l'œuvre jaillirait de vous sous forme parfaite, le feriez-vous ? Bien entendu ! Vous ne pourriez pas vous en empêcher. Mais si vous n'y croyiez pas, si vous pensiez que la chose était très difficile, si vous vous disiez que les chances qu'on vous découvre étaient voisines de zéro, prendriez-vous seulement votre plume et du papier ? Non, sauf à vraiment vous forcer.

Les pensées se réalisent *vraiment*, mais comme tout ce que vous pensez ne peut pas aussitôt se manifester dans le temps et l'espace, seules se manifestent vraiment les pensées qui sont alignées sur vos croyances et qui évoquent des émotions intenses, au point de vous pousser immédiatement à l'action. *Les pensées se réalisent* ; il n'y a là rien à modifier, mais s'il fallait ajouter quelque chose à ces quatre mots magiques, ce serait de travailler sur vos croyances, qui sont généralement à l'origine de tout ce que nous faisons ou pas.

Nos actions sont nos *croyances en mouvement*. Elles lient le présent que nous connaissons au futur que nous attendons dans le temps et dans l'espace.

Bien sûr, nous sommes là dans la section *action* de ce livre, alors on pourrait croire qu'avec tout ce que j'ai dit sur les croyances, j'ai dévié de ma route. Mais dans un instant, une fois que j'aurai fini de vous dire tout ce que vous devez savoir sur la façon dont nos actions reflètent nos croyances, je vous expliquerai comment nous pouvons « inverser la vapeur » et utiliser nos actes pour modifier nos croyances.

Les actes parlent plus fort (de vos croyances) que les mots

Nous pouvons découvrir nos croyances en observant et en comprenant notre comportement normal quotidien. Une fois que vous comprenez ce qui motive les choses que vous vous surprenez à faire (ou à ne pas faire), vous pouvez automatiquement distinguer les croyances qui se sont emparées de vous. C'est d'autant plus important quand vous prenez conscience que non seulement vos actions et inactions découlent de vos croyances, *mais qu'elles soutiennent et renforcent ces croyances-là.* C'est ainsi que se forme une boucle de manifestation. Si ces croyances vous servent, tant mieux, mais gare à vous si ce n'est pas le cas.

Pour vous donner quelques exemples, prenez conscience que le seul fait de mettre un pied devant l'autre, quand vous marchez dans la rue, reflète *et renforce* votre croyance en votre propre force musculaire, en votre santé, en votre coordination générale et en la gravité, pour ne mentionner que ces points-là. De même, si vous avez des kilos en trop, le fait d'acheter des aliments pauvres en calories révèle *et renforce* à la fois votre croyance. Si vous ne vivez pas encore dans l'abondance matérielle, il est possible qu'en jouant au loto, le simple achat d'un ticket *puisse* refléter et renforcer le sentiment que vous n'êtes pas capable de modifier votre situation financière par vous-même. Ce qui ne veut pas dire que vous ne devriez pas acheter des aliments pauvres en calories ni des tickets de loto, car de nombreuses raisons différentes peuvent vous pousser à agir ainsi, mais ces petits exemples soulignent clairement la façon dont vos actes mettent en évidence vos croyances, *contribuant du même coup à les renforcer*.

Le message que reçoit votre « témoin intérieur », ou votre moi observateur, c'est que vous achetez des aliments pauvres en calories parce que vous avez *effectivement* des kilos en trop. « Ah ha, se dit-il, je suis trop gros ! » Et, comme le font toutes les croyances, celle-ci va s'accompagner de l'imagerie mentale correspondante, qui vous entraînera silencieusement vers une réalité physique qui reflétera celle à laquelle vous croyez. Sans effort, et sans même le remarquer, vous mangerez plus que nécessaire, vous ferez moins d'exercice, vous aurez envie des mauvais aliments au mauvais moment, et votre métabolisme peut même ralentir, non pas à cause de votre chimie interne (même si celle-ci ne manquera pas d'être affectée à son tour), mais parce que vous *croyez* avoir des kilos en trop. Changez cette croyance et votre alimentation, et *vos circonstances de vie* et vos priorités d'achat changeront à leur tour sans effort, comme tout ce que vous associez à votre surcharge pondérale.

Bien, vous allez probablement penser, « Si j'ai des kilos en trop, ou si je ne suis pas encore riche, comment puis-je commencer à croire et à agir comme si ce n'était pas le cas ? N'est-il pas stupide de commencer à manger des aliments très riches ou de ne plus jouer au loto, dans ma situation ? »

Je vous répondrai en deux temps. Premièrement, vous pouvez changer de comportement progressivement, en faisant parfois *comme si* (j'y reviendrai plus tard). Deuxièmement, et c'est encore plus important, vous devez prendre conscience que votre situation actuelle n'a rien à voir avec ce que vous mangez aujourd'hui ou avec le loto. Elle n'est apparue qu'à partir du moment où vous avez cru que vous aviez des kilos en trop ou, sans doute plus juste, à mesure que vous vous êtes progressivement mis à considérer que vous aviez une surcharge pondérale. Si vous n'êtes pas encore riche, votre situation actuelle est apparue lorsque vous avez cessé de voir que le monde vous offrait son abondance, ou parce qu'on ne vous a jamais enseigné cette vérité.

À lui seul, le chocolat ne rend pas davantage quelqu'un gros que le fait de ne pas jouer au loto prive autrui de l'abondance. *La véritable erreur que nous commettons dans notre façon de penser est de croire qu'il nous faut réagir à la dimension physique de la vie, plutôt qu'à son côté spirituel.* Quand vous aurez pleinement compris que votre situation actuelle découle de vos pensées et de vos croyances, vous réaliserez du même coup que c'est également là que vous devez initier un changement.

La véritable erreur que nous commettons dans notre façon de penser est de croire qu'il nous faut réagir à la dimension physique de la vie, plutôt qu'à son côté spirituel.

Je sais qu'il peut paraître un peu difficile d'apprendre à vous *comporter* d'une façon qui soit en accord avec vos rêves, avec votre vision intérieure, surtout si jusque-là vous vous êtes principalement fié à vos sens physiques pour décider comment réagir. C'est d'autant plus difficile que toute la culture planétaire, jusqu'ici, nous a conditionnés à chercher à l'extérieur de nous-mêmes le sens et la direction à donner à notre vie, ainsi que le « bon » comportement à adopter. Mais c'est précisément en dansant avec vos rêves, et non avec les illusions qui vous entourent (de toute évidence, à la mesure dont vous vous sentez capable aujourd'hui) que vous pourrez concrétiser ces rêves-là, c'est-à-dire en faisant exactement l'inverse de ce que l'on imagine habituellement. Il faut un certain entraînement avant de pouvoir penser de cette manière, mais que justifient entièrement les résultats que cela produit. Le monde physique n'est que le reflet de vos propres croyances et pensées, ce qui signifie que si vous souhaitez modifier les apparences, vous devez d'abord aller en vous-même.

Inverser la vapeur

J'espère avoir clairement montré que nos actes font partie intégrante de nos croyances, alors permettez-moi maintenant d'inverser la vapeur. Si l'on peut dire que nos actes ne sont que l'extension de nos croyances, alors, de toute évidence, vous pouvez changer de manière de vous comporter en commençant tout d'abord par modifier vos croyances. D'un autre côté, si actions et croyances ne sont qu'une seule et même chose, n'est-il pas possible de modifier les secondes en commençant par changer les premières ? Cette façon d'envisager les choses est d'autant plus plausible qu'au fond, le temps étant relatif – ce n'est qu'une illusion – toutes les choses se produisent en réalité simultanément.

On peut *effectivement* changer de croyance en commençant par changer de comportement. Et, sachant à quel point il est parfois difficile de déchiffrer nos croyances, compte tenu de cette zone de flou existant entre le point où l'une s'achève et celui où l'autre commence, et de notre difficulté à différencier la « réalité » de ce que nous en pensons, cette approche-là est d'autant plus pertinente. En vous basant simplement sur la conscience des croyances que vous aimeriez posséder ou du résultat final auquel vous souhaitez parvenir, commencez à changer certaines des choses que vous *faites* à longueur de journée.

Cela revient à poser des actes qui sont apparemment justes « en dehors » de vos croyances actuelles, c'est-à-dire à agir régulièrement d'une manière *qui semble n'avoir aucun sens* dans votre cadre de vie actuel, bien qu'étant alignée sur la vie que vous souhaitez vraiment vivre. Ces actes-là impliquent forcément l'existence d'une *nouvelle* croyance correspondante, de sorte que si on les répète régulièrement, cette nouvelle croyance finit nécessairement par émerger.

Lorsque vous agissez d'une nouvelle manière, votre anticipation de l'inattendu s'accentue, de sorte que des portes de réalisation fermées jusqu'ici s'ouvrent soudain tout grand.

En sortant de la norme par nos actes, c'est comme si nous suspendions temporairement les vieilles croyances qui, en temps normal, nous auraient empêchés de nous comporter ainsi, et cette suspension opère des miracles ! Chaque fois que vous posez des actes *qui sortent de votre norme habituelle*, mais qui sont alignés sur les nouvelles croyances que vous souhaitez posséder, vos vieilles croyances restrictives, *même non identifiées* (comme je l'ai souligné précédemment avec ma peur de l'avion), commencent à se dissoudre. Elles sont bien obligées, puisque, de toute évidence, elles n'ont plus aucun sens à l'aune de vos nouveaux actes et de vos nouveaux comportements. Et si les énergies ainsi mises en œuvre se trouvent hors votre conscience normale, la preuve de leur existence reste accessible partout autour de nous. Il nous suffit d'agir d'une nouvelle manière, en nous écartant légèrement de la vie que nous vivons habituellement, pour pouvoir accéder à toute la puissance de l'Univers et de nos pensées, et pouvoir les utiliser à notre profit.

Ainsi, non seulement vos actes mettent en évidence vos croyances actuelles, mais ils peuvent servir à en créer et en ancrer de nouvelles. À tout moment, vous pouvez commencer à changer certains de vos comportements, ce qui ne manquera pas d'influencer les règles dont vous vous êtes doté, mais aussi les liens qui vous enchaînaient jusqu'ici à certaines choses déplaisantes.

Pour dire les choses encore plus simplement, vous pouvez décider d'une seconde à l'autre de tourner à gauche plutôt qu'à droite, de rire au lieu de pleurer, ou encore, à une échelle plus importante, de vous comporter comme si certains de vos rêves s'étaient *déjà* manifestés. Les actes de ce genre adressent un signal à votre témoin intérieur qui lui signifie que votre *réalité* n'est plus ce qu'elle était auparavant. Et en surprenant à répétition votre témoin intérieur, celui-ci finira par réaliser qu'il ne peut plus s'enliser dans les vieilles ornières dont il avait l'habitude, comme il ne peut plus non plus s'appuyer sur les vieilles croyances qu'il utilisait pour créer sa réalité. Lorsque vous agissez d'une manière nouvelle, votre anticipation de l'inattendu s'accentue, de sorte que des portes de réalisation fermées jusqu'ici s'ouvrent soudain tout grand.

Si les choses fonctionnent ainsi, c'est parce que notre perception de la vie est actuellement biaisée par les effets du temps et de l'espace, et par la position que nous y occupons, ce qui veut dire que nos croyances ne cessent de se développer et de s'affiner, à mesure *que nous observons* nos progrès physiques. Le moindre de nos actes est enregistré dans tous ses détails, avant d'être assimilé à travers les diverses couches de nos croyances. Votre comportement, tout comme vos croyances, s'enregistre lui aussi, surtout quand il est répétitif, et ces enregistrements-là contribuent ensuite à prouver et à renforcer la croyance qui vous fait dire « La vie est comme ça ». Si, toutefois, en dépit des circonstances contraires qui vous entourent, vous trouvez le courage d'agir en dehors de vos vieilles croyances – comme pour dire « Ça ne continuera pas comme ça ! » – cet acte sera enregistré et consigné, et il transmettra un message stipulant « À dater de maintenant, les choses seront différentes ! ».

Faire *comme si* : semer de nouvelles croyances

Pour vous donner quelques exemples d'actes susceptibles de vous aider à suspendre une nouvelle croyance pour en instaurer une nouvelle, je commencerai par ce que j'ai toujours fait chaque fois que j'avais des problèmes d'argent (autrement dit quand je craignais que mes ressources s'assèchent).

Dépasser la conscience de la pauvreté

Chaque fois que je me suis retrouvé face à l'illusion que j'allais bientôt manquer d'argent, je me suis aussitôt mis à faire des dons à des organismes de charité. En plus de tout ce dont j'ai déjà parlé précédemment, je faisais un chèque par semaine à une nouvelle association sans but lucratif. Ce chèque n'avait rien d'extravagant, mais il était suffisamment important pour me permettre de suspendre la croyance que je n'avais aucune source prévisible de revenus à ma disposition. Mais le point que je veux souligner est le suivant : quand j'avais ces soucis d'argent, il ne m'était jamais facile de rédiger ces chèques-là, ce qui montrait bien que j'agissais d'une manière contraire à mes vieilles croyances restrictives. J'étais toujours tenté de me raisonner et de me dire, « Oh, je leur enverrai quelque chose la semaine prochaine », ou alors je me demandais si je ne leur avais pas déjà envoyé quelque chose récemment, mais je finissais toujours par me forcer à le faire. Sitôt que je passais à l'action, du mieux que je pouvais, j'éprouvais un sentiment de gratitude à l'idée de pouvoir aider autrui, doublé de la sensation que mes coffres seraient toujours remplis par l'Univers (un principe que déclencherait précisément ma démonstration), et effectivement, ils l'ont *toujours* été.

Un autre exemple de ce que vous pourriez faire pour vous débarrasser de votre conscience de pénurie serez d'ajouter quelques euros à la pension que vous versez ou au montant du remboursement de votre emprunt, *comme si* vous aviez désormais les moyens de dépasser le minimum qu'il vous semblait possible de payer.

Fort de cette compréhension de la façon dont vos actes peuvent adresser un signal fort à votre système de croyances, vous pouvez désormais vous attaquer à chacune de vos vieilles croyances restrictives. Bien sûr, l'une des clés de ce processus consiste à s'y tenir et à le répéter régulièrement, indépendamment de l'ancienne vie qui vous entoure encore, tout en visualisant simultanément vos croyances, pour en prendre conscience.

Surmonter la maladie

Si quelqu'un était malade et alité depuis des mois, aspirant de toutes ses forces à reprendre ses marches matinales dans les bois, au lieu de simplement attendre d'aller mieux, il pourrait commencer par écouter la météo chaque matin. Il saurait alors quelles sont ses chances de se faire tremper par la pluie, et déterminerait donc comment s'habiller, se comportant ainsi *comme s'il* allait vraiment se promener ce matin-là. Il pourrait également régler son alarme matinale à l'heure à laquelle il lui faudrait se réveiller, *comme s'il* allait effectivement faire sa balade matinale. S'il lui était possible de sortir de son lit, il pourrait préparer son survêtement chaque soir, *comme s'il* savait qu'il irait marcher le lendemain matin. Et chaque matin, les jours où ce serait possible, il pourrait s'habiller pour sa promenade, *comme s'il* était capable de sortir. Sitôt que sa santé s'améliorerait au point de lui permettre de quitter le lit, il pourrait au moins se promener dans la maison, *comme s'il* faisait un peu d'échauffement avant de sortir. Bien entendu, le fait de visualiser ses promenades contribuerait également beaucoup à son rétablissement.

Tous ces actes suspendraient momentanément sa croyance qu'il est malade et alité et, couplés à son désir de transformer la situation, auraient un impact positif sur son état physique (qui est intimement relié à la matrice de ses nouvelles croyances évolutives). Son observateur intérieur recevrait et enregistrerait de nouveaux messages – « Prépare tous les systèmes à une balade » – et ses vieilles croyances commenceraient à se dissiper. Son optimisme augmenterait, de nouvelles pensées lui viendraient à l'esprit et son processus de guérison s'accélérerait.

Bien entendu, tous ces actes s'ajouteraient à ceux que l'on exécute lorsqu'on veut recouvrer la santé, comme d'aller voir le médecin, de surveiller son alimentation, et ainsi de suite.

Trouver un emploi

Si une personne était au chômage, elle pourrait se comporter *comme si* elle avait déjà un emploi. Elle pourrait régler son réveil sur l'heure à laquelle elle se lève quand elle va travailler, et veiller à ce que sa garde-robe soit bien garnie. S'il lui était impossible de s'acheter tous les vêtements dont elle aurait besoin, elle pourrait néanmoins aller faire du lèche-vitrines, *comme si* elle pouvait se permettre ces habits-là ; elle pourrait même en essayer quelques-uns.

Elle pourrait même sortir de chez elle pour aller travailler, certains matins, *comme si* elle avait déjà l'emploi dont elle rêve. Nul besoin de passer toute la journée dehors, juste le temps qu'il faut pour exécuter tout son rituel matinal « pour aller travailler ». Sa sortie pourrait comporter un passage au centre-ville (si c'est là où elle souhaite travailler) ou un tour des bâtiments de ses divers employeurs potentiels, *comme si* elle y travaillait déjà. Elle pourrait retrouver une amie pour un café ou à déjeuner, dans les endroits habituels où les personnes qui travaillent dans son domaine se retrouvent généralement. Une fois encore, tous ces actes viendraient s'ajouter à ceux qu'entreprennent les personnes qui cherchent du travail, qu'il s'agisse de rédiger un nouveau CV, de contacter les agences d'emploi, de lire les petites annonces, et ainsi de suite. Mais, parallèlement, elle jouerait aussi occasionnellement le rôle d'une personne ayant l'emploi auquel elle aspire, *comme si* c'était déjà le cas.

| Voyager dans le monde entier

Si vous rêvez de voyager partout dans le monde, procurez-vous un passeport dès aujourd'hui, appelez des agences de voyages, surfez sur l'Internet, consultez les prix, et renseignez-vous sur les endroits que vous voulez visiter, en faisant tout cela *comme si* vous aviez déjà prévu de vous rendre là où vous rêvez d'aller, même si – *et surtout si* – tous ces actes vont à l'encontre de vos croyances actuelles.

| Développer une relation amoureuse

Si vous recherchez un(e) vrai(e) partenaire dans la vie, commencez à chercher le genre de cadeau que vous lui achèteriez, prévoyez dès maintenant du temps de libre pour partir avec lui/elle, commander les brochures de divers endroits que vous souhaiteriez visiter avec lui/elle, et réfléchissez à tout ce que vous pourriez faire en couple, comme aller au théâtre ou au concert. Ne vous contentez pas de vous y préparer ; comportez-vous *comme si* cette relation de couple existait déjà. J'ai même été jusqu'à acheter des tickets de concert, un pour moi et un pour ma partenaire, sans même connaître quelqu'un que je puisse inviter à se joindre à moi. Vous pourriez aussi faire quelques petits achats, comme une cravate ou un ours en peluche, *comme si* vous aviez déjà quelqu'un à qui les offrir.

Une nouvelle voiture

Si vous rêvez de posséder telle ou telle voiture, rendez-vous chez le concessionnaire qui la vend pour la tester, ou appelez les personnes qui passent des petites annonces pour les interroger sur leur véhicule. Renseignez-vous également sur la valeur de votre voiture actuelle à l'argus. Enfin, appelez votre assurance pour savoir ce que vous coûtera votre nouveau véhicule, bref, faites tout *comme si* vous possédiez déjà cette nouvelle voiture.

La conscience de la prospérité

En plus des nombreux exemples cités ci-dessus, si vous rêvez d'une vie caviar-et-champagne, achetez-vous les chaussures qui vont avec ! Trouvez le coût de cette fameuse villa à Saint-Tropez, passez un appel au club de golf local, pensez à la mise sur pied de votre propre fondation à but non lucratif, ou encore ouvrez un nouveau compte d'investissement, *comme si* vous alliez y déposer beaucoup d'argent. Faites du lèche-vitrines, commandez les catalogues des magasins où vous vous fournirez et demandez à votre banque d'augmenter la limite de vos dépenses par carte de crédit. Prévoyez un grand banquet d'inauguration, commencez à dresser la liste des invités, choisissez le lieu où il se déroulera et faites tout cela *comme si* vous viviez déjà dans l'abondance.

D'autres miracles à votre portée

Si vous voulez améliorer votre santé, faites quelque chose – n'importe quoi – que seule une personne en bonne santé entreprendrait. Ou, si vous voulez perdre du poids, alors, un jour durant, ne mangez que ce que mangent les gens minces, d'après vous, idéalement en même quantité qu'eux ! Si vous désirez plus d'amis, mettez-vous dès maintenant à planifier le genre de choses que vous feriez avec eux, et chaque fois que vous vous renseignez sur certains événements ou certaines activités que vous voudriez partager ensemble, exprimez-vous toujours en termes de « nous ».

Si vous désirez un carnet de rendez-vous chargé, commencez par vous en acheter un. Si vous voulez surmonter votre peur de prendre l'avion, appelez une compagnie aérienne et souscrivez à l'un de ses programmes de fidélisation (ils sont généralement gratuits). Si vous voulez publier vos écrits, déposez-en déjà le copyright et commencez à faire tout ce que font les auteurs d'après vous. Si vous voulez être célèbre, entraînez-vous à signer des autographes. Si vous voulez aider les autres, commencez à le faire chez vous. Si vous voulez arrêter de fumer, commencez par vous débarrasser de vos cendriers. Si vous voulez doubler vos ventes, choisissez la récompense que vous souhaitez vous offrir quand vous y serez parvenu, allez la voir dans le magasin adéquat, notez-en tous les détails (même si vous n'avez pas à l'acheter... pour l'instant). Si vous avez envie de frayer avec telle ou telle personne connue, ou d'être membre de tel club, commencez à écrire leurs noms dans votre agenda, pour un déjeuner ou un week-end à la campagne. Si vous voulez lancer votre propre entreprise, commencez à noter les objectifs que vous vous fixerez et entamez la rédaction d'un énoncé de mission.

Il est à la fois facile et agréable de poser de tels actes, sans même avoir à dépenser de l'argent pour cela. Il suffit d'être un petit peu créatif. Il n'y a pas de limite à votre ingéniosité.

Et une fois encore, comme je l'ai dit dans les chapitres précédents, *faites simplement ce dont vous êtes capable !* N'attendez pas que le barrage explose pour vivre la vie de vos rêves ; commencez à la vivre dès maintenant, *dans la mesure de vos moyens*. Si vous rêvez d'avoir un jour beaucoup d'argent à dépenser pour des choses extravagantes, commencer dès maintenant à faire les petites folies que vous pouvez vous permettre. Si vous voulez faire de grands voyages, voyagez dès maintenant aussi loin que vous pouvez. Enfin, comme on l'a déjà vu, que tous les nouveaux comportements que vous adoptez viennent compléter, et non remplacer, tout ce que vous feriez en temps normal pour changer de vie.

Dans la plupart de ces exemples, vous avez sans doute remarqué que tous les actes posés ne le seraient, en temps normal, *qu'après* que la personne ait réalisé ses rêves ; il ne s'agissait pas d'une étape préparatoire alignée sur le but à atteindre. Non pas qu'il soit mal de se préparer ; ce sont également des actes importants à poser, qui confirment votre confiance en vous et l'assurance que vous avez que les choses vont aller de l'avant. Mais les actes qui présupposent que votre rêve s'est *déjà* réalisé sont encore plus puissants que ceux qui en préparent la réalisation.

En vous comportant *comme si* votre rêve était déjà une réalité, vous exercez une influence puissante sur votre façon de penser et, par conséquent, sur votre système de croyances. Quoi que vous désiriez aujourd'hui, comportez-vous *comme si* cela faisait déjà partie de votre vie, dans la mesure qui semble possible et plausible pour l'instant.

Le pouvoir de faire semblant

Je me rappelle m'être préparé à courir un marathon – 42 km – voici plusieurs années, et même si je m'y étais bien préparé, je craignais le « coup de pompe » proverbial, ou d'avoir des crampes, ou encore – pour une raison ou une autre – de ne pas parvenir à terminer la course. J'avais tellement peur qu'une semaine avant le départ j'avais les intestins qui se vidaient. Gros problème.

Alors, comme acte de foi, je me suis mis à penser à une chose que je ne ferais que si j'avais *déjà* couru tout ce marathon avec succès. L'idée qui m'est venue fut d'écrire une lettre à ma grand-mère, à New York, *comme si* cette course avait déjà eu lieu et que j'avais réussi à la terminer. J'ai rédigé quelques pages à son attention, lui racontant avec une certaine excitation à quel point ça avait été finalement facile, allant jusqu'à rire de moi-même de m'être autant inquiété durant la semaine ayant précédé la course. J'ai conservé cette lettre sur moi pendant toute la semaine, puisque, bien entendu, je ne l'avais pas vraiment écrite dans l'intention de la poster. Je ne l'avais rédigée que pour moi-même, aussi me la lisais-je de temps en temps, durant la semaine, chaque fois que je me sentais nerveux ou submergé d'inquiétude. Et quand vint le jour du marathon, je parvins à courir à la vitesse de 13,5 km/h durant toute la course, sans coup de pompe, sans crampes, sans aucun problème, comme je l'avais écrit à ma grand-mère. Cet exemple illustre également la façon dont j'ai couplé mon entraînement classique à un acte de foi motivé par ma spiritualité.

Il m'arrive trop souvent, au cours de mes conférences, de croiser des gens qui s'imaginent que sous prétexte qu'ils ont compris certaines vérités spirituelles profondes, ils n'ont plus besoin de sortir de chez eux et de prendre la vie à bras le corps, en passant à l'action. De même qu'il aurait été ridicule que j'arrête mon entraînement physique, pour la seule raison que j'avais écrit cette lettre à ma grand-mère, il est tout aussi ridicule pour ces gens-là de croire qu'ils parviendront à vivre dans l'abondance, à trouver leur « âme sœur », à améliorer leur santé ou simplement à vivre dans la joie, sans agir de manière régulière et constante, en conformité avec ces buts. Bien entendu, il est vrai que le fait de connaître la vérité sur notre réalité a effectivement pour conséquence que vous pouvez avoir *beaucoup plus* de choses, les obtenir *beaucoup plus rapidement*, tout en en faisant *beaucoup moins*. Mais la connaissance de la vérité n'est pas une invitation à se retirer de la vie, pour que l'Univers la vive à votre place, *tout particulièrement* si votre but est d'apporter des changements radicaux à votre existence.

Pour soutenir les actes physiques habituels que vous posez pour atteindre votre rêve, vous pouvez vous aussi écrire à un vieil ami, ou à une personne dont vous anticipez l'amitié prochaine, ou encore à un parent, une longue lettre qui leur racontera en détail vos dernières aventures, vos conquêtes et vos réalisations, *comme si* vous veniez d'accomplir ce dont vous rêvez. Et vous n'avez pas besoin de la poster ; gardez-la simplement à portée de main et lisez-la de temps en temps.

Autre suggestion : écrivez-vous une lettre, *comme si* vous étiez quelqu'un d'autre, et adressez-vous les louanges, les offres, les demandes de devis ou les propositions de partenariat qui sont alignées sur vos rêves. Par exemple, si vous aspirez à décrocher un certain emploi, vous pouvez vous écrire une lettre *comme si* vous étiez le responsable du département des ressources humaines de cette entreprise, et que vous vous adressiez une lettre vous proposant de travailler dans cette société à un salaire époustouflant. Cette lettre pourrait également émaner d'un agent, d'un éditeur, d'un partenaire amoureux potentiel : de n'importe quelle personne dont vous voudriez vraiment recevoir un courrier de ce genre. Ces lettres sont destinées à être relues plus tard, de façon à vraiment éprouver *les sentiments* qui seraient les vôtres si vous les receviez.

Une autre chose amusante à faire, c'est de feuilleter les catalogues de vente par correspondance de magasins de luxe et de noter les articles et les prix de tout ce qui vous intéresse, *comme si* vous aviez plus qu'assez d'argent pour vous les procurer. Faites le total de votre commande, puis dit à voix haute, « C'est tout ? », avant de reprendre le catalogue pour voir si vous n'êtes pas passé à côté d'autres choses. Vous pouvez également appeler ces magasins et leur poser des questions comme un client difficile, mais poli, au sujet de tel ou tel article que vous n'êtes pas encore capable ou prêt à acheter, mais que vous rêvez de posséder. Passez cet appel *comme si* vous étiez sur le point de faire cet achat, et que vous vous assuriez que c'est bien l'article qui vous convient.

Pour m'aider à imaginer de nouvelles possibilités d'action, je dresse la liste de tous les rêves que j'ai, puis, sous chacun d'eux, je note un acte de foi simple et peu coûteux qu'il m'est possible de faire tout de suite. Ce sont des choses qu'en temps normal je ne ferais *qu'après* avoir accompli ce que je compte entreprendre, mais je les fais dès maintenant, aussi souvent que possible. Je m'efforce de poser l'un de ces actes chaque jour, ou au minimum plusieurs d'entre eux par semaine. Faites l'essai à votre tour et vous verrez. C'est assez amusant à faire, mais si vous ne dressez pas votre liste à l'avance, vous aurez du mal à trouver chaque jour le moyen de sortir de vos habitudes pour faire autre chose. Vous pouvez répéter chacun de ces actes aussi souvent que vous voulez, mais le fait de les mélanger et de les alterner en conserve la fraîcheur et la crédibilité. Les possibilités sont sans fin, et une fois que vous vous y serez mis, ne vous arrêtez plus. Faites sans cesse de nouvelles choses, tout en cultivant celles que vous préférez.

Il va sans dire qu'il ne suffit pas de faire une seule chose, d'écrire une lettre ou de faire un achat, puis d'attendre. Vous devez être *constamment* actif, et vous comporter en permanence comme si votre rêve était *déjà* une réalité. Vous n'affirmeriez pas pratiquer un sport, sous prétexte que vous êtes allé à un seul entraînement ; vous y retourneriez régulièrement. Imaginez toujours – c'est important, voilà pourquoi je ne cesse de le répéter – que vous faites ce que vous faites parce que votre rêve s'est *déjà* réalisé, et non parce que vous souhaitez qu'il se réalise et que vous pensez qu'agir ainsi va y contribuer. Ne considérez pas que vos actes soient une préparation à votre rêve, voyez-les plutôt comme une manière de *vivre* ce rêve.

Quand vous faites un acte de foi, faites-le à fond. Au début, ça vous paraîtra peut-être bizarre, voire ridicule, mais aucun de ces sentiments n'atténuera la force du message que vous envoyez à votre observateur intérieur. Jouez votre rôle de votre mieux, comme si vous passiez une audition pour un film ; prenez en considération tout ce qui peut rendre la situation et votre rôle plus « réels ». Et, bien que vous puissiez souhaiter que votre performance semble réelle aux personnes présentes, le plus important est qu'elle vous paraisse réelle à vous. Faites preuve de constance, et à mesure que des changements se manifestent autour de vous, restez à l'écoute. Si les résultats sont soudainement positifs, veillez néanmoins à ce que leurs fondements soient aussi solides que l'était votre ancienne vie. Que votre jubilation n'étouffe pas votre constance. Continuez vos efforts jusqu'à ce que tous les domaines de votre existence correspondent à vos rêves. Que vos exercices de visualisation et les actes qui les accompagnent se poursuivent avec régularité, en se mêlant à vos nombreuses autres habitudes et routines.

C'est *effectivement* un jeu que de jouer un rôle ou de faire semblant de cette manière-là, mais ce jeu-là n'a pas moins d'importance que les autres rôles que vous jouez, qui se fondent sur vos croyances actuelles. Observez-vous et vous verrez à vos actions « involontaires » quelles sont vos croyances. Par exemple, si vous vous surprenez à mettre de l'argent de côté pour les mauvais jours, qu'est-ce que cette attitude dit de votre vision de l'avenir et de votre capacité à le gérer ? Ce qui ne veut pas dire que vous ne deviez pas être prudent, juste que vous devriez commencer à identifier les croyances qui vous gênent et à les effacer en faisant des actes de foi (tout en continuant à être prudent). De même, si vous constatez depuis quelque temps que vous lisez de plus en plus de choses sur les « difficultés » que rencontrent les gens comme vous, il est peut-être temps de changer de focale pour vous intéresser aux succès que connaissent les gens qui vous ressemblent – *s'il existe effectivement « des gens comme vous ».*

Après l'une de mes conférences, un vieux monsieur est venu me dire que l'armée américaine partageait certaines de mes croyances. Il m'expliqua que lorsqu'un militaire posait des questions sur sa retraite à ses supérieurs, on l'aidait alors à prendre cette retraite le plus vite possible, car son attitude – poser des questions à ce sujet – signifiait qu'il n'avait plus le cœur à poursuivre son service militaire. Ce que nous faisons en dit long sur nos croyances soi-disant invisibles, en particulier chaque fois que nous nous surprenons à nous préparer à certaines éventualités futures.

Vous devez être *constamment* actif, et vous comporter en permanence comme si votre rêve était *déjà* une réalité.

Le pouvoir de votre parole

Il y a une autre catégorie d'actes à laquelle des livres entiers ont été consacrés, à savoir *votre parole*. Votre parole, c'est de la pensée cristallisée, élevée à un autre niveau de spécificité et de clarté. Si vous pensez jusqu'à 60 000 pensées par jour, le nombre de mots que vous prononcez pâlit par comparaison. Et vos propos reflètent souvent les pensées auxquelles vous croyez le plus. Vous pensez peut-être à l'abondance – bon nombre de vos pensées gravitent effectivement autour de ce sujet – mais si vous avez également une forte croyance en la pénurie, vous vous surprendrez à dire des choses du genre « Il est dur de trouver un job bien payé ». Ce sont vos croyances les plus fortes qui finiront par engendrer vos pensées les plus puissantes, qui détermineront les mots que vous prononcerez et qui finiront par concrétiser la vie que vous mènerez.

C'est un peu comme si votre parole correspondait aux pensées que vous avez sélectivement incarnées sur Terre, afin qu'elles voient le jour, sur la base des croyances qui les ont engendrées, de sorte que ce sont elles qui se trouvent à la tête du peloton de vos pensées encore non manifestées.

Vos paroles, comme les actes qu'elles sont, peuvent se répartir en deux catégories : celles que vous prononcez spontanément dans la conversation – et qui reflètent vos croyances – et celle que vous choisissez délibérément, comme les affirmations ou les mantras, qui peuvent donc instaurer en vous de nouvelles croyances.

Votre parole, c'est de la pensée cristallisée, élevée à un autre niveau de spécificité et de clarté.

Exposer vos croyances

La première catégorie – les mots que vous prononcez spontanément – met en évidence vos croyances, raison pour laquelle je m'efforce de prêter attention à tout ce que je dis. Si nous nous écoutons quand nous parlons avec autrui, nous pouvons nous surprendre à exposer nos croyances, comme on peut également le faire en observant ses actes. Voilà pourquoi on peut dire que nos mots sont simplement des pensées qui vont bientôt se réaliser. Mais en remontant de ces mots-là aux croyances dont ils découlent, nous pouvons identifier lesquelles de ces dernières soutiennent ou freinent plutôt nos rêves.

Développer de nouvelles possibilités

La deuxième catégorie – les mots que vous choisissez délibérément, comme des affirmations par exemple – peut être un outil formidable pour instaurer en vous de nouvelles croyances et attirer à vous de nouvelles pensées et idées qui sont alignées sur vos rêves. Les affirmations ne servent pas seulement à instaurer de nouvelles croyances, mais comme nos *actes de foi*, elles peuvent aussi grandement contribuer à effacer nos croyances restrictives invisibles. Au cas où les affirmations, qu'on nomme parfois mantras, vous étaient inconnues jusque-là, il s'agit simplement de courtes déclarations positives que vous vous répétez constamment à vous-même. Par exemple, « Je vis dans la richesse et l'abondance », ou encore « Je suis entouré d'amis et de rires », et ainsi de suite, l'idée étant de formuler les choses *comme si* elles étaient *déjà* réelles. Les affirmations n'ont pas de format spécifique ni de structure magique ; ce ne sont que de courtes phrases que vous vous répétez sans fin, en général à voix haute, mais parfois silencieusement.

L'utilisation d'affirmations et de mantras est en réalité une forme simple d'autohypnose, puisqu'en disant et en *ressentant* ce que vous souhaitez vivre – *comme si* c'était déjà le cas (par opposition à la seule répétition de vos désirs, comme « Je voudrais ceci, je voudrais ceci, je voudrais ceci... ») – vous produisez une énergie qui confère plus de permanence et de crédibilité à ces paroles et aux pensées qui les accompagnent. J'espère que vous avez remarqué que je viens de parler de « ressenti », car si vous ne *ressentez* pas ce que vous dites, autant ne rien dire. Il faut qu'il y ait de l'émotion, sans quoi ces mots et les pensées qui les accompagnent ne prendront pas l'ascendant sur toutes les autres pensées qui aspirent à votre soutien émotionnel, que ce soit par la peur ou par la joie. En prenant le temps de ressentir l'émotion qui accompagne les mots que vous prononcez, vous amplifiez la puissance des pensées qui les sous-tendent et vous intensifiez les croyances que vous désirez embrasser. Impliquez-vous vraiment dans les mots que vous choisissez, et écoutez-vous comme si vous écoutiez quelque autorité vous dire à quoi votre vie ressemble déjà.

En ce qui me concerne, je n'ai jamais été très régulier dans l'utilisation d'affirmations, mais j'ai parfois des crises où je m'en sers beaucoup. Je crois que l'une des astuces, pour bien les utiliser, consiste à en mélanger plusieurs et à ne pas être trop méthodique – à ne pas répéter sans fin les mêmes – sans quoi elles perdent leur fraîcheur, à force d'être répétées, et les mots finissent par sonner creux.

Dans le même ordre d'idées, ce qui m'aide toujours quand j'élabore une affirmation, c'est d'utiliser des mots qui ont une signification personnelle pour moi. Par exemple, quand nous avons lancé TUT, j'ai passé plus d'un an sans toucher le moindre salaire, de sorte que mes dépenses étaient extrêmement réduites. Quand nous avons commencé à recevoir régulièrement des commandes importantes, j'ai remarqué que chaque fois qu'il fallait que je décide d'une dépense personnelle, qu'il s'agisse de mes courses ou des prochaines vacances, je m'entendais penser et dire, « Ça va aller ; il y a de l'argent qui rentre, désormais ». Je n'avais pas choisi ces termes pour qu'ils soient porteurs, je me suis juste surpris à les penser, et ils me réconfortaient. Ils me sont venus tout naturellement et ils signifiaient que je croyais avoir atteint une certaine liberté financière. Ainsi, par la suite, chaque fois que nos affaires ralentissaient ou que les finances étaient justes, je me souvenais de mon mantra d'avant et je me mettais alors à me répéter *délibérément*, « Ça va aller ; il y a de l'argent qui rentre, désormais », en boucle.

Chaque fois que nous désirons quelque chose – qu'il s'agisse d'un objet ou d'un événement –, c'est le signe évident que cette chose n'est actuellement pas présente dans notre vie, et l'astuce consiste justement à penser et à se comporter comme si c'était déjà le cas. Nous devons parler comme si c'était vrai, et si de tels propos peuvent paraître un peu bizarres, c'est pourtant bien ainsi que ça marche. Voilà la clé pour vivre vos rêves : vous devez d'abord les vivre, en pensée tout au moins, pour pouvoir les manifester.

Nos mots sont simplement des pensées qui vont bientôt se réaliser.

Quand je vais courir, j'utilise souvent un mantra (que je murmure) qui affirme que mon corps est en pleine santé, et je me sers de chacun de mes pas pour imprimer un rythme ou une cadence à ma course. Je dis par exemple « Mon cœur est en parfaite santé ». Puis, je continue, « Mes poumons sont en parfaite santé », puis je passe aux reins, à la peau, aux yeux, et ainsi de suite.

À d'autres moments, quand je fais du jogging ou que je conduis, je dis merci à haute voix : merci pour ma vie, merci pour mes chiens, merci pour les perspectives qui s'offrent à moi, merci pour ma richesse, merci pour ma paix intérieure, pour ma propre divinité, pour ma voiture, ma famille et mes amis. Je dis également merci *pour toutes les choses que je ne possède pas encore*, comme si *je les possédais déjà.*

Pourquoi la gratitude marche

Quand vous remerciez en pensée ou à voix haute, ce que vous êtes véritablement en train de faire, *c'est de cultiver la pensée que vous avez déjà reçu ce que vous vouliez.* Vous vous rappelez ce qu'il arrive, quand vous nourrissez certaines pensées, quelles qu'elles soient ? *Elles se réalisent* dans votre vie. Ce qui veut dire que si vous cultivez la pensée que *vous avez déjà reçu* ce à quoi vous aspirez, c'est cette pensée-là qui va chercher à se manifester dans le temps et l'espace. Et elle ne peut y parvenir qu'en *provoquant les circonstances* dans lesquelles vous allez recevoir physiquement ce pour quoi vous remerciez, de façon à ce que vous puissiez vraiment connaître la gratitude que vous avez exprimée « précédemment ».

Comme toujours, *ce sont les sentiments* qui vous animent qui comptent le plus. D'ailleurs, vous n'avez même pas besoin de remercier pour quelque chose en particulier, du moment que vous êtes habité du sentiment « J'ai déjà reçu ce que je voulais ». En réaction, l'Univers (votre moi supérieur, *vos pensées*) vous donnera l'occasion d'éprouver expérientiellement la gratitude que vous avez exprimée, en provoquant des occasions et des surprises *auxquelles vous n'auriez sans doute jamais pensé*, mais qui éveilleront en vous exactement les sentiments auxquels vous avez *effectivement* pensé !

Voilà pourquoi la gratitude s'avère si efficace pour déclencher des changements fantastiques. Contrairement aux croyances populaires, ce n'est pas parce que l'Univers est content de vous entendre remercier et, par conséquent, qu'il vous comble encore davantage ; il n'existe aucun jugement de cette sorte. D'ailleurs, un tel système *ne pourrait même pas exister* sans interférer à la fois avec votre propre capacité à créer et avec le principe infaillible qui veut que *les pensées se réalisent* ! La gratitude marche à cause des pensées et des sentiments qu'elle engendre, qui ne peuvent se concrétiser physiquement qu'en devenant les objets et les événements correspondants dans votre vie.

Maintenant, si vous pensez que le fait d'exprimer sa gratitude, afin d'obtenir quelque chose en retour, est une attitude trop intéressée et donc indigne (ce ne serait, selon vous, qu'une manière d'en vouloir et d'en obtenir davantage), ce n'est pas le cas. Ce n'est qu'une croyance restrictive de votre part. En vérité, il y a assez pour tout le monde, et le fait que vous vous obteniez ce à quoi votre cœur aspire ne signifie pas que les autres en seront privés. De plus, comment pouvez-vous donner quelque chose à autrui tant que vous n'avez rien reçu ? Et comment une chose faite de pensées pourrait-elle être limitée ?

Remerciez la vie et louez-la, louez-en la grâce et les principes infaillibles, pour avoir *déjà* concrétisé vos rêves.

La gratitude est quelque chose de puissant et de magique, aussi n'hésitez pas à l'inclure dans vos affirmations, chaque fois que vous pouvez. Remerciez la vie et louez-la, louez-en la grâce et les principes infaillibles, pour avoir *déjà* concrétisé vos rêves ; dites des choses du genre « Merci pour la santé, la richesse, les amis et les rires qui m'entourent ! Merci, merci, merci ! », et ressentez pleinement ce que vous dites.

La vie vous attend : elle attend que vous lui imprimiez une direction, que vous lui donniez un sens et une impulsion. Quand vos actes sont alignés sur vos rêves, vous invoquez alors les principes inviolables de la vie, vous mettez en œuvre tout un éventail de forces invisibles et vous libérez la magie qui sous-tend les illusions du temps et de l'espace. C'est cette même magie qui vous permet de finir une phrase avant même de savoir comment elle s'achèvera, qui sait à quel rythme faire battre votre cœur et qui tisse vos songes nuit après nuit. C'est encore cette même magie qui regroupe les oiseaux en bancs, qui envoie les ours hiberner et les abeilles faire du miel, comme c'est elle qui fait croître les arbres et toute la verdure. C'est la magie à laquelle *vous* faites appel quand vous agissez avec certitude, comme c'est elle qui réalise tous les rêves ; tout ce qu'il faut pour que la flèche atteigne la cible, c'est que vous bandiez l'arc, que vous visiez et que vous lâchiez la corde. Et, comme un boomerang, vos intentions – soutenues par vos pensées, vos actes et vos paroles – vous reviendront immanquablement pour se manifester dans le temps et dans l'espace.

Nous sommes tous des sorciers. Nous sommes tous des magiciens. Aussi pouvons-nous tous invoquer cette magie pour vivre la vie de nos rêves. C'est là le droit le plus important avec lequel nous sommes nés.

5 DES CADEAUX DU CIEL

Nous avons parlé des pensées, des croyances, des émotions et des actes, mais qu'est-ce qui vient en premier ? Où commence le cycle ? Qu'est-ce qui inspire nos pensées, qui se réalisent ensuite et éveillent en nous des émotions... des émotions sur la base desquelles nous portons des jugements et formulons certaines croyances, avant de fonder sur celles-ci d'autres pensées, sentiments et actions ? Où se trouve le début de la chaîne ?

Au chapitre 3, « Chères émotions », j'ai dit qu'au commencement, ce qu'il a fallu pour que le temps et l'espace existent, c'est un souhait ou un désir démesurément grand de Dieu (de l'Intelligence divine), ce qui nous fournit la réponse à notre question : c'est le désir qui vient en premier ; il précède le temps et l'espace, c'est de lui que nous sommes issus. Nous nous trouvons donc désormais à l'intérieur même de ce désir – nous sommes nous-mêmes divins, nous-mêmes créateurs – dans le but d'élever ce rêve à un autre niveau, grâce à nos propres désirs. Et nous en sommes capables, puisque nous avons été dotés du libre arbitre et de la capacité d'élaborer nos propres pensées.

Le rêve est vivant et se porte bien

Certains de nos désirs et de nos rêves sont innés, tandis qu'il en est d'autres que nous créons ou formulons en cours de route (j'en parlerai plus loin dans ce chapitre). Ceux qui sont innés, comme s'ils avaient été semés dans notre âme et qu'ils faisaient intrinsèquement partie de nous, proviennent de l'extérieur de notre conscience habituelle. Nombreux sont ceux qui ont affirmé que nous sommes des êtres spirituels en train de faire une expérience humaine, et c'est de l'immensité de notre moi spirituel actuel que nous recevons à la fois la direction à suivre et des conseils, sous la forme de rêves et de désirs, mais aussi de pressentiments, d'instincts et d'impulsions : *ce sont nos sentiments* qui nous aident à trouver notre chemin.

Ces *cadeaux du ciel*, nos sentiments intuitifs, ont une origine plus élevée que, par exemple, nos pensées, nos émotions et nos actions normales, car ces dernières sont généralement les sous-produits de nos expériences dans le temps et l'espace, et découlent de nos réactions aux événements et aux circonstances que nous élaborons. Inversement, nos sentiments – et j'entends par là nos désirs – nos intuitions et nos impulsions (pas nos émotions) sont d'origine divine, comme si le ciel nous les offrait. Ce sont des cadeaux, des dons, puisqu'ils viennent d'en dehors de notre conscience habituelle, non pas en dehors de nous-mêmes, mais bien en dedans, quoique d'une façon *indépendante* de l'Univers physique où nous vivons.

Bien sûr, il n'existe pas de séparation réelle entre notre moi spirituel et notre moi physique, puisque l'espace et la distance ne sont que des illusions, mais du fait que nous sommes tellement obnubilés par la réalité des « choses telles qu'elles sont », nous ne nous sommes guère attelés à développer nos facultés spirituelles. Toutefois, sitôt que nous ouvrons nos yeux spirituels, nous commençons à nous frotter à notre moi supérieur, nous créons des occasions d'atteindre un bonheur et une réalisation supérieurs, et nous nous approchons de la source magique en nous, qui est à l'origine de notre conscience.

La connaissance directe

Nos pressentiments, nos impulsions et nos intuitions sont tous des formes de connaissance directe, tout comme « l'illumination spontanée » dont j'ai parlé plus haut. Elles émanent toutes de quelque chose de très profond en nous, notre moi supérieur. Ces bouffées d'inspiration nous révèlent des vérités sur notre réalité et sur ce que nous nous apprêtons à créer. Elles nous parviennent en quelque sorte via notre accès privé à l'esprit divin, et se présentent souvent au moment où nous les attendons le moins. En s'entraînant à être à l'affût de ces ressources-là, cependant, il est possible d'ajouter à notre propre arsenal de vérités toute la sagesse qu'elles ont à nous offrir.

Comme nous sommes effectivement des êtres spirituels illimités, et comme l'espace est une illusion, nous sommes véritablement *partout* en même temps. Notre conscience s'étend jusqu'aux confins de l'Univers, elle en fait même partie, englobant jusqu'au plus petit atome et jusqu'à la moindre molécule de la planète Terre.

En cet instant même, tandis que vous lisez ces lignes, vous êtes littéralement connecté à des gens qui vivent leur vie en Chine, en Italie et en Arabie Saoudite, vous êtes relié à chaque être, partout et *toujours.* Certains auteurs et autres spécialistes du comportement animal ont révélé la pointe de cet iceberg, en mettant en évidence un lien de ce genre qui est désormais connu sous le nom d'« Effet du Centième Singe », même s'il reste l'objet de grands débats.[1] Non seulement une connexion de ce genre s'établit dans le présent, mais elle s'étend également à travers toute l'éternité, passée et future. Nous sommes partout et nous ne sommes qu'un, voilà pourquoi nous avons cet accès – cette connexion directe à toutes les connaissances et à tous les faits – à tous les endroits de toutes les époques, passées et futures. Forts d'une connaissance de ce genre, nous avons effectivement accès à une sagesse infinie, sauf si nous pensons ou croyons autre chose. Si nous pensons que nous ne sommes que des êtres humains, par exemple, qui ne peuvent connaître que ce qu'on leur a enseigné ou ce qu'ils ont appris par l'expérience, nous restreignons considérablement le flot que peuvent déverser en nous ces fontaines de connaissance.

Ce lien qui nous relie à l'infini fait de chacun d'entre nous des médiums au plus haut degré, même si certains d'entre nous ont un accès plus facile que d'autres à ces informations. L'important ici est de prendre conscience que la première étape, pour accéder à cette connaissance et à cette sagesse infinies, est de savoir que tout cela est déjà à votre disposition, même si vous vous êtes conditionné à penser que ces choses-là étaient inaccessibles. La plupart d'entre nous pensent (comme la société et l'évolution des croyances le renforcent) que nous devrions nous comporter comme si nous ne savions rien, sauf si nous sommes capables de « prouver » ce que nous avançons ou si nous

---

1 Comme Wikipédia le précise, « l'effet du centième singe » un phénomène supposé par lequel un apprentissage se serait répandu depuis un petit groupe de singes à toute la population des singes de la même espèce, une fois qu'un nombre critique d'entre eux aurait été atteint.

Dans le courant New Age, l'expression se rapporte maintenant à une propagation interhumaine paranormale d'une idée, d'un savoir ou d'une capacité à toute une population sans qu'il y ait de transmission visible et une fois qu'un nombre clé de personnes aurait acquis ce savoir ou cette capacité.

l'avons appris intellectuellement, grâce à des sources généralement extérieures. Mais la preuve en question réside dans vos propres expériences innombrables avec la *connaissance directe* – dans vos propres révélations personnelles – dans ces moments où, d'un instant à l'autre, vous trouvez d'une manière inexplicable la réponse à la question qui vous préoccupait.

Les gens utilisent leur vie durant ces liens qu'ils ont avec l'esprit, et vous pouvez commencer à identifier vos expériences en vous demandant tout simplement d'où viennent vos pensées, vos souvenirs ou vos idées.

Voici un petit exercice :

Tout en lisant ces mots, prenez une grande inspiration, retenez le souffle, puis expirez.

Maintenant que vous avez l'esprit calme et relaxé, repensez à l'un de vos souvenirs d'enfance, datant d'avant vos 10 ans.

Vous en avez trouvé un ? Bien. D'où vous vient ce souvenir ? Vous n'imaginez sans doute pas qu'il occupe un espace physique dans votre cerveau. Ce souvenir était détenu par votre essence spirituelle, et en l'invoquant par votre intention, soutenue par *la croyance que vous en étiez capable*, vous l'avez manifesté dans votre présent.

Maintenant, retrouvez un souvenir datant d'hier, à n'importe quel moment de la journée.

Trouvé ? Vous venez maintenant d'exhumer quelque chose d'autre. D'où vient ce souvenir-là ? Il n'était *pas* là, voici quelques instants. De plus, n'avez-vous jamais remarqué que sitôt que vous repensez à un souvenir lointain et que vous vous attardez dessus, de plus en plus de détails affleurent progressivement à la conscience ?

Un autre exercice, maintenant : rappelez-vous quels étaient les outils et les mécanismes qui ont servi à édifier les grandes pyramides d'Égypte.

Que s'est-il passé ? Vous avez utilisé un tuyau d'accès il y a deux minutes, et voilà qu'il est tout asséché. On nous a conditionnés à croire que nous ne connaissons pas cette réponse, puisque nous n'étions pas là quand ces monuments ont été érigés. Pourtant, nous sommes bien capables de comprendre intuitivement qu'un souvenir n'existe pas physiquement dans le cerveau, et nous savons également que « nous sommes tous un ». Alors, n'est-il pas vrai de dire que si une autre partie de nous se trouvait en Égypte à cette époque, *nous* y étions ? De plus, comme nous faisons un avec toutes choses, nous étions là-bas indépendamment de tous les autres êtres vivants présents. D'après ma vision des choses, c'est effectivement vrai ; c'est juste que la plupart d'entre nous n'ont pas encore appris à stimuler le muscle qui actionne ce processus et donne accès à ces connaissances. Notre incrédulité nous empêche d'avoir l'intention nécessaire à de telles illuminations, même si c'est exactement le genre de phénomènes qui se produisent au cours des innombrables expériences de projection astrale ou de vision à distance que l'on recense désormais.

La xénoglossie est un phénomène rare au cours duquel des gens, généralement sous hypnose profonde, ont connaissance d'un langage qu'ils n'ont jamais appris. Bien entendu, dans la mesure où ces récits ne sont pas en phase avec les croyances de la culture actuelle, ils ne font jamais les gros titres des journaux. Les sceptiques considèrent que l'individu hypnotisé *doit* avoir été exposé à ce langage à quelques moments antérieurs de son existence, et l'investigation du phénomène s'arrête là. Peu importe que de telles histoires se soient produites maintes et maintes fois, de même qu'on dénombre de très nombreux souvenirs d'incarnation passée, de multiples manifestations de phénomènes paranormaux et autres. C'est exactement pour cela que les recherches sérieuses sur de tels phénomènes sont généralement abandonnées[1] : parce qu'il est tout simplement inacceptable, dans le système de croyances de notre société, de croire qu'une illumination spontanée soit possible. Nos croyances restrictives et limitées, comme je l'ai dit au deuxième chapitre, balaient du revers de la main tous les faits et les connaissances qui leur sont contraires, et le sujet est purement et simplement abandonné. Mais en vérité, toutes les connaissances et toute la sagesse sont immédiatement accessibles à chacun d'entre nous – nous n'avons qu'à nous en emparer – pour peu que nous nous débarrassions des croyances qui leur font obstacle.

La preuve en question réside dans vos propres expériences sans fin avec la *connaissance directe* – dans vos propres révélations personnelles – dans ces moments où, d'un instant à l'autre, vous trouvez de manière inexplicable la réponse à la question qui vous préoccupait.

Si je mentionne tout cela, ce n'est pas pour vous catapulter dans la connaissance instantanée de *toutes choses*, ni pour que vous parliez en langues, mais bien pour vous aider à profiter de vos *cadeaux du ciel* : pour améliorer votre vie, favoriser les changements auxquels vous aspirez et vivre vos rêves, ce qui – fort heureusement – même dans notre société spirituellement primitive, demeure quelque chose que la plupart d'entre nous croient encore possible.

---

1 En France, l'INREES, Institut National de Recherche sur les Expériences Extraordinaires, se consacre avec beaucoup de sérieux à l'étude de ces phénomènes. Il dispose d'un site internet (inrees.com) et d'une revue (2e), et propose de nombreux ateliers et conférences sur ces questions. NdT

La créativité : un lien à l'Esprit divin

La pensée créative dépend de l'aptitude d'un individu à suspendre son besoin de s'appuyer sur sa raison, ou sur son cerveau méthodique, pour se plonger directement dans l'Intelligence divine. En réalité, nous sommes tous hautement créatifs, mais il nous arrive trop souvent de ne pas laisser notre créativité se manifester en toute fluidité, en raison des croyances restrictives qui sont les nôtres.

Être créatif, c'est un peu comme un enfantement où, l'espace d'un instant, ce qui n'avait *jamais* existé auparavant vient soudain au monde – s'ajoutant ainsi à l'Esprit divin, où à l'Intelligence divine – ce qui permet ainsi à chacun d'y accéder pour l'éternité.

À l'époque où ma mère, mon frère Andy et moi nous occupions déjà depuis quelques années de notre commerce de T-shirts, nos commerciaux et nos grossistes nous ont dit un jour qu'il nous fallait ajouter un motif de dauphin à notre répertoire. C'est donc ce que nous avons fait, mais ce fut un fiasco. Nous avons donc fait un nouvel essai. La seconde fois, le dessin était magnifique, mais le poème dont nous avions choisi de l'agrémenter était assez pitoyable. Andy en avait écrit la première moitié : « Le Grand Bleu m'a parlé, il cachait un mystère. Un dauphin m'a pris par la main, il voulait que je le découvre. » Mais la seconde moitié de ce poème n'allait pas du tout. Nous avions des échéances à respecter pour le lancement de ce nouveau T-shirt, et nous avons failli l'imprimer avec la deuxième strophe bancale, mais avant de quitter mon bureau, ce jour-là, j'ai senti que si nous n'améliorions pas ce poème, cette nouvelle version ferait également un flop. N'ayant personne sous la main pour l'écrire, j'ai décidé de m'y essayer moi-même. Et, pour des raisons que je suis incapable d'expliquer à ce jour, j'étais tout simplement convaincu d'être capable de trouver quelque chose de mieux.

En l'espace d'une heure, ma version était achevée, et, malgré la confiance qui m'habitait, je fus sans doute le premier surpris de la jolie tournure qu'avait prise ce poème : « Il y a plus à contempler dans la vie que des sacs d'argent et des coffres remplis d'or. Croyez-en vous et vous verrez combien votre destin est d'être libre et heureux. » Je sais, c'est un peu ringard, mais c'est également un message succinct, à la rime forte [en anglais]. Je savais que j'étais capable de l'écrire, mais je n'avais aucune idée de comment j'y parviendrais ni quel serait le message de ce poème. Ce sont ma concentration, mon intention et mon attente confiante, *dont j'ai donné la preuve en passant à l'action* – en prenant simplement du papier et un stylo, et en « commençant » – qui ont attiré de l'Intelligence divine ce qui demeure, à ce jour, l'une des « pensées » et l'un des T-shirts les plus populaires que nous ayons jamais créés. En l'espace de quelques années, nous en avons pratiquement vendu 100 000, sans compter les grandes tasses à café, les cartes de vœux et autres articles ornés du même message, aux quatre coins du globe. La magie a fait son œuvre à partir du moment où je me suis concentré sur le résultat final, et non sur l'aptitude de mon cerveau à trouver et à formuler les phrases appropriées. Je connaissais mon intention, je la croyais possible, je me suis physiquement mis à écrire, puis, comme par magie, je me suis écarté pour laisser tous les détails se préciser d'eux-mêmes, en restant simplement concentré sur la vision (le rêve) de ce que je souhaitais accomplir.

La créativité dont nous sommes capables n'est qu'une preuve de plus que nous existons au-delà de notre moi physique et que nous sommes capables d'attirer à nous des prises de conscience, des compréhensions et des solutions émanant de ces royaumes supérieurs, afin d'enrichir nos aventures dans le temps et l'espace.

Le channeling et l'écriture automatique : exprimer son moi supérieur

Le large éventail d'œuvres produites par channeling fournit un autre exemple de cette connexion innée à notre moi supérieur dont nous disposons. Je veux parler des gens qui sont capables d'entrer en transe – pratiquement à volonté – et de laisser une autre partie d'eux-mêmes, voire une autre personnalité, s'exprimer à travers eux. Parmi les exemples les plus connus, on peut citer Jane Roberts, qui a channelé toute la série des Seth ; J. Z. Knight, à travers qui s'exprime Ramtha ; ou encore Esther Hicks, channel d'Abraham. Dans chacun de ces cas, la dictée des livres qu'ils ont publiés se présentait déjà sous une forme si parfaite qu'elle a pu être imprimée sans autres corrections !

La créativité dont nous sommes capables n'est qu'une preuve de plus que nous existons au-delà de notre moi physique et que nous sommes capables d'attirer à nous des prises de conscience, des compréhensions et des solutions émanant de ces royaumes supérieurs, afin d'enrichir nos aventures dans le temps et l'espace.

D'autres personnes font du channeling via ce que l'on nomme l'écriture automatique. *Conversations avec Dieu*, de Neale Donald Walsch, ou encore *Jonathan Livingston le Goéland*, de Richard Bach, en sont des illustrations contemporaines. Ces deux auteurs affirment avoir littéralement senti que leur plume ou leur stylo se mettait à écrire tout seul, ou encore qu'ils ne faisaient que prendre en note un flot ininterrompu de phrases qui leur traversaient l'esprit sous forme parfaite. Là encore, il ne fallut pratiquement pas retoucher leur travail ; le premier jet de leurs livres fut aussi le dernier. Que ce soit sous forme écrite ou parlée, ce sont là deux exemples d'œuvres channelées, autrement dit de notre connexion à l'infini, et il ne fait aucun doute pour moi que nous sommes tous capables de faire pareil.

Pour tout dire, je crois que nous prenons tous part à des communications de ce genre, en permanence, chaque jour de notre vie, pas forcément avec d'autres personnalités, mais avec les dimensions supérieures de notre être d'où nous viennent nos intuitions et nos pressentiments. Et, tout en n'ayant pas la prétention d'avoir fait des expériences de channeling comme celles décrites ci-dessus, je ne peux m'empêcher de m'émerveiller devant le processus même la créativité, que ce soit en écrivant, en pensant ou en calculant, et je me demande souvent, « D'où me vient tout cela (le courant de ma conscience) ? ». Dans la mesure où nous sommes tous des créatures physiques et où *la pensée* ne peut tout simplement *pas* être le produit du cerveau (qui ne fait que la transmettre), n'est-il pas pertinent de considérer que chacune des pensées que nous avons jamais cultivées a été channelée à un degré ou un autre par notre moi supérieur, via notre moi physique ? Et si nous articulons physiquement les mots que nous disons, je suis sûr que vous conviendrez que les idées qu'ils véhiculent ne sont pas formulées par notre bouche et notre langue. Notre corps n'est qu'un instrument qui transmet des « biens » qui émanent d'au-delà. Nous sommes tous des channels et notre corps physique ne fait que traduire nos énergies spirituelles dans le monde physique, ce qui, à nouveau, n'est possible qu'en raison de notre connexion divine à l'infini.

J'aimerais toutefois émettre un petit avertissement à propos des œuvres produites par channeling. Ce n'est pas parce que ce genre d'informations provient d'en dehors du temps et de l'espace (ce qui est vrai, au demeurant, pour tous les types d'informations) que celles-ci sont pour autant toujours exactes, utiles ou même pertinentes. Il m'est arrivé de lire des œuvres channelées très négatives, avilissantes et primaires, aussi devons-nous chacun faire preuve de discernement ; c'est à nous de savoir ce qui est utile ou non, et la meilleure manière de le déterminer est de se fier à ses sentiments. Du moment qu'une information channelée ou non, y compris ce que j'écris moi-même ici, va à l'encontre de vos convictions et ne vous paraît pas juste, laissez-la de côté. C'est à vous d'être votre propre modérateur et de filtrer toutes les informations qui vous parviennent, quelle qu'en soit la source.

Même si toutes les œuvres channelées ne sont pas forcément utiles, leur nombre confirme l'existence de royaumes au-delà du temps et de l'espace, et démontre du même coup que la connaissance ne doit pas nécessairement provenir seulement d'événements spatio-temporels, comme on nous l'a enseigné à tort. Nous ne sommes pas obligés de nous limiter à la logique pour déterminer les tâches et relever les défis qui nous attendent. En faisant également usage de nos pressentiments, de nos intuitions, notre créativité et nos instincts – nos sentiments, ces cadeaux de l'esprit divin – nous pouvons mieux aborder nos difficultés, apaiser les eaux agitées, calmer les esprits anxieux et donner ainsi naissance à des idées et des créations n'ayant jamais existé auparavant. En baissant notre garde pour faire usage de ces dons, nous pouvons porter sur la vie qui s'étend devant nous un regard autrement plus vaste et plus complet que la logique seule ne pourrait jamais nous offrir.

Que votre désir brûlant enflamme le monde

Nous ne sommes pas seulement là pour satisfaire nos besoins et survivre ; le formidable désir original qui a donné naissance au temps et à l'espace n'était pas que nous ayons une expérience qui vaille à peu près la peine ; nous sommes là pour nous amuser et être heureux, pour nous épanouir et nous développer, et de tels objectifs ne peuvent être atteints qu'en nous adonnant aux passions que chacun d'entre nous possède. Nous croyons trop souvent que nos désirs sont frivoles et nos rêves égoïstes, mais notre planète est un paradis d'abondance et d'opulence, qui partage librement ses richesses avec ceux qui viennent à sa rencontre – en faisant moins que la moitié du chemin – avec une pensée illimitée, de grandes attentes et en posant les actes les plus simples. Et plus nous la laissons partager ses trésors avec nous, plus elle les partage avec autrui, dans un déploiement qui dépasse infailliblement et inévitablement ce à quoi aspirait le rêve original.

Nos désirs sont des cadeaux, et non des malédictions, et nous devons les honorer. C'est l'esprit même de la vie qui danse à travers nous, nous indiquant la direction qui nous inspirera et qui nous fera découvrir notre vrai potentiel. Nos rêves aussi sont des cadeaux, et ils sont bien plus remarquables que nous ne le voyons habituellement. Ils ont été taillés sur mesure pour nous, sur la base de ce que nous voulons et de ce à quoi notre âme aspire, en prenant en compte tout ce que nous avons jamais fait, mais aussi nos inclinations, nos aptitudes, nos attitudes et nos forces, afin que nous puissions évoluer toujours plus. Si nous avons ces désirs, ce n'est pas pour qu'ils nous échappent ou nous tourmentent, mais parce qu'ils sont atteignables et que nous en sommes dignes. Et ce qui est encore mieux que la destination qu'ils nous promettent, c'est le voyage qu'ils nous inspirent, à travers les océans et les paysages de la vie, nous offrant des occasions infinies d'interactions avec les autres, d'incroyables coïncidences et de merveilleux accidents. Mais, comme vous le savez déjà, il n'existe ni coïncidences ni accidents ; il n'y a que les événements qu'orchestrent nos pensées – la magie de la vie – à mesure que celles-ci jonglent avec les joueurs et les circonstances de notre vie, pour nous procurer ce à quoi nous pensions.

Les rêves ne sont égoïstes que si l'on croit à la pénurie et au manque, que si l'on pense que pour pouvoir bénéficier de quelque chose, d'autres doivent s'en priver. Mais de telles croyances sont impossibles, pour peu que vous compreniez véritablement que vous êtes un être spirituel et que les accessoires de votre vie ne sont que des illusions. Vos rêves proviennent de l'infini, et ce n'est qu'en les poursuivant et en vous y abandonnant que vous pourrez donner au monde tout ce que vous avez à lui offrir, en restant ainsi fidèle à vos propres désirs « égoïstes ». Est-ce que Thomas Edison, par exemple, aurait pu s'occuper des opprimés comme l'a fait mère Teresa ? Est-ce qu'Albert Einstein aurait été capable de prêcher le salut comme le fit le Dr Martin Luther King Jr. ? Est-ce qu'Abraham Lincoln aurait pu construire des voitures comme Henry Ford ? Si vous savez qui est chacune de ces personnes, c'est parce qu'elles se sont toutes consacrées à leur propre passion, qu'elles ont suivi leurs inclinations innées et ont écouté leur voix intérieure. L'ironie, d'ailleurs, pour ceux qui pensent que nos rêves sont égoïstes, c'est que les masses profitent *toujours* – et souvent pendant des générations – de ces individus qui s'obstinent à marcher au rythme de leur propre tambour, ou, comme Richard Bach l'a écrit dans son fameux best-seller *Le messie récalcitrant*, au rythme de « l'âme divinement égoïste ».

Nos rêves et nos désirs sont aussi uniques que nos empreintes digitales, et l'on nous en a fait don en fonction de notre propre quête spirituelle, à nulle autre pareille. Si nous avons des rêves différents, il y a une raison à cela : c'est pour maximiser les chances que nous ayons les aventures et que nous apprenions les leçons qui nous enrichiront le plus. Nous ne venons pas tous au monde avec l'envie d'être médecin, nous n'aspirons pas toutes être belles et, aussi difficile à croire que ce soit, nous ne naissons pas tous non plus avec le désir de vivre une vie facile et confortable. Il n'y a pas deux personnes qui souhaitent exactement la même chose. C'est comme le choix d'une destination de vacances : certains d'entre nous aiment se relaxer et en faire un minimum, tandis que d'autres préfèrent prendre des risques ou relever les défis plus ou moins importants.

Le formidable désir original qui a donné naissance au temps et à l'espace n'était pas que nous ayons une expérience qui vaille à peu près la peine.

Nos rêves suivent un ordre du jour caché qui oriente notre voyage et finit par nous donner ce que nous sommes venus chercher – des expériences – tout en nous révélant notre vrai potentiel qui nous permet de vivre la vie de nos rêves. Si nous balayons ces rêves en les qualifiant de frivoles, complaisants ou égoïstes, ou si nous les remplaçons par les rêves standardisés de la société – des rêves qui ne sont pas les nôtres, mais qui passent pour sûrs, pratiques et prouvés – nous ne faisons qu'étouffer notre propre évolution et notre bonheur.

Malheureusement, de telles substitutions se produisent tout le temps quand la société – ou simplement notre famille – s'efforce de nous montrer la « bonne » direction, soi-disant pour notre bien. Et même si leurs intentions sont bonnes, personne ne vous connaît autant que vous. Personne d'autre que vous ne peut savoir ce qui vous comble ou vous motive ; personne ne voit le Divin à travers votre fenêtre, ni n'entend les instincts et les impulsions qui murmurent à vos oreilles ; et personne d'autre que vous ne sait quels potentiels et quels talents existent en vous à l'état latent. « Sois fidèle à ton propre moi », disait Shakespeare.

Se remettre dans la bonne voie

Si vous êtes à peu près à mi-parcours de votre existence, au milieu d'un voyage au cours duquel vous avez été influencé par les opinions innombrables d'autrui, sans oublier peut-être quelques croyances restrictives de votre cru, et que vous croyez que vous vous êtes tellement écarté de votre chemin que vous ne savez même plus qui vous êtes vraiment, ni quel est votre plus grand potentiel, alors vous vous posez probablement l'une des questions les plus universelles : « Qu'est-ce que je devrais faire de ma vie ? ». Ce n'est pas une situation très agréable ; je le sais, je suis passé par là. Par chance, il est plus facile d'aller de l'avant qu'il n'y paraît de prime abord.

Voici quelques pensées qui peuvent aider n'importe qui à se remettre sur la bonne voie :

1. Soyez vous-même. Il se peut que ce conseil ne vous enthousiasme guère, mais il n'en demeure pas moins qu'il n'existe pas *une seule* réponse à la question de savoir ce que vous *devriez* faire de votre vie. Bien sûr, ça fait un peu réponse toute faite que de dire que chacun d'entre nous a un rôle spécial à jouer – une niche spéciale à occuper, mieux que quiconque – mais ce rôle ou cette niche découlent simplement *du fait que vous êtes vous-même*, et ils n'ont donc pas plus de rapport avec ce que vous faites pour gagner votre vie que ce que vous mangez au petit-déjeuner ou ce que vous portez pour dormir.

Toute autre façon de penser signifierait que chaque vie remplit une mission profonde ou que votre présence implique une certaine responsabilité envers l'humanité. Mais, une fois encore, les deux sont vrais quand vous êtes simplement *vous-même*, indépendamment de ce que vous pensez que votre carrière sera ou ne sera pas. Spirituellement parlant, votre conscience – votre existence même – est unique en son genre ; c'est *elle* qui importe. Les gens ont tendance à croire des choses du genre, « Oh, je suis fait pour travailler de mes mains, ou pour instruire et guérir les gens, ou pour écrire des livres, ou encore pour équilibrer l'énergie de cette planète ». Mais peu importe votre « casquette », du moment que vous êtes *vous*. En étant *véritablement* vous-même – en étant votre vrai moi – vous serez automatiquement conduit par vos inclinations et vos impulsions naturelles à assumer les rôles qui vous plairont le plus, à tel moment de votre vie, ce qui vous permettra d'offrir le meilleur de vous-même au monde.

2. Occupez-vous de ce qui est déjà devant vous. Si vous vous demandez ce que vous allez faire de votre vie, commencez par prendre conscience que votre existence actuelle a un sens et qu'il y a une raison pour que vous en soyez là. Ce qui ne veut pas dire que cette raison soit nécessairement profonde, ni que vous deviez rester indéfiniment là, mais comme vous y êtes – où que ce soit – ce sera nécessairement là votre point de départ. Ce qui est génial, c'est que cela veut dire que vous vous trouvez en ce moment même *exactement* là où vous devez être, alors ne vous retournez pas et ne remettez pas en question vos décisions antérieures.

Acceptez votre situation actuelle telle qu'elle est, et, aussi longtemps que vous êtes là, faites de votre mieux et rayonnez comme si demain ne devait jamais venir. Ne combattez pas la réalité, sans quoi vos pensées et vos sentiments provoqueront de tels attachements que vous allez prendre racine sur place ! Acceptez plutôt les choses, fondez-vous dans le courant, approuvez-vous, comprenez la valeur et l'utilité de la situation actuelle, et vous parviendrez ainsi à vous détacher de tout ce qu'il peut y avoir de déplaisant dans le présent, en vous libérant du passé et de l'emprise sur les circonstances présentes qu'a provoquées votre résistance. Après tout, si vous n'étiez pas où vous en êtes maintenant, vous ne seriez pas en train de vous poser ces questions-là ni de recevoir les réponses que vous recevez actuellement.

3. Suivez votre plaisir. Certains jugeront ce conseil irresponsable, alors que c'est sans doute l'une des choses les plus responsables que vous puissiez faire. Que vous vous sentiez perdu ou non, *suivez toujours votre plaisir*. Ce qui ne veut pas dire que la vie devrait être une fête ininterrompue. Certains de nos plaisirs les plus grands découlent de la satisfaction que procure un travail bien fait, que ce soit d'être un bon parent ou de cultiver son potager. Tout peut être source de plaisir, pour peu que l'on adopte une perspective adéquate.

Vous savez ce qui vous comble et ce qui vous procure la paix – vous vous rappelez ce que vous aimiez quand vous étiez enfant – et sans doute n'avez-vous guère changé à cet égard. Remémorez-vous cette époque. Dans mon cas, c'était d'être dehors, d'aller marcher dans les bois, de ramer dans un bateau ou de construire des trucs, toutes choses qui continuent de m'enthousiasmer. Passez au scanner votre vie passée et présente, et reprenez l'habitude de faire du plaisir une joie et une priorité.

4. Lancez-vous. Quoi que vous décidiez de faire, *lancez-vous*. Même si vous n'êtes pas sûr de ce que vous devriez faire dans la vie, faites déjà quelques pas, aujourd'hui, dans *n'importe quelle* direction qui vous semble prometteuse. Entreprenez quelque chose. N'importe quoi sera toujours mieux que rien du tout. Bougez-vous. Passez l'action. Soyez une flamme, une étincelle. Faites tout simplement ce dont vous êtes capable. Entremêlez de nouvelles pensées et de nouveaux actes à vos journées de travail et à vos week-ends, dussiez-vous ne progresser que de quelques centimètres. Soyez tendre envers vous-même, faites preuve de pardon et de compassion, et ne vous attendez pas à atteindre l'illumination en une nuit. Ça *viendra*, et la lumière inondera votre chemin ; vous n'y couperez pas. Vous pouvez en accélérer la venue en vous occupant à chaque instant, en gérant ce qui se présente à vous et en vous attendant à ce que cette illumination survienne de préférence tôt que tard.

Des questions difficiles

Avec tout ce que nous avons dit sur les désirs, je suis sûr que vous avez déjà pensé à certains des vôtres (ou au moins à ceux qu'ont certaines personnes) que l'on considère habituellement – disons – d'assez mauvais goût. Qu'en est-il de ces désirs-là ? Sont-ils également des cadeaux du ciel ? Faut-il leur donner suite ?

Pour commencer, si l'on dit que quelque chose est de mauvais goût, c'est qu'il y a eu jugement. Alors, n'oubliez pas que ce qu'une personne juge « mauvais » peut très bien être considéré « bon » par une autre. Par exemple, il suffit de voir tout l'éventail de sentiments que les gens ont par rapport à l'argent. Pour certains, il est la cause de tous les maux ; pour d'autres, il représente la liberté, la réussite et la sécurité.

Alors, vous allez sans doute poser la question, « Et si un désir a un effet défavorable sur autrui ? ». Eh bien, le fait que les gens soient ou non affectés d'une manière défavorable n'est encore qu'une opinion, même dans l'éventualité où ils se disent blessés, par exemple lorsque leur relation amoureuse s'achève à la demande de l'autre. Est-ce la preuve pour autant que cette décision a eu sur eux un effet défavorable ? Que dire alors de l'apprentissage et de l'évolution qui accompagnent nos douleurs émotionnelles ? Quand une relation s'achève, les gens ne se sentent blessés que s'ils se le permettent ou en font le choix. Rappelez-vous également que rien ne nous arrive sans que nous y soyons prêts. Les accidents ne sont pas des accidents, et les soi-disant malchances ne sont en réalité que des tremplins vers des perspectives meilleures qui ne vous deviennent accessibles que parce que de toutes nouvelles pensées vous ont entraîné vers de tout nouveaux territoires.

Les difficultés et les défis ne se présentent que lorsque vous êtes prêt à évoluer et à apprendre. À un niveau plus profond, ils sont en réalité les leçons idéales qu'il vous faut pour progresser dans le sens des pensées que vous cultivez et des rêves que vous faites depuis un certain temps. Et si la chose est vraie pour vous, elle l'est également pour autrui.

Penser en grand

Il vous reste peut-être quelques questions à propos de ces pensées et de ces désirs qu'on qualifie de « peu recommandables », mais avant que nous poursuivions, efforçons-nous de « penser en grand ». Peut-être vous dites-vous, « Bon sang, on dirait que j'ai trop de pouvoir ; je peux tout aussi bien déchirer le cœur de quelqu'un, psychologiquement ou physiquement, que le séduire et l'aimer à mort ». Vu sous cet angle, on pourrait croire que vous avez effectivement beaucoup de pouvoir sur les autres, d'où le fait que vous vous demandiez comment ils peuvent bien créer leur réalité, alors que vous jouissez d'une telle liberté dans la façon de vous comporter à leur égard. De manière analogue, en inversant les rôles, on pourrait aussi se dire que les autres ont beaucoup de pouvoir sur vous, puisqu'eux aussi sont aussi libres de se comporter comme ils veulent. Alors, en quoi cela affecte-t-il notre aptitude à nous forger notre propre réalité ?

Eh bien, même si nous disposons effectivement du libre arbitre, cela ne veut pas dire pour autant que demain soit une page blanche. Par exemple, compte tenu de mes croyances et de ma vision du monde, il n'y a guère que quelques manières dont je puisse traiter les gens avec qui j'entre en contact. Par exemple, bien que jouissant d'une totale liberté, il y a peu de chances que je frappe quelqu'un au visage, comme il est peu probable que je me comporte envers lui avec méchanceté et froideur ; de même, je ne suis pas enclin à mentir ostensiblement ni à induire les autres en erreur.

Alors, oui, j'ai la capacité illimitée d'agir comme bon me semble, mais cela ne signifie pas pour autant que mes actes ne soient pas, dans une certaine mesure, *hautement prévisibles*, parce que confinés à un éventail assez étroit de probabilités, qui dépend des croyances auxquelles j'adhère actuellement. Tout le monde est effectivement spirituellement partout à la fois, et comme notre conscience de l'ensemble du temps et de l'espace s'étend à chaque individu sur la planète, nous savons *exactement* quelles sont les personnes présentes dans notre vie et quel est *l'éventail d'actions* dont elles sont capables. Si ce spectre d'actions devait se mettre à évoluer d'une manière qui ne corresponde plus à nos pensées, à nos besoins et nos désirs, alors, par le biais « d'accidents ou de coïncidences », les acteurs présents dans notre vie changeraient. Les gens restent dans notre entourage ou disparaissent de notre existence en fonction des pensées, des croyances et des attentes sous-jacentes de chacun, aussi soudainement ou aléatoirement ces événements puissent-ils arriver.

Les gens qui sont aujourd'hui dans votre vie n'y sont pas par accident, ni vous dans la leur. Nous faisons tous notre entrée dans la vie les uns des autres en pleine connaissance des rôles *possibles* à jouer et de leurs conséquences les plus *vraisemblables*. Le fait que nous ne soyons pas conscients de ces décisions ne contredit en rien ce qui reste par ailleurs parfaitement déductible.

Pour revenir maintenant à la question de savoir si nos désirs peu recommandables sont ou non des cadeaux du ciel, oui, c'en est, mais cela ne veut pas dire pour autant que chacune de leurs manifestations nous apportera la paix et le bonheur, du moins pas à court terme.

Les désirs ne sont que des désirs ; ils ne sont ni bons ni mauvais. Mais ils sont parfois le résultat de nos croyances, celles-ci nous assurant que l'obtention de certaines choses nous vaudra telles récompenses. Nous connaissons pourtant tous des gens qui désirent de toutes leurs forces certaines choses dont *nous* savons parfaitement qu'elles ne leur procureront pas le bonheur ; mais tant qu'ils ne le savent pas eux-mêmes – tant qu'ils ne changent pas de croyances – ils resteront à la poursuite de ces choses dont ils espèrent le bonheur. Et y a-t-il un meilleur moyen de découvrir que telle chose ou tel événement n'est pas en mesure de nous rendre heureux, que de manifester cette chose ou cet événement et de tirer cette conclusion par soi-même ? Si cette leçon n'est pas forcément agréable à apprendre, elle vous vaudra au final de nouvelles prises de conscience qui vous étaient inaccessibles avec vos croyances antérieures, et c'est ainsi que des désirs soi-disant peu recommandables finissent par porter fruit.

Des choses apparemment inexplicables

Vous vous demandez peut-être encore : qu'en est-il des enfants violés ou d'autres situations où les gens semblent effectivement être victimes de tragédies imprévisibles et imméritées ? Même des questions aussi extrêmes que celles-ci ont une réponse ; toutefois, je ne souhaite pas trop m'écarter de l'objectif de ce livre, qui est d'aller dans le sens de notre joie et de vivre nos rêves. Néanmoins, pour vous donner une idée de la direction dans laquelle je vous entraînerais avant de répondre à ces questions, je vous poserai celle-ci, « Êtes-vous sûr de connaître toutes les implications spirituelles de toutes les « histoires horribles » dont vous avez entendu parler ? ». Notre cerveau logique, coincé dans le monde physique, se débat frénétiquement pour tenter de justifier, de rationaliser et d'expliquer les choses. Mais notre moi spirituel sait qu'il y a à ce que nous percevons avec nos cinq sens des raisons qui nous dépassent.

Je ne suis pas en train de dire qu'il ne se produit pas des actes horribles, laids et méprisables, ni que ceux-ci sont justifiés, et encore moins que les personnes concernées ne devraient pas immédiatement bénéficier de notre aide et de notre compassion. Mais en ayant une vision plus large des choses, à la lumière des vérités spirituelles que j'ai partagées avec vous, il est possible d'entrevoir que même les questions les plus difficiles ont une réponse, qu'il y a de l'ordre et de la guérison, et par conséquent de l'amour et de la perfection dans tout ce qui survient dans le temps et l'espace.

Les rêves nés dans le rêve

À l'autre bout du spectre figurent ceux de nos rêves et de nos désirs qui découlent de nos croyances, par opposition à ceux qui sont des *cadeaux du ciel*. Du coup, la question peut se poser, « En quoi les rêves issus de nos croyances sont-ils différents de nos *cadeaux du ciel* ? ». En réalité, il y a très peu de différence. Ils n'en restent pas moins d'origine divine – puisque c'est nous qui les créons ici et maintenant – et ils nous inspirent et nous motivent également à apprendre, à évoluer et à être heureux.

Différencier les uns des autres, c'est un peu comme comprendre la différence entre émotions agréables et déplaisantes, au sens où les premières semblent plus naturelles, tandis que les secondes découlent de croyances et de perceptions limitées.

Dans le cas de nos rêves et de nos désirs, il nous suffit de voir ce qu'ils nous promettent pour déterminer s'ils ont ou non été teintés par des croyances restrictives. S'ils nous promettent le bonheur, la joie et l'accomplissement, il est vraisemblable qu'ils n'ont pas subi l'influence de croyances limitées. Toutefois, s'ils nous promettent la reconnaissance d'autrui, un meilleur statut social, une forme de justification ou quoi que ce soit de ce genre, comme *moyen* d'atteindre le bonheur, la joie et l'accomplissement, alors il est vraisemblable que certaines croyances restrictives les ont influencés. De tels désirs présupposent en effet qu'il nous manque quelque chose, or cette chose-là appartient à chacun d'entre nous de droit divin.

Par exemple, si vous rêvez de conquérir le cœur de quelqu'un, afin d'atteindre le bonheur, c'est que vous avez fini par croire que votre bonheur dépendait de l'approbation ou de la compagnie d'autrui, ce qui n'est tout simplement pas vrai. Que vous réussissiez ou non à vous emparer de son cœur, si vous n'apprenez pas cette leçon, vous n'aurez jamais de paix ni de bonheur stables, et vous le saurez au fond de vous. Dans ce cas, ne serait-il pas préférable de ne pas réussir à conquérir le cœur de cette personne, ce qui vous inciterait d'autant plus fort à tirer la leçon que vous devez apprendre ? Êtes-vous capable de comprendre que même lorsque nous souffrons émotionnellement, c'est toujours pour atteindre quelque chose de meilleur ? Cette vérité vaut pour toutes les douleurs de ce genre. Plutôt que de les maudire, servez-vous-en pour comprendre vos croyances et vos perceptions.

Quand vous comprendrez les désirs issus de vos croyances et la raison pour laquelle ils vous motivent, vous distinguerez pourquoi vous ne semblez jamais obtenir ce qu'ils vous promettent. Si c'est un certain sentiment de liberté que vous attendez d'une nouvelle acquisition, se pourrait-il qu'en temps normal vous vous sentiez quelque peu enfermé et limité ? Et pourquoi souhaitez-vous être apprécié et admiré, sinon parce que l'appréciation et l'admiration vous font actuellement défaut ? Demandez-vous pourquoi. Car l'être spirituel éternel que vous êtes est déjà libre, aussi la seule appréciation et la seule admiration dont vous avez jamais pu avoir besoin par le passé ne provenaient vraisemblablement que de votre for intérieur. Alors, en quoi les choses sont-elles différentes aujourd'hui ? Quand, comment, où et pourquoi avez-vous arrêté de vous voir comme quelqu'un de valable, d'acceptable et d'aimable ?

Est-ce pour être respecté que vous voulez un nouvel emploi ? Est-ce pour connaître l'amour que vous souhaitez un partenaire amoureux ? Est-ce pour avoir le pouvoir ou pour éviter les responsabilités que vous aspirez à l'abondance ? Commencez par comprendre ce que vous désirez vraiment, au niveau émotionnel, puis, demandez-vous pourquoi vous le voulez. Si vous répondez autre chose que « pour avoir du plaisir et pour évoluer », c'est vraisemblablement qu'une leçon vous attend, et elle commence par la compréhension de ce qui vous fait croire qu'il vous « manque » quelque chose. Comment le créateur divin que vous êtes en est-il venu à croire que quelque chose lui faisait défaut dans la vie, qu'il était incomplet ? Posez-vous la question, car comme vous le voyez, vos croyances actuelles se sont concrétisées et un désir est apparu pour guérir ce sentiment de déséquilibre. Ce n'est pas un problème, mais si vous ne comprenez pas ce désir, il mettra davantage de temps à parvenir à maturité. Et lorsqu'il se réalisera enfin, il risque de ne pas vous apporter ce que vous attendiez vraiment.

Quand tout ou partie de votre motivation passe par le fait d'atteindre ou de réaliser quelque chose que vous estimez devoir être ou avoir, comme l'approbation, la santé ou l'amour, essayez de comprendre pourquoi cette chose vous manque et quelles sont celles de vos pensées et de vos croyances qui vous ont empêché de l'obtenir jusqu'ici.

Toutes les réponses que vous cherchez se trouvent en vous. Chaque jour, dans les moments de calme, demandez-vous quelle est la direction que vous cherchez et basez-vous sur vos sentiments et vos intuitions pour trouver vos réponses. Soyez à l'affût, de toute votre tête et de tout votre cœur ; la

« bonne voie » sera toujours agréable et elle *aura un sens*. Votre mission dans la vie – votre but – est simplement d'être, *d'être vous-même*. Et la seule façon d'être vous-même, c'est de commencer par vous écouter, par prêter attention à vos désirs et à vos rêves, ainsi qu'aux sentiments que vous inspire le ciel. Après tout, que pourriez-vous écouter d'autre ? Qu'y a-t-il en dehors de vos sentiments ?

Vous n'êtes pas vos pensées. Vous n'êtes pas vos croyances. Vous n'êtes même pas vos émotions, bien qu'elles aient beaucoup à vous apprendre. Toutefois, la meilleure façon de vous rapprocher de cette source que vous êtes, c'est de prêter attention à vos désirs et à vos sentiments. Ils sont magiques, ils sont uniques – ils n'appartiennent qu'à vous – et vous devriez les honorer. Ils vous suggèrent des directions à prendre et vous montrent le degré épanouissement que vous pourriez vraiment atteindre. Ils vous emmènent en voyage, où se succèdent les printemps et les levers de soleil, mais aussi l'obscurité et la fange, tout en vous désignant la voie de l'illumination, en mettant en évidence les domaines de votre vie où vous vous voyez probablement plus petit que vous n'êtes en réalité.

Suivez vos rêves ; il y a des raisons à leur présence en vous, dont la moindre n'est pas de les réaliser.

Vos *sentiments* vous parviennent par une fenêtre qui s'ouvre sur l'Intelligence divine. Gardez cette fenêtre ouverte, entraînez-vous à regarder à travers et soyez prêt à suivre votre cœur et vos pensées, comme vous ne l'avez sans doute jamais fait auparavant. Commencez à apprécier la vue inestimable que vous offre cette fenêtre. Et surtout, suivez vos rêves ; il y a des raisons à leur présence en vous, dont la moindre n'est pas de les réaliser.

6 | L'UNIVERS MAGIQUE

Vous êtes probablement là en train de lire ces phrases et de vous dire que vous êtes bien réel, et votre vie aussi ; probablement que vous vous dites aussi qu'au fond, c'est vous qui contrôlez cet instant ; que vous êtes chez vous, dans votre bureau, sur votre propre parcours de vie. Et vous avez raison. C'est *effectivement* vous qui contrôlez les choses et le mérite en revient *entièrement* aux miracles sans fin qui soutiennent votre existence, ici et maintenant ; à l'Univers qui préserve et protège l'intégrité de chacune des cellules de votre corps ; aux milliards de milliards d'atomes, et à leurs protons, leurs neutrons et leurs électrons, dont vous êtes faits, vous, mais aussi tout ce qui vous entoure. Tout cela n'existe que grâce aux principes universels sur lesquels vous pouvez compter infailliblement pour manifester votre vie, tout en intégrant simultanément vos expériences à celles des *milliards* d'autres personnes vivant sur cette planète, en cet instant.

C'est vous qui contrôlez les choses, qui surfez sur une vague aux dimensions incalculables. Votre puissance dépasse l'imagination, vous êtes aimé au-delà de toute compréhension, vous êtes éternel et libre de vivre la vie de vos rêves, en fonction des pensées que vous choisissez de cultiver, *tout cela grâce aux éléments, aux principes, à la magie et la grâce qui vous soutiennent, vous et votre monde, en ce moment même.*

C'est assez époustouflant, n'est-ce pas ? Songez un instant que toutes ces choses qui nous soutiennent – qui rendent notre vie purement et simplement possible – sont invisibles, cachées, et qu'il nous faut donc rester confiants qu'elles feront ce qu'elles ont à faire. Mais vous, leur faites-vous confiance ? Peut-être que oui, mais seulement dans une certaine mesure. Il est impossible de vivre sans une certaine confiance en la vie, alors, que vous l'admettiez ou non, vous leur faites *effectivement* confiance, mais *à quel degré* ? Quelles proportions de votre vie et de vos manifestations êtes-vous prêt à remettre à l'inconnu ? Sachez que plus vous vous en remettez à l'Univers, plus vous avez confiance que tout se passera à votre avantage, moins vous aurez à faire d'efforts dans la vie.

Au-delà de la vision, au-delà de la croyance

En un mot, avoir ainsi confiance en l'inconnu, c'est avoir la foi : la foi que le soleil se lèvera demain (et vous avec) ; la foi que la pesanteur vous maintiendra sur Terre ; la foi que les molécules tourbillonnantes qui constituent votre corps ne vont pas soudainement devenir imprévisibles et vous quitter ; la foi que votre cœur va continuer de battre et vos poumons de respirer ; (et avec un peu d'entraînement) la foi que le ciel pourvoira toujours à vos besoins ; la foi en l'abondance et l'harmonie qui règnent dans toutes vos affaires ; et enfin, la foi que vos rêves vont se réaliser.

La foi dénote une reconnaissance de l'esprit, une compréhension que vous n'êtes pas là par accident.

La foi en l'Univers magique qui est le nôtre, voilà ce dont traite ce chapitre. C'est la foi en la magie qui soutient notre vie, la foi dans tout ce qui est invisible, silencieux, abstrait et insaisissable, la foi en tout ce que à côté de quoi nous avons généralement tendance à passer, en tout ce que nous prenons pour acquis. Et pourtant, la moindre facette de notre existence nous fournit la preuve de leur présence, pour peu que nous ouvrions les yeux et que nous les cherchions.

Bien sûr, vous devez être capable d'avoir confiance en vous, en votre famille, en votre équipement – quelle que soit votre profession – et en d'innombrables autres choses et personnes que vous côtoyez quotidiennement. Mais, s'agissant de la magie et des miracles de l'existence, s'agissant de l'inconnu et de l'insondable, c'est de *foi* qu'il s'agit. On pourrait intervertir les mots foi, *confiance* et *connaissance*, mais la foi dénote une reconnaissance de l'esprit, une compréhension que vous n'êtes pas là par accident et une connaissance profonde de votre héritage divin. Avoir la foi, c'est reconnaître que vous n'avez pas à vivre votre vie tout seul, que vous avez des amis invisibles et des ressources cachées dans lesquelles puiser conseils et réconfort.

L'Univers, c'est qui ou c'est quoi ?

Je dois admettre que cela représente un certain challenge pour nous, au début, que d'avoir foi en cette réalité inconnue, ou plus particulièrement en une magie qui

« conspirerait » à nous aider et à nous servir. Pour nos sens physiques, l'inconnu n'est que de l'espace vide, froid et impersonnel. Mais le fait que l'inconnu, ou l'Univers, ne soit pas physiquement détectable ne signifie pas pour autant qu'il soit stérile et sans vie. Bien au contraire, il est *vivant*. *Conscient*. Et débordant d'amour pour vous.

L'Univers, ou l'Intelligence divine, ne se trouve pas dans le vide spatial. Il vient d'un « endroit » ou d'une dimension qui « précède » à la fois le temps et l'espace, et c'est à partir de « là » qu'il a créé leur intersection, cette plate-forme qui permet aux manifestations matérielles d'exister. Pour que notre monde, pour que la Terre ait des couleurs et des sons aussi éblouissants, et soit d'une beauté si exquise, il n'est pas difficile d'imaginer que l'origine d'un tel paradis soit elle-même aussi radieuse et spectaculaire, sinon bien davantage. L'Univers invisible doit être un « lieu » tout vibrant de lumière, de joie, de couleurs et de bonté, glorieusement vivant et doté d'une conscience propre, sans même parler des innombrables anges et entités qui le peuplent. Il est également doté d'intelligence, il correspond à ce que l'on vous a présenté comme étant « Dieu », mais il existe sans pièges religieux, sans jugements et sans règles. Le moindre grain de sable, les arbres, l'air, l'eau – toutes choses, y compris tout ce qui est invisible – possèdent cette même intelligence, cette conscience ; la moindre chose *est* cette intelligence et cette conscience, une conscience qui vous inclut vous et vos pensées.

On ne nous a pas largués ici pour voir si notre force, notre volonté et notre tonus nous permettraient de traverser les remous de la vie. Nous sommes là pour donner des directives – quelles qu'elles soient – à un Univers réactif. Mais, si nous croyons devoir nous en sortir tout seuls, alors, l'Univers et ses principes refléteront immanquablement cette croyance : nous nous sentirons effectivement seuls. Voilà le degré de liberté dont nous disposons.

Plutôt que de vous limiter à penser que l'Univers est vivant et réactif, allez plus loin et rappelez-vous que vous faites un avec lui. Prenez conscience que votre « moi » supérieur s'étend bien au-delà des limites de votre peau et atteint tous les endroits que vous pouvez imaginer et même au-delà, pour englober l'invisible. Vous êtes vivant dans l'Univers, et l'Univers est vivant en vous. Dès lors, il devrait être de plus en plus évident à vos yeux qu'il « conspire » effectivement en votre nom, *puisqu'il est vous*, votre moi *plus vaste*. L'Univers se languit de vous voir sourire et d'entendre vos rires, puisque vous êtes l'Univers personnifié, et que vous êtes donc *sa façon de sourire et de rire*. Utilisez-le, faites appel à lui, communiez avec lui en sachant que vous êtes entendu.

L'Univers est votre allié, que vous le sachiez ou non. Il vous encourage, il vous félicite et vous aime à chaque pas que vous franchissez dans la vie. Il aspire à vous voir heureux et comblé, et il ne fait aucun doute que les cartes de la vie ont été battues en votre faveur, *à cause de cela*. Je ne suis *pas* en train de dire que l'Univers peut vous passer par-dessus l'épaule et mélanger les cartes indépendamment de vos pensées et de vos croyances ; cela violerait votre liberté, cela vous priverait de votre pouvoir et de vos responsabilités. Mais *puisque vous êtes vous-même l'Univers* – en tant que l'un de ces Aventuriers originels ayant créé ce bastion de perfection au beau milieu des étoiles – tous les éléments sont là à votre disposition pour satisfaire vos intentions et vos buts ; *c'est « vous » qui les y avez mis*. Or l'un de vos objectifs prioritaires était de *prospérer*.

***Puisque vous êtes vous-même l'Univers* – en tant que l'un de ces Aventuriers originels ayant créé ce bastion de perfection au milieu des étoiles – tous les éléments sont là à votre disposition pour satisfaire vos intentions et vos buts.**

Pour quelle autre raison seriez-vous là, sinon pour faire des expériences, pour évoluer, pour découvrir, pour réussir et pour goûter à la saveur de votre créativité ? Êtes-vous capable de trouver une autre raison qui aurait autant de sens, autant de beauté et d'intrigue ? Est-ce que tout cela ne résonne pas en vous ? Intuitivement, ne trouvez-vous pas que cela a un sens ? Vous êtes là pour prospérer, pour vous épanouir, et comme le précisait la petite histoire par laquelle débute ce livre, « Ce n'est qu'en commençant par se perdre, puis en se mettant au service de leurs illusions, que ces Aventuriers poussés par leurs émotions – par un désir brûlant – ont pu connaître et revendiquer les profondeurs de leur propre divinité. »

Le jeu est truqué

Je le reconnais, il peut sembler un peu naïf ou présomptueux de prétendre identifier le but de la création *de l'intérieur même de cette création*, alors que nous ne sommes apparemment que de faibles âmes mortelles et « perdues » qui, jusqu'ici, n'ont fait guère plus que de maîtriser leurs sens physiques. D'un autre côté, ne serait-il pas encore plus naïf de renoncer complètement à spéculer sur le sens de la vie ? N'est-il pas tout aussi absurde *d'accepter les yeux fermés* ce que nos ancêtres – tout aussi naïfs que nous – nous ont dit de la raison d'être de notre présence ici-bas, en particulier quand ces raisons-là n'ont pas grand-chose à voir avec la beauté, l'amour et la compassion, que l'on observe pourtant partout dans la vie ? Et n'est-ce pas d'autant plus important quand on sait que certaines de ces « anciennes écoles » de pensée prétendent que nous sommes là pour être mis à l'épreuve et jugés et que, si nous échouons à ces tests (qui sont pratiquement impossibles à réussir), nous serons condamnés et rejetés pour l'éternité ? On retrouve une telle vision des choses chez la plupart des chefs religieux qui avaient de toute évidence des intentions cachées, ayant pour objectif non avoué de contrôler et parfois de manipuler les masses. Ne sont-ce pas eux qui se sont servis de leur compréhension du sens de la vie pour conquérir, massacrer et diviser les peuples ?

Comme chaque fois avec de « nouvelles » idées, il y a certaines nuances que vous n'avez peut-être pas encore prises en considération et qu'il vous faudra un peu de temps pour digérer. Toutefois, si vous écoutez votre cœur et vos instincts, et si vous progressez à votre rythme pour comprendre la réalité et vous libérer des mensonges, vous parviendrez à relier tous les points entre eux en quelques lignes droites seulement, et vous connaîtrez une plus grande paix et un plus grand sentiment de puissance personnelle.

Bien que cela vous soit peut-être déjà venu à l'esprit, je dois vous dire que ce que je m'apprête à partager avec vous peut paraître en contradiction avec la vision que la plupart des gens ont de l'Univers, voire avec ce que j'ai dit moi-même jusqu'ici : *dans tout ce que nous entreprenons, l'Univers (en dépit de l'attention et de l'amour infini qu'il nous porte) ne peut ni se mettre en travers de nos aptitudes, ni interférer avec nos manifestations, ni intervenir de quelque façon que ce soit, à mesure que notre vie se déploie.*

Par analogie, imaginez un parent qui envoie son adolescent de 15 ans – qui ne demande pas mieux – faire du camping durant deux semaines, afin qu'il apprenne l'indépendance et la responsabilité, et qu'il développe ses aptitudes sociales. Quelle serait l'efficacité de cette aventure si, au bout de quelques jours seulement, ce parent se présentait au campement, restait un peu en retrait et se mêlait des affaires de son enfant, afin de « garantir » la réussite de son séjour ? Bien sûr, si les choses tournaient vraiment mal au campement, il y *aurait* besoin qu'un parent intervienne. Mais, dans le temps et l'espace, même si les choses *paraissent* parfois aller mal, nous avons toujours (puisque nous sommes les yeux et les oreilles de Dieu, puisque nous sommes divins) la capacité prodigieuse d'inverser notre destin grâce au bon usage de nos pensées, de nos paroles et de nos actes, et quoi qu'il arrive, notre retour « à la maison », notre « salut » *est toujours garanti*. On peut dire que nous sommes aimés à un tel degré que quels que soient les peurs, les blessures et les mauvais traitements que nous puissions connaître, le système est ainsi fait – *il comprend tellement d'amour* – qu'il nous est *impossible* de faire le moindre tort à notre moi spirituel éternel. Le jeu est truqué... en notre faveur !

Par ailleurs, si l'Univers pouvait intervenir à la moindre de nos peurs, comment pourrions-nous finir par faire *l'expérience* de notre propre pouvoir ? Comment pourrions-nous découvrir notre vraie nature et notre héritage ? Vous répondrez peut-être, « Eh bien, on pourrait peut-être nous le montrer », mais ce n'est pas là la nature de l'aventure que nous avons choisie. Ou alors, vous pourriez dire, « On aurait pu nous le dire », mais c'est ce que les prophètes *n'ont cessé de faire* depuis l'aube des temps, mais ils ont généralement été « chassés de la ville sur un rail[1] » par les organisations mêmes qui se prétendaient gardiennes de la vérité. Et si une partie de leur message a souvent été adoptée, des rites, des règles et des rituels s'y sont greffés par la suite, ainsi que de nombreuses interprétations erronées, introduisant les notions de mérite, de faute et de sacrifice.

1 Allusion aux hors-la-loi du Far-West que l'on emmenait loin de la ville sur un rail porté par plusieurs personnes (à en croire Lucky Luke, ils étaient même parfois couverts de goudron et de plumes !). NdT

Dans cette vie-ci, dans la suivante ou celles qui suivront, chacun finit par repasser par la case de départ, comme au Monopoly, et par toucher une prime. Dans l'intervalle, toutefois, chacun est entièrement responsable de soi, de ses manifestations et de son propre bonheur. C'est notre responsabilité ultime, celle qui allait de pair avec le fait d'avoir reçu le pouvoir d'être, d'avoir et de faire tout ce que notre cœur désire, c'est-à-dire le pouvoir ultime. Alors, si vous vous sentez seul, petit et inadapté, n'oubliez pas que vous êtes infiniment plus que ce qu'on vous a enseigné ; que vous jouissez désormais de la capacité d'ordonner à tous les éléments de faire votre travail (parce que vous *vous êtes* ces éléments), d'invoquer métaphoriquement toutes les légions de l'invisible pour qu'elles viennent à votre aide (puisqu'elles sont toutes des extensions de vous-même) et de déplacer littéralement des montagnes (puisqu'elles font simplement partie des illusions auxquelles vous avez cru). L'Univers tout entier conspire en votre nom, sur la base du principe *les pensées se réalisent*, afin d'attirer dans votre vie tout ce que vous êtes capable de croire.

Survivre est *tellement* démodé

Et ça va encore plus loin ! Sur cette « émeraude dans l'espace », qu'est la Terre après avoir créé les accessoires, mis en place les planètes et choisi votre date de naissance – *tout cela, dans le but de vous épanouir et de prospérer* – vous *savez* que tout a bel et bien été orchestré dans ce but ! Vous êtes parfait tel que vous êtes, pour obtenir tout ce que vous rêvez d'avoir ; vous avez été créé sur mesure en vue des possibilités que vous seul rêvez d'explorer ; tout ce dont vous avez besoin pour entreprendre ce que vous voulez, pour réussir et accéder au bonheur se trouve déjà en vous ! Bien entendu, l'épanouissement peut signifier différentes choses pour différentes personnes : pour untel, cela voudra dire s'aimer soi-même ; pour un autre, accumuler des biens matériels ; et pour un troisième, les deux à la fois. Mais soyez assuré que quelle que soit la signification que prend l'épanouissement à vos yeux, vous possédez tout ce qu'il faut pour cela.

N'avez-vous pas déjà constaté que vous souriez plus souvent que vous ne froncez les sourcils ; que vous riez plus souvent que vous ne pleurez ; que vous êtes plus souvent en compagnie d'amis que totalement seul ; que vous avez de l'argent plus souvent que vous ne vous retrouvez sans le sou ; que vous vous éveillez progressivement à la vérité, au lieu de vous enfoncer toujours plus profondément dans un gouffre de mystère sans fond ; et enfin, que vous êtes en bonne santé bien plus souvent que vous n'êtes malade ? *Nous avons tous un penchant naturel et automatique pour l'épanouissement*, dans tous les domaines de la vie, et comme l'Univers et notre existence physique reflètent cette inclination (et conspirent en notre nom), plus notre vie se déploie, plus quelque chose semble nous « pousser » vers notre grandeur. C'est un peu comme si nous nous étions ralentis tout seuls, car nous sommes encore des nourrissons spirituels, et que chaque fois qu'il faut changer quelque chose dans notre vie, faute d'être mieux instruits, nous abordons généralement ces changements en nous fixant trop sur ce que nous n'aimons pas, au lieu de rester concentrés sur nos rêves.

Notre paramétrage d'origine est fait pour que nous nous épanouissions et que nous prospérions, pas pour que nous nous contentions de survivre. Regardez simplement où en sont le commerce, la technologie et l'espérance de vie, dans la civilisation moderne. Même s'il y a eu des ratés, il faut bien reconnaître qu'en dépit de notre naïveté spirituelle profonde, nous avons largement dépassé la « survie ». *Vous n'êtes pas venu ici-bas pour survivre, mais parce que vous vouliez « tout » avoir et vivre,* de la manière exacte dont *vous* définissez ce « tout », et c'est bien cela que vous allez obtenir.

Notre paramétrage d'origine est fait pour que nous nous épanouissions et que nous prospérions, pas pour que nous nous contentions de survivre.

Comme on ne vous a vraisemblablement jamais dit la vérité, tout cela doit vous paraître extravagant et bon pour les contes de fées. Toutefois, fort de la vérité, *vous êtes libre*. La vie *est* facile. Elle l'a *toujours* été. Et par-dessus tout, les mécanismes de la vie peuvent être connus de nous tous. Vous n'avez pas besoin de vous noyer dans le mystère, la confusion et le doute de soi ; ces choses-là ne font que vous priver de votre pouvoir. Sachant maintenant que vous avez un penchant naturel pour le bonheur et l'épanouissement, puisque c'est pour cela que vous avez été créé, pour cela que le décor était planté, et qu'en plus l'Univers tout entier est de la « partie », est-ce que vous imaginez maintenant toutes les nouvelles possibilités qui se présentent à vos yeux ?

La prière

Je ne suis pas très favorable à l'idée d'utiliser le mot « prière ». Comme le mot « Dieu », il a trop de connotations et signifie trop de choses différentes pour chacun. Je n'aime pas ce terme, parce qu'il implique habituellement que celui qui prie est impuissant et qu'il est redevable à certaines puissances ou à un Dieu qui lui sont *extérieurs*, qui peuvent décider qui ils aident, quand et comment. Par contre, ce que j'aime dans la prière, c'est qu'elle implique que nous ne sommes pas seuls et que nous sommes entendus. Vous êtes effectivement entendu par l'Univers, par chaque atome et chaque molécule, et par toutes les entités susceptibles de vous venir en aide. Quoi que vous pensiez, quoi que vous disiez ou viviez, l'Univers en prend note, il voit vos véritables intentions, suit vos actions et connaît toutes choses. *Vous n'êtes jamais seul.*

Savoir déléguer

Quand j'ai découvert les choses que je partage avec vous ici, je me suis senti très seul au début, non pas parce que les autres ne pensaient pas comme moi (à quelques exceptions près), mais parce qu'en se mêlant à la manière de penser que j'avais hérité de mon « ancienne école », l'idée que je puisse créer ma propre réalité me paraissait juste trop lourde de conséquences. Alors, même si j'avais tout de suite perçu qu'elle était vraie, je me surprenais souvent à penser, « Bon sang, comment je m'y prends pour créer ma propre réalité ? Comment prendre conscience de toutes les croyances et de toutes mes pensées ? Si je crée ma réalité, ça veut donc dire que je dois le faire tout seul, et c'est une sacrée responsabilité ! ». Toutes ces assertions étaient – et sont toujours – absolument exactes ; c'est effectivement un travail énorme et nous en avons *vraiment* la responsabilité. *Mais, il nous est permis de déléguer, et on peut le faire autant qu'on veut !*

Pour tout dire, il est même absolument obligatoire de déléguer, si l'on veut réaliser quoi que ce soit dans le temps et dans l'espace. Par analogie, si le pilote d'un jumbo-jet a le contrôle de son avion et de ses passagers, et s'il en assume pleinement la responsabilité, il délègue néanmoins à d'autres tout ce qui permet à cet avion de voler correctement. Il peut pousser ou tirer le manche à balai et actionner divers leviers pour diriger l'avion où il veut, mais ce n'est pas lui qui a inventé l'aviation ni toutes les procédures qui se rattachent à la commercialisation des vols. Ce n'est pas lui non plus qui a construit et testé cet avion, ni vérifié les millions de boulons et d'écrous qui en maintiennent les pièces ensemble ; il n'a pas davantage orchestré la formation de l'entreprise qui a acheté cet avion et qui dirige cette ligne aérienne ; il n'a pas embauché ni formé les hôtesses de l'air ; enfin, il n'a construit ni la piste d'atterrissage ni la tour de contrôle. En réalité, le pilote ne fait rien d'autre que de se présenter quelques heures avant le vol pour les procédures précédant le décollage, de se glisser ensuite dans le cockpit, de faire décoller l'engin et de lui indiquer sa destination ! De manière analogue, c'est tout ce que vous avez à faire vous aussi pour commencer à vivre la vie de vos rêves : donner de la puissance à vos pensées, vous fixer une destination (ce qui implique de l'action, même si celle-ci est minime au regard de tout ce qui sera fait pour vous), puis déléguer le reste à l'Univers – à votre moi supérieur – et aux principes qui régissent le temps et l'espace, en ayant *foi* dans leur efficacité sans faille.

Atteindre le point de bascule

Nos responsabilités pâlissent en effet à côté de tout ce qui est fait pour nous, mais il n'en demeure pas moins qu'agir – *et agir régulièrement* – est d'une importance cruciale. À nouveau, cela ne tient pas tant à ce que vous allez accomplir de la sorte, mais au fait qu'en agissant, on se met en position de bénéficier de la magie de la vie.

Quoi que vous pensiez, quoi que vous disiez ou viviez, l'Univers en prend note, il voit vos véritables intentions, suit vos actions et connaît toutes choses. *Vous n'êtes jamais seul.*

Dès que vous cultivez de nouvelles pensées, vous mettez en action toute la mécanique de l'Univers. Les circonstances et les acteurs de votre vie sont aussitôt réorganisés, afin de déclencher la séquence d'événements nécessaires à concrétiser vos rêves. Puis, à mesure que vous allez de l'avant avec vos rêves, vous verrez se produire tous ces soi-disant accidents, coïncidences et synchronicités, délibérément orchestrés par l'Univers pour que vous rencontriez les bonnes personnes, au bon moment, avec les bonnes idées. Votre inspiration vous apportera également les bonnes intuitions, des idées lumineuses, ainsi que toute la créativité nécessaire pour manifester vos rêves. Toutefois, si vous ne vivez pas physiquement votre existence dans le monde, en vous efforçant au minimum de cheminer dans la direction générale de vos rêves, il ne se produira tout bonnement aucune synchronicité et aucun « coup de chance » de ce genre.

Il se peut que le seul fait de continuer à faire ce que vous faites déjà (et ce que font également tous ceux qui ne connaissent *rien* des principes à l'œuvre dans la vie) soit suffisant, dès lors que *vous couplez cela à la conscience de la façon dont vos pensées se réalisent*. Mais, si vous voulez augmenter de manière exponentielle les chances que l'Univers vous satisfasse, il y a deux ou trois choses de plus que vous pouvez faire. Agissez avec foi et faites *comme si*, en allant frapper à quelques nouvelles portes et en retournant quelques nouvelles pierres. Je le répète, quand on pose des actes aussi simples, de manière régulière, *en sachant* comment ils peuvent et vont être exploités par l'Univers, c'est comme si l'on atteignait *simultanément* un point de bascule, au-delà duquel les résultats consécutifs sont aussi rapides que stupéfiants.

Des pensées qui vous dépassent

Il est tout à fait naturel de se sentir quelque peu submergé, quand on commence vraiment à mesurer toute sa puissance et ses responsabilités. Mais si vous comprenez simultanément que vous disposez également d'un système plein d'amour, de principes puissants et d'un Univers conscient, qui n'attendent que votre sollicitation pour se mettre à votre disposition, la tâche paraît du même coup moins intimidante. Le défi consiste alors à prendre conscience de tout ce que vous pouvez et devriez remettre entre les mains de l'Univers.

Au départ, ça peut paraître un peu simpliste : demander, puis avoir foi. Mais ce qui vous échappe, c'est que vos requêtes initiales sont encore imprégnées de vos perspectives limitées et de la logique de l'« ancienne école ». Fort heureusement, une fois que vous en prenez conscience, vous réalisez que vous pouvez en demander et en attendre bien plus de cet Univers magique dans lequel nous vivons.

Par analogie, rappelez-vous quand vous étiez enfant et que quelqu'un vous a demandé ce que vous répondriez à un génie qui vous accorderait un vœu. L'exercice vous paraissait sans doute bien difficile, puisqu'en faisant un choix, cela signifiait que vous renonciez aux autres choses dont vous rêviez. Jusqu'au jour où vous avez compris que le souhait à formuler à ce génie devait être de pouvoir lui exprimer autant de souhaits que vous vouliez ! Dès lors, il devenait possible d'avoir désir sur désir !

Voilà comment fonctionne l'Univers : vous pouvez véritablement en demander beaucoup plus que vous ne l'imaginiez au départ. Mais, si vous pensez que vous ne pouvez pas demander d'aide, ou si vous croyez que vous ne pouvez faire que des requêtes modestes et désintéressées, et qu'il ne faut surtout pas abuser, alors c'est effectivement tout ce que vous allez obtenir. Vous devez penser plus grand ; avoir des pensées qui vous dépassent. Laissez libre cours à votre imagination quand vous avez envie de demander quelque chose. Si vous demandez l'illumination, n'allez pas ensuite imaginer qu'il faut vous retirer sur une montagne solitaire pour en bénéficier ; demandez à ce que l'illumination vous soit accordée sans effort, tandis que vous écoutez votre musique favorite ou que vous rentrez chez vous en voiture, après le travail.

De même, ne demandez pas la richesse et l'abondance si c'est pour, l'instant d'après, vous bottez le derrière en estimant que vous devez y mettre du vôtre ; demandez à ce que les choses vous soient accordées rapidement, honorablement et facilement. Ne demandez pas des amis simplement pour avoir à disposition quelqu'un qui vous comprenne ; demandez aussi des fêtes, des soirées mémorables, des rires et des moments de détente. Ne demandez pas seulement un nouvel emploi ; demandez une carrière qui vous enthousiasme et qui vous stimule jour après jour, ou demandez une opportunité professionnelle qui vous permettra de changer le monde. Ne demandez pas à être un acteur du changement, tout en pensant qu'il vous faudra faire des sacrifices pour cela ; demandez à ce que ce soit formidablement amusant à faire. La plupart des gens n'ont aucune idée de toutes les restrictions qu'ils imposent automatiquement au moindre de leurs désirs.

Rappelez-vous que vous n'êtes pas seul. Vous avez à votre disposition un Univers vivant et aimant, étroitement branché sur vous – prêt à ce que vous lui déléguiez des tâches – et pour peu que vous compreniez sa présence et que vous ayez une foi renouvelée en sa magie, vous pouvez commander sans effort aux éléments pour qu'ils fassent vos quatre volontés.

Oups ! Avez-vous bien noté ce que je viens de dire ? Il est facile de dire, « Ouais, ouais », mais je viens de vous dire que vous devez avoir « foi en sa magie ». Est-ce que vous avez foi en sa magie, maintenant Avez-vous foi dans l'invisible en cet instant même ? Avez-vous vraiment conscience que ce n'est pas à vous de déterminer *la manière* dont les choses vont se faire ? Et que vous n'avez rien besoin de faire *seul* ? Eh bien, à partir d'aujourd'hui, si vous commencez à intégrer cette façon de penser à tout ce que vous faites, vous allez voir ce que vous allez voir !

S'ancrer dans son pouvoir

Malheureusement, il est facile de considérer la « magie » de la vie comme un dû, au point de ne plus en percevoir la présence dans notre vie. Pour que cette présence soit plus apparente, prenez conscience que la foi en cette magie commence par la reconnaissance de *ce miracle que vous êtes déjà par vous-même*, pas seulement votre personnalité, votre charme et votre style unique (bien que ce soient aussi des miracles), mais le niveau basique même de votre existence, c'est-à-dire le fait même que vous soyez doté de conscience et de perspective, et que vos pensées et vos observations ne cessent de vous traverser, sans aucun effort de votre part. Voilà le point de départ. Le fait de méditer simplement sur votre propre miracle, que vous êtes bien incapable de recréer ou de détruire (ni la mort ni le suicide n'interrompent le flot de vos pensées, dont l'origine n'est pas dans le monde physique) devrait constituer le point de départ de votre foi en la magie.

Pour aller un peu plus loin, prenez conscience que vous n'avez réalisé en fait qu'un tout petit nombre de toutes les choses que vous pensez avoir faites ; vous n'avez, dans la plupart des cas, fait qu'émettre des directives fondées sur vos intentions et vos attentes, qui ont permis à l'Univers de se mêler de vos affaires et de faire le vrai boulot. En vous projetant dans l'avenir, prenez maintenant conscience que vous pouvez vous appuyer sur cette même magie, au moment de vous fixer des buts à court et à long termes. En reconnaissant la magie de la vie et la façon dont elle opère déjà dans votre vie, vous pouvez alors compter sur elle pour qu'elle fonctionne aujourd'hui et à l'avenir. Ce qui signifie du même coup que vous pouvez obtenir bien plus de choses, en en faisant beaucoup moins qu'avant, en mettant l'Univers à contribution et en invoquant la magie qui imprègne *déjà* toute votre vie.

Votre compte bancaire universel

Imaginez que je vienne de vous passer un coup de fil pour vous dire que j'ai viré 20 millions de dollars exonérés d'impôt sur votre compte en banque. Imaginez ça ! Durant un bref instant, croyez vraiment que la chose soit vraie. Arrivez-vous à vous représenter le petit ticket qui sortirait du distributeur automatique, au moment de demander votre solde ? Vingt millions de dollars ! Essayez de vous représenter tous ces zéros ! Représentez-les vous sur votre compte en banque, puis imaginez-vous en train d'équilibrer un compte long de huit chiffres !

Puis, imaginez-vous le sentiment de paix qu'une telle somme vous procurerait. Songez-y : il n'y aurait plus rien que vous ne pourriez vous permettre. Plus aucune destination sur cette planète ne serait pas dans vos moyens. Il n'y aurait plus aucun restaurant où vous ne pourriez aller manger tous les jours, plus aucun hôtel où vous ne pourriez séjourner jusqu'à la fin de votre vie, aucun hobby que vous ne pourriez envisager, aucune maison (ou presque !) que vous ne pourriez vous permettre, aucun cadeau que vous ne pourriez acheter aux êtres qui vous sont chers, et vous n'auriez plus jamais à vous soucier d'argent ! Songez-y un instant, en imaginant ces possibilités infinies. Je vous suggère même de poser ce livre quelques instants pour laisser libre cours à votre imagination avec ces 20 millions de dollars.

Plutôt amusant, n'est-ce pas ? Alors maintenant prenez conscience que la magie actuellement à votre disposition *éclipse totalement* la puissance et la liberté que vous offrent ces 20 millions de dollars dérisoires. Vous vous êtes sans doute rapidement rendu compte que vous pouviez dépenser 20 millions en une vie, mais avec la magie de l'Univers à disposition, ces 20 millions peuvent en devenir 100, et de façon répétée, sans même entamer le capital qui est le vôtre. Vos ressources sont illimitées et éternelles, vous n'avez qu'à vous en emparer ! Elles se trouvent déjà dans votre compte bancaire universel et vous pouvez y puiser plus d'amour, de joie et de rires, à tout moment. Voilà qui devrait alimenter vos visualisations pendant plusieurs jours d'affilée.

Bien entendu, il vous faut croire à ce compte en banque universel pour pouvoir l'utiliser, et, comme il est invisible, vous devez avoir foi en son existence. Comportez-vous *comme s'il* existait et vous pourrez alors y faire des retraits. Gardez simplement ceci à l'esprit : même si le potentiel de votre compte bancaire universel est illimité, il ne contient à tout moment qu'autant d'argent que vous décidez d'y retirer.

Maintenant, notre cerveau – la logique – nous dit que plus nous faisons de retraits, moins il nous reste de ressources, mais cela est dû au fait que notre cerveau a l'habitude de s'occuper de la réalité *physique*. Son sens de la logique n'est pas adapté à l'Univers spirituel. Pour tout dire, c'est même l'inverse qui est vrai, en ce qui concerne ce compte bancaire universel : plus on y puise, plus ses ressources augmentent ! Si vous allez retirer 100 $ au distributeur automatique universel, c'est effectivement la somme qu'il vous donnera ; mais si vous lui demandez un million, il vous la donnera également, si vous avez la foi.

Toutefois, cela ne veut pas dire que vous deviez dépenser plus d'argent physique que vous n'en possédez, jusqu'à vous retrouver endetté au nom de la foi ! Cela signifie seulement que vous devez savoir que vous possédez ce compte en banque universel et que si vous l'utilisez et y faites des retraits – de manière progressive, afin de rester cohérent avec tout ce que vous pensez, dites et faites – vos comptes bancaires physiques en seront bientôt le reflet.

Comment cela ? Commencez par *faire ce que vous pouvez*, en dépensant ce que vous pouvez vous permettre sans vous inquiéter ; en ayant foi que vos coffres vont se remplir ;

et en ne faisant pas de réserves pour les mauvais jours. Vous pouvez également aller faire du lèche-vitrines ; vous pouvez aussi planifier les choses, vous préparer et paver le chemin à l'abondance que vous attendez ; vous pouvez vous visualiser en train de vivre la vie de vos rêves, et, bien entendu, prendre un papier et un stylo pour définir celle-ci dans les moindres détails. Démontrez la foi qui vous habite en commençant dès maintenant à vivre la vie dont vous rêvez, dans la mesure dont vous êtes capable, en écoutant vos pressentiments et vos intuitions, et en agissant *physiquement* dans le sens d'une plus grande abondance. C'est en insistant, en demandant, en exigeant et en sachant que cette magie est là pour qu'on y fasse appel, en l'invitant dans vos pensées, avec gratitude, en la remerciant pour tout ce que vous avez déjà – même si vous ne le voyez pas encore physiquement parlant – que vous vous préparez à des retraits futurs illimités.

Il y a des preuves de la magie de la vie partout autour de vous. Pour vous en convaincre, commencez par observer votre propre existence et votre conscience. Prenez conscience de ce miracle que sont vos pensée, et réalisez que pour penser et respirer, pour bouger, pour parler, chanter et danser, vous devez être un être magique – un être spirituel – dont la puissance, la profondeur et les ressources sont infiniment plus grandes que vous ne l'imaginiez jusqu'ici. En allant dans la nature et en observant sa grâce, sa beauté et son abondance, vous y trouverez encore plus de magie. La nature n'est d'ailleurs qu'émerveillement : des fleurs qui bourgeonnent, une variété incroyable d'espèces dans l'écosystème d'une forêt, des oiseaux qui traversent le ciel sans effort. Pouvoir observer la splendeur d'un lever ou d'un coucher de soleil, et voir toute la nature y réagir sans effort, n'est-ce pas là de la pure magie ?

Avoir foi en l'Univers, c'est *effectivement* croire en la magie, mais dès que vous comprenez les capacités infinies de l'Univers et que vous prenez conscience qu'il s'offre librement à tous ceux qui le demandent, cette magie devient beaucoup moins mystérieuse et infiniment plus accessible, voire prévisible, au point de ne plus paraître magique du tout.

Apprendre à confier des choses à l'Univers

Nous avons tellement l'habitude de douter de nous-mêmes, qu'il nous paraît normal de douter de choses et de processus qui nous sont apparemment extérieurs. Nous jugeons « naturel » de nous inquiéter, de nous faire du souci et même d'avoir des solutions de secours, aussi déplaisant que ce soit, mais les doutes de ce genre ne font que *diminuer* les performances que l'Univers accomplit en notre faveur. Et si nous nous inquiétons tellement, c'est parce que nous croyons à tort que c'est nous, avec notre petit moi physique, qui devons réaliser tous nos désirs. Si c'était vrai, il y *aurait* effectivement de quoi se faire du souci ! Mais l'ironie veut que notre moi physique ne soit guère plus qu'une motte d'argile qui respire, incapable de fonctionner sans l'aide de l'Univers ! Nous ne pouvons ni marcher ni parler sans l'Univers, mais nous croyons pourtant que c'est à nous d'assurer notre santé, nos ressources financières, notre paix intérieure et notre harmonie, en mettant à profit chaque heure de chaque journée. Mais en ayant de telles pensées et de telles croyances, nous ne faisons que nous dire, à nous et à l'Univers, que nous n'avons pas foi en ses miracles sans fin et que nous n'y croyons pas.

D'un autre côté, dès que la *pensée magique universelle* s'inscrit vraiment dans votre vie, vous vous rendez enfin compte que chaque chose est déjà exactement telle qu'elle devrait être et que vous êtes sur le point de manifester tous vos rêves. Dès l'instant où vous vous mettez à apprécier le présent et tout ce qu'il vous réserve, vous êtes moins fixé sur le futur et ce que vous en attendez. Après tout, l'Univers sait ce que vous voulez et, en respectant votre rythme naturel – et vos propres *cadeaux du ciel* – vous pouvez parfaitement vous détendre, en ayant foi que tous vos désirs et vos rêves futurs se manifesteront (avant même que vous en ayez connaissance).

Pour ceux d'entre nous qui n'en sont pas encore tout à fait là – ceux qui aiment se fixer des buts, en les considérant comme des défis à relever – la manifestation de leurs rêves reste néanmoins un hobby amusant et instruisant. En appliquant cette compréhension de la magie de la vie à vous-même et à votre propre existence, vous devriez rapidement prendre conscience que la tâche qui vous incombe, dans le processus de manifestation de vos rêves, consiste prioritairement à déterminer avec précision ce qu'ils sont, plutôt qu'à lutter de toutes vos forces comme s'il vous fallait combattre l'Univers pour « qu'ils se réalisent ».

La clarté engendre la clarté

C'est à vous qu'incombe la tâche de définir le plus exactement possible ce que vous voulez, non seulement dans le plan physique, mais surtout au niveau émotionnel. J'ai rencontré trop de gens qui disent simplement, « Je veux être riche », sans se demander pourquoi. Si on leur pose la question, ils répondent, « C'est évident : je veux vivre sans plus jamais avoir à me soucier d'argent ». Rien de mal à ça, sauf qu'une fois qu'ils y seront parvenus, que feront-ils de leur vie ? Donc, mieux vous arrivez à répondre à ces questions, plus votre intention sera claire et plus il vous sera facile de penser à – puis de concrétiser – ce que vous désirez.

Alors, de quoi avez-vous *vraiment* envie ? Réfléchissez-y maintenant et déterminez-le précisément. Vous constaterez peut-être que cette question se mue parfois en un exercice sur les croyances, et il n'y a pas de mal à cela. Le fait de mieux se comprendre soi-même nous aide à mieux comprendre nos désirs les plus authentiques. Et plus nous sommes clairs et sûrs quant à nos désirs, plus ils se manifestent rapidement dans notre vie.

En ce qui me concerne, chaque fois que je fais ces exercices mentaux (c'est-à-dire que je me concentre tout d'abord sur la magie de la vie, puis que je m'efforce de définir aussi clairement que possible ce que je veux), j'ai parfois l'impression de me heurter à certaines barrières. Par exemple, j'atteins cette conscience de ma nature divine et de l'abondance illimitée à laquelle j'ai droit, mais une fois que je sors la tête des nuages pour passer à l'application, qu'il s'agisse de planifier de nouvelles vacances ou d'acheter une maison plus grande, je me surprends à avoir des pensées restrictives, du genre, « Oh, je ne peux pas me permettre de prendre autant de vacances » ou « Je ferais mieux d'attendre d'avoir un peu plus d'argent ». Holà ! Ce genre de pensée découle de croyances limitées qui viennent de pointer le bout de leur vilain nez, alors j'entreprends immédiatement de me demander pourquoi je devrais attendre ou pourquoi j'estime que je devrais remettre à plus tard cet achat dont je rêve.

Ce que je veux dire, c'est qu'en laissant la magie de la vie vous inspirer au point que vous osez vraiment rêver en grand, sitôt que vous « revenez sur terre » pour appliquer vos grands idéaux, vous vous trouvez dans un état idéal pour surprendre et identifier les croyances contraires à la présence de cette magie. C'est formidable d'en arriver là, car cela veut dire que vous avez finalement mis en lumière ces croyances invisibles et que vous pouvez donc désormais vous atteler à les démanteler. Un exercice de ce genre remplit donc deux objectifs : premièrement, il aligne vos pensées sur la vérité relative à votre pouvoir et à l'Univers magique où vous vivez ; deuxièmement, il vous aide à épingler vos croyances restrictives.

Nous pouvons ne pas être en mesure de comprendre la logistique de l'Univers, mais cela ne veut pas dire pour autant que nous ne puissions pas en apprécier la magnificence, en sentir la bienveillance, ni *nous appuyer* sur sa perfection évidente.

Il ne s'agit *pas* de foi aveugle

Avoir foi en l'invisible ne signifie pas que cette foi doive être aveugle. Ce n'est pas parce que vous ne voyez pas vos pensées qu'elles n'existent pas, et de manière analogue, ce n'est pas parce que vous ne distinguez pas les processus à l'œuvre dans la magie de la vie qu'ils sont inexistants. Avoir une foi aveugle signifie croire sans cause ni raison, et si quelqu'un possède une foi de ce genre en l'Univers, je doute que cela lui soit d'une quelconque utilité. Si vous ne comprenez pas la cause de quelque chose, il devient pratiquement impossible d'y croire.

Nous pouvons ne pas être en mesure de comprendre la logistique de l'Univers, mais cela ne veut pas dire pour autant que nous ne puissions pas en apprécier la magnificence, en sentir la bienveillance, ni *nous appuyer* sur sa perfection évidente. La foi que vous devez avoir ne doit pas être aveugle, mais au contraire imprégnée de compréhension. Vous devez comprendre que vous n'êtes pas un accident et que les forces mystérieuses et aimantes qui vous ont accompagné jusqu'ici sont de toute évidence encore à l'œuvre. Vous devez comprendre que tout est vivant et que, en cet instant même, vous êtes exactement là où vous devez être. Puis, grâce à cette compréhension, votre foi sera renforcée, votre confiance en vous augmentera et votre optimisme aussi, ce qui donnera à l'Univers toute liberté de vous combler de merveilleuses surprises et de « coïncidences » qui n'en sont pas.

Tout ce qui est de l'or ne brille pas

Quand vous vous retrouvez au fond du gouffre, il est parfois difficile de voir la lumière au bout du tunnel. Mais quand vous comprenez la nature des choses et que vous savez que les pensées que vous cultivez aujourd'hui modèlent ce que vous vivrez demain, et que ce sont ces pensées-là que l'Univers utilisera pour conspirer en votre faveur, quelles raisons avez-vous encore de vous inquiéter ? Grâce à cette nouvelle compréhension et à la foi qu'elle vous inspire automatiquement, chaque fois que vous êtes dans le creux de la vague, rappelez-vous de penser – fort de cette nouvelle perspective – qu'où que vous soyez, les choses ne peuvent qu'aller beaucoup mieux. Le vide, le temps mort qu'il vous est donné de vivre ne sert qu'à donner le temps à l'Univers d'orchestrer à votre attention une « surprise-partie » relativement compliquée, mais fantastique.

Ce qui me remet en mémoire la période que j'ai connue juste après avoir obtenu mon diplôme universitaire. J'avais terminé avec de bonnes notes et j'avais fait tout ce qu'il fallait pour être en mesure de décrocher un excellent premier emploi dans pratiquement n'importe quelle entreprise de comptabilité. Pourtant, entretien d'embauche après entretien d'embauche, j'échouais à obtenir un poste. J'ai même failli me faire embaucher par certaines des huit plus grandes entreprises de comptabilité de l'époque, parmi les plus prestigieuses au monde, dont deux avaient même payé mon déplacement jusqu'à leurs bureaux (signe évident à mes yeux qu'une offre était imminente), et pourtant rien n'aboutissait. Les mois qui s'écoulèrent alors me parurent une éternité ! Je fus reçu par pratiquement toutes les sociétés de comptabilité les plus importantes dans un rayon de 500 km de chez moi, sans aucun résultat.

J'étais tellement découragé que je me suis concocté trois nouveaux CV, orientés vers des domaines sans aucun rapport avec la comptabilité, puisque celle-ci semblait « ne pas être faite pour moi ». Je m'étais donc fait un CV pour la banque, un autre pour les assurances et un troisième pour devenir agent de change, et *malgré cela* je n'arrivais toujours pas à décrocher un emploi !

En fait, je reçus quand même une offre de l'expert-comptable de mon père pour un emploi à 12 000 $ par an, ce qui, à l'époque, n'était pas si mal que ça, mais en dépit de la longue liste d'entretiens d'embauche sans suite que j'avais déjà passés, je l'ai rejetée ; je me disais que je pouvais quand même viser mieux. De plus, au cours de ma dernière année d'Université, je m'étais plu à rêver à ce que ça ferait de gagner au moins 18 500 $ par an (ce qui correspondait aux salaires que payaient les huit plus grandes entreprises de comptabilité), aussi cette offre à 12 000 $ ne m'enchantait guère.

Finalement, au bout de trois longs mois désespérants, un ami de la famille m'obtint un entretien d'embauche avec Pricewater, qui venait juste de décrocher un nouveau grand hôpital comme client. Cette entreprise était sans conteste la plus prestigieuse de toutes, et probablement la seule à laquelle je n'avais pas encore rendu visite dans toute ma zone géographique de recherche. L'entretien se déroula extrêmement bien et fut rapidement suivi par une offre à 18 500 $!

Vous parlez d'un coup de chance ! Je reste encore aujourd'hui reconnaissant d'avoir vécu ces trois mois-là de cette façon-là – de ne pas avoir été embauché par quelqu'un d'autre – car j'ai compris par la suite qu'il fallait simplement qu'un peu de temps s'écoule avant que Pricewater bénéficie d'une opportunité inattendue qui se révélerait parfaite pour moi. C'est cette même entreprise qui m'a ensuite envoyé au Moyen-Orient, en mission à l'étranger, où j'ai connu l'une des meilleures périodes de ma vie. Quand j'ai quitté Riyad pour revenir aux États-Unis, Pricewater m'a brièvement envoyé à Manhattan, avant de me muter à Boston. Grâce à ces trois longs mois d'attente, j'ai pu réaliser toute une série de rêves que j'avais ; ces mois douloureux furent en réalité une bénédiction déguisée.

Bien, alors, que pouvez-vous faire de cette histoire ? Utilisez-la pour retrouver la foi dans les moments creux de votre vie. Considérez ces moments-là comme des répits nécessaires qui permettent à l'Univers de réarranger les acteurs et les événements de votre vie, de manière à rendre possible la réalisation de certains de vos rêves. Ne vous appesantissez pas sur ses creux, ne perdez pas la foi, n'abaissez pas vos exigences, ne vous découragez pas et, plus que tout, ne ressassez pas cette apparente absence de progrès. Comme dans mon cas, le fait que vous ne discerniez aucun progrès ne signifie pas qu'il ne s'en produit pas. Sachez ceci : l'Univers et toute sa mécanique sont invisibles, mais des choses se produisent *effectivement*. Même pendant que vous lisez ces pages, des miracles dans l'invisible ne cessent de se produire en votre faveur. Mais si vous en doutez, cela veut dire que vous doutez de l'Univers *tout entier* ; votre foi s'affaiblira et vous risquez alors de prendre des décisions susceptibles de court-circuiter les cadeaux qui allaient justement se manifester dans votre vie.

Relaxez-vous tant que vous pouvez

Maintenant, ne vous inquiétez pas sous prétexte que, par le passé, vous avez renoncé trop tôt à certains de vos rêves et que la situation serait désormais désespérément irrécupérable : en réalité, il n'est jamais trop tard pour atteindre un bonheur euphorique ou un plein épanouissement. Peut-être n'est-il plus temps pour vous pour aller en fac de médecine, mais, compte tenu des aventures qui vous attendent, ce n'est pas plus mal, car l'Univers est extraordinairement capable de prendre en compte votre situation actuelle précise et de vous procurer la vie dont vous avez toujours rêvé.

Et pour poursuivre dans la même veine : quand vous êtes dans le creux de la vague, ou dans une accalmie, utilisez le temps dont vous disposez pour travailler davantage sur vos pensées et vos croyances. Consacrez un moment chaque jour à la visualisation ; mettez à jour le montage photo de votre vision de l'avenir (si vous en avez un), ou notez peut-être certaines de vos croyances. Ne vous cherchez pas des problèmes, mais restez vigilant et veillez à ce que vos pensées et vos croyances restent bien alignées sur la vie de vos rêves. Pour ce faire, je prends comme point de départ mes rêves et ce que j'attends d'eux, puis je travaille à reculons sur mes croyances et mes pensées actuelles, plutôt que d'essayer de dénicher les croyances restrictives qui interfèreraient éventuellement avec mes aspirations. On peut considérer les périodes d'accalmie comme des cadeaux – comme le calme qui précède la tempête d'une manifestation glorieuse – et, quand on les envisage sous cet angle, elles peuvent même finir par devenir certaines des périodes les plus heureuses de notre existence, presque des vacances entre des moments de grande créativité.

Établissez votre demeure dans l'esprit

Permettez-moi de vous poser une question : si vous pouviez avoir tout ce que vous désirez – absolument tout (sauf, bien entendu, une personne spécifique !) – quel serait votre désir ? (Et, cette fois-ci, ne me répondez pas « d'être heureux », mais choisissez un bien matériel ou une réalisation précise.) Quel est le cœur même de la vie dont vous rêvez ?

Il n'est jamais trop tard pour atteindre un bonheur euphorique ou un plein épanouissement.

Bien. Maintenant, quel que soit votre désir, y a-t-il le moindre doute en vous que toute la « magie et la sorcellerie » de l'Univers se révèlent incapables à vous procurer exactement ce à quoi vous avez pensé ? Pensez-vous que, si ça se trouve, même « Dieu » ne pourrait pas vous obtenir ce que vous avez demandé ? Avez-vous un doute quelconque de ce genre ? Bien sûr que non ! Vous savez que si ça ne tenait qu'à Dieu, aux forces mystiques de l'Univers, tout serait possible et notamment la réalisation de votre vœu ! Les seuls doutes qui peuvent vous habiter, et qui vous habitent *très certainement*, vous concernent vous-même : vous doutez de votre capacité à réaliser vos plus grands rêves, et vous vous demandez si vous le méritez. Pour ce qui est de ce dernier point, j'en parlerai plus loin, mais s'agissant de votre capacité, comme j'y ai fait allusion précédemment, *vous devriez effectivement la remettre en question*. Vous (votre *moi physique*) ne peut strictement rien faire sans l'aide de l'Univers, aussi est-il impossible que ce *moi physique* réalise vos rêves – il n'y parviendra jamais, jamais, jamais – sauf, bien entendu, si vous sollicitez l'aide de l'Univers (dont vous venez de reconnaître qu'il était capable de tout).

Si vous comprenez bien ce que je suis en train de vous dire, vous en saisirez toute l'importance. Vous et moi, comme pratiquement tout le monde, avons vécu toute notre vie en croyant que les choses fonctionnaient dans l'autre sens, à savoir qu'il nous revenait métaphoriquement à nous de porter tout le fardeau du monde sur nos épaules. Mais il est temps de nous débarrasser de ce lavage de cerveau. La pensée suivante mérite d'être notée sur un bout de papier et affichée chez vous, afin que vous vous en rappeliez constamment : *Établissez votre demeure dans l'esprit*. Prenez l'habitude d'y soumettre chacun de vos défis et de vos problèmes. Et chaque fois que vous désirez quelque chose, remettez cela immédiatement à l'Univers, en prenant conscience que le travail que cela réclame est au-delà de vos moyens physiques.

Attendez-vous à l'inattendu

La prochaine fois que vous pratiquerez la *visualisation*, incluez l'Univers et sa magie dans votre travail. Ne vous contentez pas de vous voir en train de manipuler votre vie ; voyez *l'inattendu* surgir dans votre quotidien et imaginez les sentiments que vous éprouverez après avoir reçu quelques surprises *époustouflantes* de l'Univers. Imaginez que des coïncidences fantastiques et des imprévus merveilleux surviennent au cours de la succession d'événements dont vous avez rêvé, vous propulsant encore plus loin que vous ne l'auriez cru possible. Voyez-vous en train de recevoir des coups de fil bouleversants de personnes totalement inconnues, en mesure de vous apporter une aide inespérée. Imaginez-vous en train de dire à vos amis qu'un miracle vous est arrivé l'autre jour, alors que vous n'y prêtiez même pas attention. Visualisez-vous en train d'ouvrir une lettre émanant d'une entreprise inconnue et de découvrir qu'elle contient des nouvelles merveilleuses.

Ne manquez pas d'inclure la magie et les surprises chaque fois que vous visualisez quelque chose ! Après tout, il s'en produit bien à chaque instant, chaque jour de la semaine. N'est-ce pas ?

Oui, c'est bien vous ; oui, c'est bien maintenant

Quant à savoir ce dont vous êtes digne et ce que vous méritez, les gens qui sont dignes d'occuper une place dans le temps et dans l'espace ou encore ceux qui sont capables de penser sont automatiquement dignes de tout ce qu'ils peuvent imaginer, peu importe qui ils sont, peu importe ce qu'ils ont fait auparavant, et indépendamment de l'impression qu'ils peuvent avoir d'être trop nuls pour cela ou ne pas le mériter. Au fond, si vous êtes encore là, c'est que vous êtes encore digne de recevoir ce que vous voulez, car la seule raison pour laquelle vous êtes toujours là, c'est que vous êtes aimé d'une façon inconditionnelle – à un degré que vous n'imaginez même pas – par l'Univers *tout entier*. C'est ce qui explique votre existence ; vous existez, parce que *vous êtes aimé*. D'ailleurs, vous êtes aimé que vous soyez « là » ou non, car même si vous vous trouviez dans un autre plan d'existence, vous n'en feriez pas moins un avec Dieu. Il n'existe aucune autre possibilité.

Pour qu'il vous soit encore plus facile de comprendre quelle est la véritable mesure de votre puissance, voici encore une autre façon d'envisager votre existence : songez à quelqu'un qui vit actuellement la vie à laquelle vous aspirez ; pensez à certaines célébrités ou à des maîtres accomplis dans le domaine qui vous intéresse. (Vous pouvez même penser à quelqu'un que vous idolâtrez.) Vous n'êtes pas obligé de vous limiter à une seule personne ; concentrez-vous sur plusieurs d'entre elles. Puis, demandez-vous si les cadeaux dont ont bénéficié ces personnes sont le résultat de ce qu'elles ont fait au niveau physique. Ont-elles elles-mêmes orchestré les « coups de chance » qu'elles ont eus dans la vie ? Est-ce que leurs réalisations sont le fruit de leur cerveau logique ? Non ! Ces personnes-là sont comme vous ; physiquement, elles ne peuvent ni parler ni marcher sans l'aide de l'Univers, qu'elles en aient conscience ou non ! Elles font simplement un meilleur usage de la magie de la vie que la plupart d'entre nous ! Ces gens-là sont un exemple très inspirant de ce que l'Univers peut faire *pour vous*. Grâce à leurs croyances, elles ont poussé l'Univers à faire tout ce que vous estimiez devoir faire par vous-même !

Songez par exemple à Tiger Woods sur un terrain de golf, à Oprah Winfrey à la télévision, ou encore à Kate Winslet sur le grand écran. Pensez également aux chefs-d'œuvre qu'ont créés Van Gogh, Ayn Rand ou Beethoven, ou encore à ce que nous devons à des êtres comme Abraham Lincoln, Louis Pasteur ou le Mahatma Gandhi, et à la façon dont ils ont changé le monde. Où croyez-vous que toutes ces âmes-là ont trouvé leur inspiration ? Comment pensez-vous qu'elles sont parvenues à leurs fins ? Pourquoi, à votre avis, ont-elles atteint de tels sommets dans leur domaine respectif ? Selon vous, qui a vraiment accompli leur travail ? Enfin, en quoi ces personnes-là diffèrent-elles physiquement de vous ?

Ces gens-là ne sont pas (ou n'étaient pas) plus divins ou plus doués que vous. Ils enfilaient tous leurs pantalons une jambe à la fois, mais, pour une raison ou une autre, ils avaient la foi et, *fût-ce avec beaucoup d'humilité*, ils la traduisaient en actes, ce qui mettait ensuite l'Univers à contribution.

Étudiez attentivement votre propre vie, et voyez dans toutes les expériences merveilleuses qui vous sont arrivées la preuve qu'une telle magie existe. Attribuez à l'Univers tout le crédit de vos plus belles réalisations, afin de bien inscrire en vous la conscience que vous êtes relié, car quoi que vous ayez fait de grand par le passé, vous pouvez le refaire et le refaire encore, maintes et maintes fois. Sachez aussi que chacun de vos rêves ne représente en réalité qu'un jour de travail pour cet Univers magique et infini qui vous tient dans la paume de sa main.

Si vous êtes encore là, c'est que vous êtes encore digne de recevoir ce que vous voulez.

Il m'arrive parfois le week-end de rouler en voiture dans certains des plus beaux quartiers d'Orlando, où les maisons trônent au milieu de propriétés magnifiques, agrémentées de beaux lacs, et où la richesse et l'opulence dégoulinent littéralement de tous côtés sur la rue. Certains de ces palaces ne sont que les résidences d'hiver de personnes qui possèdent d'autres demeures de même standing ailleurs dans le monde, dans des cadres encore plus époustouflants. Quand je regarde ces maisons, j'y vois un rappel que la vie dans un tel luxe est très facile à atteindre, voire *ordinaire* ! Orlando, la ville où j'habite, ne possède pas seulement quelques maisons comme celles-ci, mais des centaines (sinon des milliers), tout comme *des milliers d'autres villes* à travers les États-Unis et ailleurs dans le monde ! Les gens qui vivent là ne sont pas différents de vous et moi. Leurs rêves ont été réalisés par un Univers qui se languit de procurer la même chose à chacun. Et si vaste que soit la fortune qui permet d'acquérir de telles demeures, elle n'est rien comparée à celle de l'Univers.

Seul existe l'esprit

Dans la vie, c'est un peu comme si nous avions non seulement les yeux bandés, mais aussi tous les autres sens, puisque nous sommes incapables de voir, d'entendre ou de toucher la magie de la vie. Et pourtant, pour vivre votre vie – pour vivre celle dont vous avez toujours rêvé – le secret consiste à savoir qu'il se produit infiniment plus de choses en notre faveur que nos cinq sens ne peuvent le détecter, et la seule façon de le découvrir est d'avoir la foi. Voilà notre plus grande épreuve : savoir que nous sommes des êtres spirituels, même en l'absence de preuves physiques ; savoir que même si nos pensées sont invisibles, ce sont elles qui déterminent les choses et les événements qui se manifestent dans notre vie ; enfin, savoir que nous sommes aimés et qu'on se charge de satisfaire nos besoins.

De nombreuses écoles orientales de pensée affirment que nous interprétons d'une manière erronée les fantastiques attributs physiques de la vie, et que nous mangeons quotidiennement du fruit défendu. Malheureusement, ces mêmes doctrines rendent le monde physique coupable de tous nos problèmes et nous encouragent à nous détacher des désirs matériels qu'elles jugent inférieurs au plan spirituel. Mais ce faisant, elles ne font que nier notre pleine connexion spirituelle. Après tout, pour peu qu'on y réfléchisse, tous les objets matériels ne sont eux-mêmes que pur esprit – puisque *les pensées se réalisent* sous la forme d'objets et d'événements – de sorte que les choses présentes dans notre vie ne sont que le reflet de nos pensées. Seul existe l'esprit. La clé, pour comprendre la vie dans le temps et l'espace, c'est de comprendre que tout émane d'un Univers intérieur magique que nous créons par nos pensées, nos croyances, nos intentions et nos attentes, et qu'il ne s'agit donc pas de juger ce qui est matériel ou de l'éviter, ni d'étouffer tous nos désirs. Il n'en demeure pas moins que faute de pouvoir physiquement identifier l'esprit, la foi est notre salut.

Observez les miracles présents dans votre vie, attendez-vous à en voir d'autres, comptez dessus et appuyez-vous sur la magie qui sous-tend l'Univers ; *c'est à cela qu'elle sert*. Puis, ayez une foi profonde dans le fait que tout ce que vous désirez se réalisera « sur la Terre comme au Ciel », ou, pour reformuler cela, dans la matière comme en pensée.

Vous êtes divin, l'Univers est plein d'amour et vos pensées se réaliseront *toujours*. Ouah ! Vous parlez d'un contrôle, vous parlez d'une puissance ! Vous avez les deux à la fois ! Ayez donc foi et sachez qu'autant on peut compter sur le soleil pour se lever, autant on peut compter sur l'Univers pour réaliser nos désirs.

Que vous en ayez conscience ou non, que vous soyez chez vous, au travail, dans une voiture ou un avion, la magie de l'Univers vous soutient en cet instant même. Elle a toujours été présente, elle vous a toujours aimé et elle ne cesse d'agir en votre faveur. Il vous suffit de le savoir et d'avoir foi pour commencer à y faire appel délibérément.

Ayez une foi profonde dans le fait que tout ce que vous désirez se réalisera « sur la Terre comme au ciel », ou, pour reformuler cela, dans la matière comme en pensée.

Si vous avez foi, cela veut dire que vous croyez. Vous croyez que vous n'êtes pas seul, vous croyez que vous allez obtenir ce que vous avez demandé, et vous croyez que la sagesse infinie et la puissance incalculable de l'Univers sont là à votre disposition, au degré même que vous êtes capable d'imaginer. Demandez un peu d'aide, et vous en recevrez ; demandez le monde sur un plateau d'argent, et il sera à vous. D'ailleurs, il l'est déjà.

---

7 | L'ÉLIXIR DE LA VIE

Qu'est-ce que l'élixir de la vie ? J'y ai fait allusion au chapitre dernier en disant qu'il ne fallait pas avoir une foi aveugle. Pour préciser les choses, permettez-moi d'utiliser une analogie. Comparons le fait de prendre une photo et celui de vivre la vie de ses rêves.

Une photo parfaite

Quand vous prenez une photo, vous visez votre sujet, vous mettez au point si nécessaire, puis vous appuyez sur le déclencheur, n'est-ce pas ? Et si vous avez tout fait comme il faut, la lumière passe à travers une lentille transparente et s'imprime sur le film ou sur votre carte numérique, qui se « manifestera » plus tard sous une forme que vous pourrez physiquement voir (du papier ou votre écran d'ordinateur). J'imagine que vous distinguez déjà certaines similitudes avec la façon de réaliser vos rêves.

Pour vivre la vie dont vous avez toujours rêvé, vous devez également commencer par viser et mettre au point, c'est-à-dire par réfléchir à ce que vous voulez et prendre une décision, puis par faire un minimum d'efforts en direction de vos rêves, ce qui revient à appuyer sur le déclencheur. À partir de là, si vos pensées sont passées à travers la lentille de vos croyances sans être trop teintées ou dénaturées – c'est-à-dire, si vos croyances sont alignées sur vos rêves – l'impression s'est faite. Enfin, la manifestation de votre intention dans le temps et l'espace s'effectue grâce à la foi, tandis que vous suivez physiquement, peut-être patiemment, le processus jusqu'à son achèvement : en effet, vous devez avoir foi que toute cette série d'événements produira bel et bien une photo, foi que tous les principes à l'œuvre dans l'Univers opéreront comme ils le doivent.

Mais mon analogie n'est pas encore complète. Une autre composante est nécessaire pour prendre des photos, que nous avons tous tendance à négliger. Elle est à la fois très simple et pourtant essentielle. C'est la *compréhension* : comprendre tout le processus ; comprendre qu'en ayant l'équipement et les principes adéquats, et pour peu que vous fassiez ce qui vous revient, vous obtiendrez une photo ; enfin, comprendre que si vous faites exceptionnellement bien la partie qui vous incombe, ce sera une photo *fantastique*, exactement comme vous vouliez ! De manière analogue, si vous avez une compréhension pleine et entière de l'ensemble des processus et des principes à l'œuvre, et si vous faites ce qui vous revient, vous vivrez *effectivement* la vie de vos rêves ; c'est tout simplement inévitable.

Sans une compréhension élémentaire de la façon dont les choses opèrent dans le temps et dans l'espace, comment pouvez-vous espérer produire un changement *délibéré* ?

La compréhension est l'élixir de la vie. Au risque de me répéter, la clé qui vous permettra d'utiliser vos pleins pouvoirs est la compréhension *qu'il existe dans la vie des principes inviolables sur lesquels vous pouvez compter et auxquels vous pouvez vous fier* ; par contre, vous n'êtes pas obligé de savoir exactement *de quelle manière* ils opèrent. Quand vous prenez des photos, vous n'avez pas besoin de comprendre la courbure de l'objectif, ni de quelle matière est faite l'appareil, ni même de savoir de quelle manière la lumière va s'imprimer sur le film ou sur la carte numérique ; vous n'avez même pas besoin de savoir combien de temps l'objectif doit rester ouvert. Ce qu'il vous faut comprendre, par contre, c'est le concept général de la prise de photographies : en gros, comment fonctionne un appareil photo et qu'est-ce que vous avez à faire, vous, le photographe ? De manière analogue, sans une compréhension élémentaire de la façon dont les choses opèrent dans le temps et dans l'espace, comment pouvez-vous espérer produire un changement *délibéré* ?

Si vous ne comprenez pas la mécanique de la vie, vous vous inquiéterez de savoir si vos rêves sont ou non faits pour se réaliser, si vous le méritez ou pas, si vous avez ou non assez de « chance » pour cela. Avez-vous tendance à vous retrouver au mauvais endroit au bon moment, ou au bon endroit au mauvais moment ? Trouvez-vous « normal » d'avoir à vous battre comme vous le faites parfois, que vous y voyiez une forme de pénitence ou que vous estimiez cela nécessaire pour fortifier votre caractère ? N'est-ce pas simplement parce que vous avez quelques croyances restrictives ? Il ne fait aucun doute que la vie peut être particulièrement imprévisible, si vous ne comprenez pas le rôle qu'y jouent vos pensées et vous-même.

Décomposer les choses en pièces identifiables

À nouveau, il ne s'agit pas de vouloir *tout* comprendre d'un seul coup. Comprenez simplement ce que vous pouvez. Saisissez ce que vous avez sous les yeux. Atteignez la compréhension dont vous êtes capable aujourd'hui ; cela suffit.

Par exemple, vous ne comprenez peut-être pas pourquoi vous avez été attiré par certaines personnes qui vous rendent dingue, mais, pour l'instant, *vous pouvez comprendre* qu'étant le créateur de votre réalité, chacune de ces personnes est apparue dans votre vie avec votre consentement. Si elles sont là, c'est que vous vous êtes concentré sur certaines qualités, certaines connexions ou aptitudes présentes en elles qui vous intéressaient ; ou alors, elles jouent un rôle d'intermédiaire, de tremplin vers d'autres expériences auxquelles vous aspirez.

La compréhension est l'élixir qui révèle votre place dans l'éternité. Grâce à elle, vos croyances peuvent s'aligner et votre imagination s'enflammer, afin d'atteindre tout ce dont vous rêvez.

Vous ne comprenez peut-être pas pourquoi un jeune enfant meurt, mais, pour l'instant, *vous pouvez comprendre* qu'il y a des raisons à cela, de même que *vous pouvez comprendre* que la mort n'est qu'une illusion, une illusion qui vous pousse à comprendre des vérités plus profondes, afin qu'une telle perte ne détruise pas votre foi et votre espoir en tout ce que la vie a encore à vous offrir.

Vous ne comprenez peut-être pas exactement comment vos rêves vont se réaliser, mais *vous pouvez comprendre* que toute la logistique d'une telle réalisation est au-delà de votre conscience normale et doit donc être abandonnée à l'Univers et à ses principes, du moment que vous vous chargez de la partie qui vous revient, en pensée, en parole et en acte. Grâce à une compréhension plus profonde des choses, même si vous ne parvenez pas encore expliquer la moindre nuance de votre vie, vous pouvez néanmoins vous libérer du stress, de la peur et de l'anxiété qui accompagneraient autrement la poursuite de vos buts.

La compréhension est *effectivement* l'élixir qui révèle votre place dans l'éternité. C'est grâce à elle que vos croyances peuvent s'aligner et que votre imagination peut s'enflammer, afin que vous puissiez réaliser tout ce dont vous rêvez. Sans compréhension, le principe de l'action de l'esprit sur la matière ne devient qu'une espèce de tour de passe-passe et, malheureusement, nos propres réalisations feront alors l'objet d'erreurs de compréhension. Il ne vous restera plus alors qu'à attribuer vos succès à la chance, à un bon timing, à diverses connexions et coïncidences ou, guère mieux, à votre propre travail, à votre altruisme et à vos sacrifices. Vous pouvez ainsi passer des heures à marteler en vous les mêmes pensées, sans grand succès à long terme, faute de comprendre que vos croyances ne doivent pas être en contradiction avec l'objet de vos désirs. De manière analogue, vous pouvez œuvrer à développer de nouvelles croyances et à agir en concordance avec vos rêves, mais si vous n'assumez pas la responsabilité de qui vous êtes et de votre situation actuelle, quelle autorité vous imaginez-vous posséder ?

Quel que soit votre niveau de compréhension, cela ne changera rien au fait que ce sont déjà les pensées que vous cultivez qui créent votre vie ; vous n'échapperez pas à cette vérité. Par contre, si vous la comprenez, vous reconnaissez alors être le créateur de votre vie, une perspective qui vous permet au moins de commencer à utiliser délibérément les principes de la vie à votre avantage. Sinon, vous renoncez au pouvoir – mais pas à la responsabilité – de façonner consciemment tout ce qui vous attend.

Plus vous comprenez vos réalisations passées, plus les prochaines seront faciles. Vous ne jetterez plus sur vos succès un regard mêlé de peur et de doutes, quand vous aurez acquis la compréhension qui vous permettra d'avoir d'autres succès. Vos soucis s'évaporeront sitôt que vous vous considérerez comme le maître des choses et des événements de votre vie, qui ne cessent de se manifester sous vos ordres, comme ils l'ont toujours fait. Mieux vous comprendrez les choses, plus vous verrez vos croyances restrictives tomber les unes après les autres, sans effort, comme la pluie d'un nuage, vous donnant ainsi accès à encore plus de choix et de possibilités de prospérité.

La compréhension soutient la foi

Maintenant, je sais que durant la majeure partie de votre vie, vous avez entendu dire que ce qu'il faut, pour progresser spirituellement, c'est avoir la foi, et je l'ai moi-même répété au chapitre dernier. C'est vrai : la foi vous conduira n'importe où, mais telle qu'elle est généralement comprise par la plupart des gens, la foi est synonyme de foi aveugle ou *d'une foi qui remplace la compréhension*. Mais, comme j'y ai fait allusion au chapitre dernier, une foi aveugle s'accompagne souvent de peur, peur que l'inconnu en quoi vous devez avoir foi puisse exiger davantage de vous que vous ne pouvez, ou encore qu'il puisse vous trahir si vous n'êtes pas à la hauteur.

Par contre, une foi *soutenue par la compréhension* (une foi non aveugle, qui saisit la nature générale de la réalité et la mécanique qui sous-tend toute manifestation) vous permet d'avancer dans la vie avec confiance et sans effort, en vivant délibérément et sans peur, comme le dieu ou la déesse que vous êtes véritablement.

La foi est une composante vitale de l'existence dans le temps et l'espace, dont elle fait partie intégrante. C'est elle qui relie vos moments présents – l'espace qui sépare votre position actuelle d'où vous allez – et c'est elle seule qui décide quelle est la prochaine étoile que vous allez visiter, dans la galaxie de vos rêves les plus fous, quand elle apparaît *naturellement*. Ce genre de foi-là – une foi *soutenue par la compréhension* – émane d'ailleurs de vos croyances et, par conséquent, se manifeste involontairement.

À mesure que vous découvrirez de plus en plus de vérités sur la vie, vous commencerez à mesurer le potentiel phénoménal qui sous-tend tout ce que vous pensez, dites et faites.

Par exemple, si vous comprenez que le monde extérieur est le miroir de votre monde intérieur, vous aurez tout naturellement foi dans les principes invisibles qui transforment vos pensées en objets et événements de votre vie. Et si vous comprenez votre propre héritage spirituel, vous aurez tout naturellement foi en votre existence au-delà du temps et de l'espace. Sans compréhension, la foi n'est qu'un rappel de ce en quoi vous espérez, alors que la foi dont je parle vous rend confiant, *grâce* à la compréhension que vous avez acquise.

Récompenses et responsabilités

À MESURE que vous découvrez de plus en plus de vérités sur la vie, vous commencerez à mesurer le potentiel phénoménal qui sous-tend tout ce que vous pensez, dites et faites. Sans effort, vous vous mettrez automatiquement à vous comporter d'une manière alignée sur les croyances qui vous servent. Vos pensées et vos rêveries seront elles aussi alignées sur vos rêves. Vous vous ferez moins de soucis. Vous vous sentirez mieux. Vous en saurez plus. Une certaine harmonie va s'emparer de vous et vous commencerez à émaner une compassion et une paix que les autres détecteront sans peine. *Voilà* ce que vous promet la compréhension. Votre vie deviendra tout simplement de plus en plus facile et sera toujours meilleure. Vous aurez une foi beaucoup plus grande en l'Univers, vous aurez davantage confiance en vous, vous accepterez les choses telles qu'elles sont et vous finirez par comprendre qu'elles *ne pourraient pas* être meilleures qu'elles ne le sont déjà.

Même si tout cela semble merveilleux, le processus d'illumination a néanmoins un prix. Vous ne pouvez pas atteindre un plus grand niveau d'illumination sans avoir conscience que vous êtes totalement responsable de tout ce qui s'est jamais produit dans votre vie. En réalité, ce n'est pas une bien grande exigence (j'imagine que vous en êtes déjà là), mais il arrive qu'on se raconte des histoires en ce qui concerne nos responsabilités. Par exemple, on a davantage tendance à assumer ses échecs que ses succès. De même, on assume souvent plus de responsabilités pour les autres, en veillant à leur bonheur, qu'on ne le fait pour soi-même. Avec une juste compréhension des choses, vous découvrirez cependant que l'un des plus grands actes de responsabilité consiste à bien s'occuper de soi-même.

Le prix de la connaissance

La responsabilité commence par soi. Notre première responsabilité dans la vie n'est pas d'améliorer le monde ni de nous occuper de ceux qui ont moins de chance que nous, mais de vivre à la hauteur de nos propres exigences, d'agir en ayant foi que notre destin est de réaliser nos rêves, et en faisant preuve de tolérance et de compassion pour notre propre cheminement divin. En se montrant aussi responsable de soi que cela, le monde va *effectivement* s'améliorer, et notre entourage en profitera beaucoup, non seulement par l'amour que nous pourrons exprimer, mais par l'exemple que nous donnerons.

Vous devez le vouloir. Une deuxième condition, pour atteindre la compréhension, qui est fort heureusement facile à réaliser, c'est de le vouloir ! Vous devez en faire une priorité personnelle, or, le piège, c'est que vous ne pouvez pas vouloir une telle connaissance sans commencer par admettre que ce que vous pensez, savez et croyez actuellement, au sujet de la vie, est peut-être en partie erroné. C'est peut-être beaucoup en demander de la part de certains, car il faut pour cela être capable de suspendre certains de ses idéaux et de ses concepts philosophiques, aussi confortables soient-ils devenus au fil des ans, afin de dégager la voie à l'illumination.

Alors, oui, vous devrez vraisemblablement sortir de votre zone de confort pour atteindre une telle compréhension, mais la récompense est immense. Songez-y : en faisant un peu d'introspection, quand vous vous sentez envahi par des émotions désagréables, vous pouvez définitivement bannir ces émotions-là de votre avenir. Par exemple, comprenez vraiment pourquoi vous vous sentez déprimé, et lorsque cette raison aura été mise en lumière, *pouf,* cette émotion disparaîtra. Comprenez pourquoi vous vous sentez impuissant, à la lumière de votre divinité, afin de pouvoir rapidement recouvrer votre pouvoir. Comprenez pourquoi vous avez le cœur brisé (ne vous limitez pas à votre douleur, mais trouvez-en la cause), découvrez quel est le lien avec votre définition du bonheur, puis libérez-vous-en.

Mettre en œuvre une telle approche, c'est-à-dire faire appel à la compréhension quand surgissent émotions désagréables, c'est un peu comme pointer une lampe de poche en direction des bruits qui vous effraient dans l'obscurité : dès que vous voyez de quoi il s'agit, vous vous rendez compte qu'il n'y a pas grand-chose à craindre. Mais il faut faire des efforts et, d'ordinaire, quand on est submergé par une émotion négative, l'exploration de ses croyances et la mise en lumière d'éventuelles erreurs de compréhension est bien la dernière chose qu'on ait envie de faire, alors que *rien d'autre* ne permet de progresser plus rapidement.

Vouloir comprendre est un choix. Si vous ne le faites pas, vous resterez paralysé par le monde que vous avez créé malgré vous. Votre esprit sera alors soumis aux croyances d'autrui, et les événements qui vous arriveront ne seront qu'un mélange de coïncidences et de chance, auquel vous ne pouvez que réagir, au lieu que ce soit vous qui façonniez délibérément les circonstances de votre existence. Mais, grâce à la compréhension, tout est possible. La vie devient facile. Vous vous sentez plus léger. Et un jour viendra où il vous paraîtra absolument évident que le temps et l'espace se sont toujours montrés incroyablement *justes* envers vous.

Vouloir comprendre est un choix. Si vous ne le faites pas, vous resterez paralysé par le monde que vous avez créé malgré vous... Mais grâce à la compréhension, tout est possible. La vie devient facile. Vous vous sentez plus léger.

Votre moi supérieur

Le point suivant que je souhaite aborder, par rapport à cette idée de compréhension, c'est le « Moi supérieur », que certains nomment l'âme. De quelque façon que vous le nommiez, l'important est de prendre conscience que nous sommes autrement plus vastes que nous n'en avons conscience. On peut par exemple considérer que le « moi conscient », le moi que je crois être, n'est que la pointe de l'iceberg. Avez-vous déjà vu des photos d'icebergs ? Bien que l'on n'en distingue qu'une petite pointe au-dessus de l'eau, la partie qui se trouve sous la surface est généralement cent mille fois plus importante. De même que l'on pourrait dire que la pointe de l'iceberg est inconsciente des millions de tonnes de glace qui la soutienne, le moi conscient est relativement inconscient lui aussi de tout ce que nous sommes en dehors de lui, de tout ce qui soutient notre existence consciente.

Pendant longtemps, l'idée qu'il existait un Moi supérieur m'empêchait de comprendre à quel point je créais ma propre réalité. Je me disais que de toute évidence notre âme devait avoir ses propres penchants et désirs, aussi me demandais-je si elle pouvait souhaiter vivre quelque chose (par exemple, le concept de « sacrifice ») que je n'aurais *pas* envie de vivre moi-même ! La question qui me hantait, de temps en temps, en particulier lorsque j'étais confronté à certaines difficultés, était de savoir si c'était ce que je voulais moi ou si c'était quelque chose que mon Moi supérieur désirait pour moi et pour mon évolution ? Et si c'était quelque chose que lui voulait, qu'advenait-il alors de mon libre arbitre et de ma capacité à tracer mon propre chemin, sans aucune interférence d'éléments dont je n'avais pas conscience ?

Plusieurs prises de conscience m'ont permis finalement de résoudre cette question. Le moi conscient crée effectivement ma réalité *sans aucune interférence* de mon Moi supérieur, *car ce sont précisément cette liberté et cette capacité que désire mon Moi supérieur* : il souhaite que ma personnalité séjourne dans le temps et l'espace pour savourer la magnificence de toutes choses, sous la conduite de ma conscience florissante, de mes désirs et des préférences qui émergent en cours de route, quelle que soit la façon dont elles apparaissent.

Nous regardons chacun le monde depuis une lucarne unique qui est la nôtre, que jamais personne ne peut ni ne pourra partager. Je crois que si mon Moi supérieur a « donné naissance » à ma conscience, afin qu'elle fasse ses expériences, il ne s'implique plus par la suite dans mes désirs, ni dans les leçons que j'en tire. S'il le faisait, cela interférerait avec ma capacité à découvrir que ce sont mes pensées qui forgent mes expériences et ma réalité, et du coup, il interférerait avec sa propre expression *à travers moi*. Je *suis* mon Moi supérieur, et je désire ce que désirerait mon Moi supérieur s'il se trouvait dans le temps et l'espace (ce qui est bien sûr le cas !). Mon Moi supérieur a pour seul désir que j'existe avec mes propres souhaits, ce qui revient à exister à travers moi. Autrement dit, c'est moi seul qui tiens les rênes de ce que je vis et de ce que je manifeste. Bien entendu, il n'existe en réalité aucune séparation entre le moi et le Moi supérieur ; je ne parle ici que des différents points de vue qu'adopte mon Moi supérieur, et *la vie que je mène est celle de mon Moi supérieur*, qui s'exprime librement sous la forme de Mike Dooley, sans aucune limite ni intention autres que les miennes.

Notre chance et *notre* malchance sont exclusivement le résultat de *nos* croyances et de *nos* attentes, sur lesquelles nous avons tout contrôle, puisque nous pouvons les faire nôtres ou nous en débarrasser, selon la compréhension que nous avons de nous-mêmes, de notre vie et de notre réalité. Nous ne cherchons pas délibérément les difficultés ; ce que nous cherchons, c'est à atteindre certains buts, à obtenir certains résultats, et, en fonction de nos croyances et de nos attentes, nous progressons vers ces objectifs. C'est en cours de chemin que nous rencontrons certaines difficultés – qui représentent alors des étapes ou des tremplins – chaque fois que nous abordons une vérité avec une compréhension erronée. En d'autres termes, nos problèmes et nos difficultés sont les sous-produits de nos rêves ; ils ne nous sont pas imposés par notre moi supérieur.

En vérité, nous sommes tous reliés : nous ne faisons qu'un, et ce « Un » est le Moi supérieur. On n'arrête pas de nous dire que « nous faisons tous Un », au point que cette expression finit par perdre toute signification. Mais cette idée est bien plus qu'un simple concept New Age ; elle est parfaitement fonctionnelle, ici et maintenant. Les oiseaux volent en banc, les abeilles et les fourmis travaillent d'une manière collective : les uns et les autres ne font pas *comme s'ils* ne possédaient qu'un seul esprit ; ils *sont* un seul esprit. Il en va de même pour chaque être humain. Physiquement, nous sommes séparés, mais spirituellement, d'une manière qui nous échappe pour l'instant, non seulement nous sommes liés les uns aux autres, mais nous ne faisons qu'Un, exprimant chacun les différentes teintes de couleurs d'une seule et même lumière. En cet instant même, vous êtes exactement ce que votre Moi supérieur (ou « Dieu », dit d'une autre façon) voulait que vous soyez, et non un petit rejeton fragile qui doit s'incliner devant des « puissances supérieures » et se soumettre à elles ; vous êtes à votre insu votre propre Seigneur.

Que la compréhension éveille en vous l'étincelle de l'excitation et de la joie pour cette présence sacrée qu'est la vôtre dans le temps et dans l'espace, et qu'elle allume également en vous ce pouvoir phénoménal qui est le vôtre d'écrire le scénario de votre vie, à mesure que vient au monde chaque nouvel instant, dans toute sa virginité.

Pour l'heure, comprenez ce que vous pouvez. Faites simplement de votre mieux. Servez-vous de ces nouvelles prises de conscience, aujourd'hui même. Qu'elles viennent soutenir votre foi, vous combler de paix et instiller en vous la certitude que votre futur sera le fruit de vos décisions et de vos actions présentes, et non de votre passé. Cela suffira ; le reste du puzzle de votre vie révélera son sens en temps voulu.

Vous êtes exactement ce que votre moi supérieur (ou « Dieu », dit d'une autre façon) voulait que vous soyez, et non un petit rejeton fragile qui doit s'incliner devant des « puissances supérieures » et se soumettre à elles ; vous êtes à votre insu votre propre Seigneur.

Au final, grâce à la compréhension de votre réalité à laquelle vous parvenez, les accessoires présents sur votre scène deviennent à nouveau des accessoires et non plus des démons, des obstacles et des problèmes. La douleur et le chagrin s'envolent, à mesure que vous prenez conscience qu'il n'y a pas d'au revoir, qu'il y a seulement des retrouvailles et des découvertes. Vous commencerez alors à voir le monde qui vous entoure tel qu'il est depuis toujours : une extension de vous-même, intimement reliée à chacun, à chaque instant, déguisée avec tant de beauté que vous en avez brièvement oublié votre rôle dans sa genèse.

---

8 L'ABONDANCE, LA SANTÉ ET L'HARMONIE

Je ne crois pas que, dans la vie, les choses doivent être autrement que ce que nous pensons, que ce que nous croyons et traduisons en acte, mais s'il me fallait faire une exception, ce serait celle-ci : vous et moi, ainsi que tous les habitants de cette planète, nous sommes destinés à connaître l'abondance, la santé et l'harmonie. J'ai bien conscience qu'il peut paraître un peu osé d'affirmer une telle chose, mais, comme je l'ai clairement dit, je crois que nous sommes naturellement faits pour prospérer et nous épanouir. Quand nos pensées sont alignées sur les Vérités de l'Être, il est impossible d'échapper à ces trois qualités. Vous rendez-vous compte ? À chaque coin de rue il y aurait de bonnes surprises, chaque journée vous apporterait de bonnes nouvelles et chaque personne présente dans votre vie serait porteuse de cadeaux pour accroître votre bonheur et votre épanouissement.

Au chapitre précédent, « L'élixir de la vie », j'ai souligné l'importance de la *compréhension*. Dans ce chapitre-ci, je souhaite que vous compreniez que l'abondance, la santé et l'harmonie sont des droits auxquels vous pouvez prétendre, afin que vous dépassiez l'idée que ce ne sont là que des vœux pieux. Quand vous comprendrez vraiment cela, vous verrez que chaque fois que vous tomberez sur une pensée ou une croyance en contradiction avec l'idée qu'il est dans votre destinée de connaître l'abondance, la santé et l'harmonie, ces pensées ou ces croyances-là n'auront aucune prise sur vous. Votre foi étant active, toute pensée ou croyance contraire sera automatiquement mise en échec, vous permettant ainsi de penser « juste ». Quand vous aurez acquis la compréhension que l'abondance, la santé et l'harmonie sont les points de repère qui conviennent à votre vie, virtuellement toutes vos pensées seront soumises à leur éclairage et votre chemin sera tout tracé.

C'est une danse de transformation, et non de rémission, qui se danse ici, et chaque élément, chaque composant, chaque battement de cœur et chaque pensée émanent d'une intelligence supérieure.

Votre héritage

Vous êtes un miracle. Chaque cellule et chaque atome de votre corps sont divins et vivants, à la fois complexes et sophistiqués, efficaces et parfaits. Le manque, la maladie et la discorde ne sont pas la norme ; ce ne sont les objectifs d'aucun de nous. Il ne s'agit là que des sous-produits d'une pensée limitée, craintive et sous performante.

La Terre, cette planète où nous vivons, est une émeraude dans l'espace : c'est un être spectaculaire, vivant et généreux. Son existence est faite des innombrables créatures qui vivent en harmonie dans l'air, sur terre et dans la mer. Elle grouille de vie intelligente, comprenant à la fois un règne animal, un règne végétal et des aventuriers comme vous et moi. Elle est d'une richesse luxuriante et d'une incroyable diversité, nous offrant une abondance de couleurs, d'arômes, de textures et de sons, mais aussi des paysages envoûtants allant des plaines aux montagnes, des rivages aux grands fonds marins, et des vallées aux glaciers et aux déserts ; des levers et des couchers de soleil, de la neige, de la pluie, des ciels bleu azur et des nuages impressionnants. C'est une danse de transformation, et non de rémission, qui se danse ici, et chaque élément, chaque composant, chaque battement de cœur et chaque pensée émanent d'une intelligence supérieure.

Commencez-vous à entrevoir, avec peut-être un peu plus de clarté, l'héritage, la puissance et la divinité qui sont les vôtres ? Commencez-vous à comprendre qu'avec la puissance de vos pensées et la magie sans fin de cet habitat magnifique, toutes choses sont possibles ?

Les rêves que l'Univers a faits pour vous sont infiniment plus grands que ceux que vous faites pour vous-même. Comme je l'ai expliqué au chapitre 6, « L'Univers magique », vous avez *10 000 fois* plus de chances de réussir que d'échouer. *Toute votre vie* fournit la preuve de ce « déséquilibre » ; *de votre extrême prédisposition à réussir* ; de votre inclination irrésistible à prospérer ; de votre propension divine à vous épanouir. Alors, est-ce que vous réalisez maintenant que l'abondance, la santé et l'harmonie vous appartiennent déjà, dans ce monde que vous gouvernez par les pensées que vous choisissez de cultiver ? Votre point de départ n'est pas que vous manquez de tout et que vous voulez juste un petit quelque chose ; en réalité, vous avez déjà *tout* et vous n'en voulez qu'un petit peu. Quelle découverte ! Vous êtes le fils prodigue et un banquet avec une grande fête attend votre retour vers des richesses inimaginables, vers cet héritage dont vous avez totalement oublié qu'il était le vôtre, ici et maintenant, sur cette planète Terre. Tout ce qui vous est demandé est de reconnaître enfin la vérité sur cette réalité qui est la vôtre et sur ce que vous êtes vraiment.

Votre point de départ n'est pas que vous manquez de tout et que vous voulez juste un petit quelque chose ; en réalité, vous avez déjà *tout* et vous n'en voulez qu'un petit peu.

L'abondance se manifeste en de nombreuses devises

« Mais qu'en est-il de ceux qui sont venus au monde dans les pays les plus pauvres ? Qu'advient-il de leurs droits à eux ? »

Cette question m'était régulièrement posée par le public, jusqu'à ce que j'y réponde très directement.

Premièrement, êtes-vous sûr que ces gens se portent si mal ? Je me suis rendu dans de nombreux pays pauvres et j'ai parlé à beaucoup de gens, et le choc que j'ai eu maintes et maintes fois a été de me rendre compte à quel point ces gens peuvent être heureux et insouciants. L'Afrique du Sud est sans doute ma destination favorite.

Même les personnes parmi les plus pauvres émanent une joie qu'un Occidental moyen *ne peut même pas imaginer*. Aussi démunis soient-ils, financièrement parlant, ils ont une famille, ils bénéficient du soutien du groupe, ils ont à manger, ils ont souvent un abri et ne sont pas seuls. Je ne serais pas surpris que certains des anciens que j'ai eu la chance de rencontrer nous plaignent, nous autres

Occidentaux, avec nos tours d'acier et de verre, notre Internet à haut débit et nos connexions sans fil... mais si peu de temps libre. Ces gens-là sont-ils vraiment désavantagés ? Ou ont-ils simplement des priorités et des valeurs totalement différentes des nôtres, qui font qu'ils sont beaucoup plus riches que nous ne l'imaginons ?

Deuxièmement – et j'aborde là un point délicat, car je ne souhaite pas que l'on me comprenne de travers – dans les cas de pauvreté et de maladies extrêmes, dès lors que l'on comprend que nous sommes des êtres spirituels disposant d'autant incarnations que nous le souhaitons, avec *l'éternité* au-delà, il est du même coup beaucoup moins « désastreux » de vivre une vie (parmi 20 000 autres, si ça se trouve) dans des circonstances véritablement « tragiques ». Nous ne vivons pas qu'une seule fois, et si vous choisissez une fois de naître dans des circonstances extrêmement difficiles, c'est peut-être pour changer de focale et comprendre certains aspects de la vie auxquels vous seriez resté insensible dans d'autres circonstances.

Je ne suggère pas le moins du monde que la souffrance que nous observons dans le monde est tolérable, acceptable ou naturelle. Nous *devons* faire tout ce que nous pouvons pour aider nos frères et sœurs, qui sont des parties de nous-mêmes. Chaque fois que l'un d'entre nous souffre, nous souffrons *tous*. Bien sûr, en vous appuyant sur ce que j'ai écrit jusqu'ici, vous pouvez vous dire, « Ces gens-là sont des créateurs comme moi ; ce sont eux qui ont choisi leurs difficultés et leurs problèmes. Qui suis-je pour leur refuser les souffrances qu'ils ont choisies ? ». Mais adopter une telle façon de penser, c'est comme ignorer l'enfant qui a désobéi à ses parents et se retrouve soudain seul, perdu, malade ou même blessé. Même si la situation dans laquelle se retrouvent ces gens-là est leur propre création, il y a de multiples raisons à leur apporter notre réconfort et notre soutien.

Ce qui ne veut pas dire non plus que ceux qui créent de telles calamités, ou qui choisissent d'y participer, l'on fait pour des raisons infantiles ou par incompétence ! Preuve en est qu'une raison « supérieure » pour agir de la sorte pourrait être de vouloir choquer délibérément un monde trop endormi, afin qu'il prête attention à des choses plus importantes que la dernière acquisition des voisins. Il n'en demeure pas moins que, dans la vision la plus large des choses possible, en prenant suffisamment de recul, nous finirons quand même par atteindre l'ordre, la perfection et l'amour, et nous aurons la preuve incontestable qu'en règle générale l'abondance, la santé et l'harmonie sont nos paramètres par défaut.

Revenons à nos moutons, ce livre vous concerne, vous et votre vie, ici et maintenant. Les questions hypothétiques concernant les famines africaines et les tragédies sociales sont intéressantes et ne nous laissent pas indifférents, et s'il ne fait aucun doute qu'on peut y apporter une réponse dans le cadre du principe « *les pensées se réalisent* », nos priorités les plus élevées n'en demeurent pas moins notre *propre* vie, nos défis, nos opportunités et nos responsabilités. Bien entendu, on peut conjointement prêter assistance aux autres, mais c'est en étant d'abord en paix avec soi-même que l'on sera le plus en mesure d'être bien avec autrui et d'aider le reste du monde, et ainsi de leur offrir la meilleure assistance possible.

Il y a deux composantes

À l'une des extrémités du spectre, on trouve donc l'Univers qui conspire littéralement en votre faveur, pour manifester vos pensées, ayant la capacité et l'envie de vous offrir tout ce que votre cœur désire. À l'autre extrémité, il y a vous, le penseur, qui souhaite également que ses désirs se réalisent. C'est tout.

Il n'y a que deux stars en réalité dans chacune de vos mises en scène : l'Univers (et ses principes infaillibles) et vous. En avez-vous conscience ? Avec ce que j'ai déjà expliqué dans les chapitres précédents, vous devriez maintenant réaliser que les autres personnes présentes dans votre vie ne sont que des acteurs et des instructeurs, qui ne sont là que parce que vous ne les y avez amenées (moi y compris), comme si nous n'étions que des figurants permettant à la pièce de se jouer, afin que vous puissiez apprendre vos leçons, faire vos apprentissages, mais aussi prendre du bon temps et vous amuser.

Si vous et l'Univers souhaitez la même chose pour vous, et si l'on peut résumer vos désirs à l'abondance, la santé et l'harmonie, tout en ayant conscience que toutes les autres personnes jouent essentiellement un rôle passif dans votre existence, il ressort qu'avec votre pouvoir et la domination qui vous a été donnée sur toutes choses (sauf, évidemment, si vous cultivez des pensées restrictives), vos rêves *doivent* se réaliser. Tout ce que vous voulez *doit* vous échoir ! Quoi que vous demandiez, vous le recevrez ! Votre état naturel consiste à vivre dans l'abondance, la santé et l'harmonie.

Bien sûr, il est facile de dire ça et de sentir au fond de soi la vérité de ces propos, mais parfois, quand on regarde sa propre vie, il est décourageant d'y observer des pénuries, des maladies (ou tout au moins un mal-être) et de la dysharmonie. Alors, qu'est-ce qui ne va pas ? Où est le problème ? Eh bien, s'il n'y a vraiment que deux stars – vous et l'Univers – dans chaque mise en scène, on peut raisonnablement imaginer que le problème ne vient pas de l'Univers, mais de nous. La bonne nouvelle, toutefois (même si ce n'est malheureusement pas encore vrai pour tout le monde), c'est que nous savons au moins, vous et moi, que quelque chose ne va pas, nous savons à qui en incombe la faute, *et nous faisons ce que nous pouvons pour la réparer*. Vous avez même pris le temps et l'énergie qu'il fallait pour découvrir ce livre et le lire, ce qui veut dire que de grands changements positifs vous attendent, à mesure que vous prendrez conscience de vos pouvoirs et de vos responsabilités.

Il n'y a que deux stars en réalité dans chacune de vos mises en scène : l'Univers (et ses principes infaillibles) et vous.

Voici un petit exercice qui vous aidera à mieux distinguer quel est votre état naturel : imaginez que vous ayez un clone, une copie identique de vous-même, qui présente cependant une seule différence avec vous : il existe à l'état parfaitement naturel (ce qui veut dire qu'il ne cultive aucune croyance restrictive ou antinaturelle), de sorte que cette entité lumineuse ne nourrit aucune pensée anormale et n'engendre aucune manifestation antinaturelle. Est-ce que vous imaginez comment penserait une telle entité lumineuse, à quel point elle se sentirait bien, et combien son esprit serait calme ? Entrevoyez-vous cette harmonie ? Maintenant, distinguez-vous ce qui alimenterait la moindre des pensées de cet être ? Qu'est-ce qui lui viendrait en premier ?

La réponse, c'est *un désir*. Cette entité ressentirait calmement l'émergence de ses désirs, puisque ceux-ci sont les catalyseurs de tout. Qu'arriverait-il ensuite, tandis que les désirs de votre clone flotteraient librement dans ses pensées, sans être limités par aucune croyance restrictive ? Ces désirs stimuleraient l'imagination illimitée du clone, libérant ainsi toute sa puissance, puisque cet être n'aurait aucune croyance restrictive ou contradictoire, ni aucune peur à devoir prendre en compte. Le clone passerait alors immédiatement à *l'action*, incapable de s'empêcher de danser la danse de la vie, et, en agissant ainsi, se prédisposerait à bénéficier de la magie de la vie et se mettrait à portée de l'Univers qui conspirerait en sa faveur. Les cieux s'ouvriraient, déversant sur votre clone la manifestation de toutes les pensées que lui auraient inspiré ses désirs, avant que de nouveaux désirs n'émergent, que de nouvelles pensées en découlent, et que ce cercle vertueux se poursuivre indéfiniment.

Est-ce que vous prenez conscience que votre état naturel vous procurerait automatiquement l'abondance, la santé et l'harmonie, en l'absence du plus petit « effort » ? Et est-ce que vous réalisez que tel est votre état normal, tel est votre *destin* ? En l'absence de croyances restrictives et d'erreurs de compréhension, jamais il ne vous viendrait à l'idée d'envisager le manque, la maladie ou la discorde.

Ce qui veut dire, au final, que si l'abondance, la santé ou l'harmonie vous font actuellement défaut, le problème vient de vos propres pensées. Et si vos pensées posent problème, c'est que quelque chose ne va pas dans vos croyances, et qu'enfin si vos croyances ne sont pas au point, c'est qu'il y a une ou plusieurs choses que vous ne comprenez pas.

Pour clarifier chacune de ces variables, je les passerai en revue l'une après l'autre. J'espère qu'en mettant l'accent sur ce qu'elles sont, plutôt que ce qu'elles ne sont pas, vous les comprendrez mieux, ce qui vous permettra de développer de nouvelles croyances, tout en vous libérant des pensées limitées par lesquelles vous vous êtes fait piéger dans le passé.

Dans la mesure où le monde matériel n'est que le reflet de notre Univers intérieur, c'est cet Univers intérieur qu'il

vous passez probablement au moins une minute ou deux à vous regarder dans le miroir. Vous vérifiez votre coiffure, votre tenue, les couleurs que vous portez ; si vous êtes une femme, peut-être allez-vous vous maquiller, et si vous êtes un homme, sans doute vous rasez-vous avant de sortir. Au cours de ces préparatifs, quand vous voyez dans le miroir des choses qui requièrent votre attention, est-ce que c'est votre reflet que vous tentez de modifier ? Est-ce que c'est sur votre miroir que vous appliquez le maquillage ou la crème à raser ?

Alors, quand vous observez la dimension matérielle de votre existence, que l'abondance y soit présente ou non, quelle raison avez-vous de vouloir manipuler les choses, dans le temps et l'espace, pour produire le changement désiré ? Cela n'a pas davantage de sens ! Ce qu'il faut faire, c'est aller en soi. Il faut travailler sur ses pensées, ses croyances et sa compréhension de la vie, si l'on veut avoir un impact sur le monde des apparences. Nous ne l'avons pas fait jusqu'ici, car notre éducation et notre conditionnement nous ont fait croire qu'il fallait manipuler le monde physique pour provoquer un changement.

Nous pensons donc que si nous vivons dans le manque, il nous faut trouver le moyen de haler le luxe dans notre vie à la force de nos poignets. Nous pensons également que pour décrocher un nouvel emploi, nous devons aller rencontrer la bonne personne, au bon endroit et au bon moment, ou trouver le bon chasseur de têtes, ou encore rédiger un CV parfait. Nous croyons que pour rencontrer de nouveaux amis, nous devons nous forcer à faire des choses qui nous déplaisent. Toutes ces suppositions découlent de l'idée que la matière, les *objets* spatio-temporels, ont priorité sur nos pensées, nos sentiments et nos croyances, et de notre conviction que nous devons nous bouger et manipuler physiquement les choses et les gens. Mais la plaisanterie a assez duré, elle ne fait plus rire.

Notre cerveau, la matière grise qui se trouve entre nos deux oreilles (par opposition à nos pensées), est un organe conçu pour nous aider à déterminer le statut de nos manifestations, et non pour les créer, de même que c'est à lui qu'incombe d'évaluer notre reflet dans le miroir, mais pas de l'engendrer. Si vous avez un cerveau, ce n'est pas pour vous aider à élaborer la logistique nécessaire à manifester l'abondance dans votre vie, il en est incapable ! Il est bien trop petit pour envisager toutes les solutions possibles, tous les acteurs, les partenaires et les circonstances qui ne cessent de changer, d'un instant à l'autre, jour après jour, en fonction des pensées de tout le monde ! Votre cerveau vous aide à distinguer ce que vous voulez de ce que vous ne voulez pas. Ensuite, si vous choisissez de vous concentrer sur ce que vous voulez (*et de cheminer vous-même dans ce sens*), c'est « l'invisible » qui s'occupera de la logistique de vos manifestations, en prenant en compte toutes les variables possibles et imaginables. Peut-être vous dites-vous, « Eh bien, quand je n'aime pas ce que me renvoie mon miroir, mon cerveau me dit alors de me coiffer, de me maquiller, de me raser ou que sais-je, et je le fais ». Mais c'est précisément l'illusion qui nous a piégés, vous, moi et tous les autres, dans l'ornière où nous nous trouvons actuellement, nous faisant croire que c'est *nous*, avec notre moi mortel, qui faisons ce que l'Univers fait en réalité *à travers nous.* En la matière, notre cerveau – tout comme nous-mêmes – ne sert à rien.

Ce n'est pas le cerveau qui juge ; ce sont les gens. Le jugement émane de l'esprit qui est en nous, de cet aspect de notre entité qui regarde à travers nos yeux. Ce ne sont pas nos cerveaux qui nous animent, c'est l'esprit, et le cerveau n'a pas non plus de préférences. Spirituellement, par contre, nous avons effectivement des désirs et des préférences, alors, si – symboliquement parlant – vous n'aimez pas ce que vous voyez dans la glace, c'est votre moi spirituel qui s'exprime. Et une fois que vous avez tiré cette conclusion et que vous avez décidé d'améliorer votre look, vous décidez ensuite du résultat final auquel vous souhaitez parvenir. C'est ensuite cette *vision* – la vision de cheveux bien peignés, par exemple – qui actionne miraculeusement les centaines de muscles de vos bras et de vos mains nécessaires pour vous refaire une beauté. Vous n'avez pas besoin de penser consciemment à la façon dont vous allez physiquement utiliser vos mains et vos bras ; vous restez simplement concentré sur votre vision du résultat final, tout en progressant physiquement dans la *direction générale* nécessaire. Et alors, du fait de votre intention et du mouvement amorcé, tous les muscles appropriés se mettent instantanément en action pour prendre un peigne ou une brosse, et retoucher votre apparence.

Dans le monde, c'est l'Univers qui s'occupe des détails qui vous amèneront à votre objectif, en actionnant *vos* muscles *et* les muscles et la vie des personnes dont les rêves complètent les vôtres ! Votre cerveau n'est que l'interface entre votre moi physique et votre moi spirituel. Ce n'est pas à lui de tout calculer ; d'ailleurs, il ne calcule pas grand-chose. Il est juste là pour aider votre moi spirituel à évaluer, par l'intermédiaire de vos sens *physiques*, le monde physique qui vous entoure.

Regardez les objets matériels qui vous entourent et prenez conscience que ce que vous voyez, entendez, touchez, goûtez et ressentez n'est que vos pensées manifestées.

Rappelez-vous ce qui suit quand vous désirez quelque chose de physique : ce n'est pas à vous d'en déterminer les détails. *C'est l'Univers qui pourvoit*, et non vos dollars, votre statut social, votre famille, vos amis, votre patron ou votre emploi, sauf, bien sûr, si l'Univers décide d'utiliser l'un ou l'autre de ces « véhicules » pour vous atteindre.

Comme c'est l'Univers qui pourvoit, nous pouvons pleinement apprécier ce que nous choisissons de faire de notre vie. Et, puisque vous avez le choix, « Suivez votre cœur ! » comme le recommandait le mythologue Joseph Campbell. Non pas parce qu'il vous procurera des richesses, mais parce que pour les principes à l'œuvre dans l'Univers, peu importe comment vous gagnez votre vie. Alors, pourquoi ne pas faire ce que vous aimez et, du même coup, y prendre plaisir ?

L'idée de faire ce qu'on aime peut éveiller d'innombrables croyances restrictives ; peut-être en percevez-vous certaines en cet instant même : il faut travailler dur pour s'en sortir, il faut faire des sacrifices dans la vie, chaque chose a son prix, et ainsi de suite. Mais ce ne sont là que de faux raisonnements qui peuvent vous piéger dans une existence malheureuse. Nous faisons trop souvent dépendre les résultats auquel nous aspirons de règles et de conditions qui n'ont aucune raison d'être. La seule chose qui nous procurera les illusions auxquelles nous aspirons, c'est la pensée des choses que nous désirons, et non des démarches physiques dans un monde physique.

Pour clarifier les choses, cependant, les étapes physiques font *effectivement* partie de l'équation, et elles en découleront tout naturellement, comme nous l'avons vu au chapitre 4, « La vie vous attend ». Notre méprise, jusqu'ici, a été de croire que nous devions physiquement réaliser nos rêves ; ce n'est pas le cas. Nous devons nous mettre physiquement en mouvement pour que les principes de l'Univers puissent *faire en sorte* que les choses arrivent, ce qui est très différent. Voilà qui ôte un grand fardeau de nos épaules. Les pas que nous « devrons » franchir sont les plus faciles : ces pas de bébé ne sont qu'une extension de nos pensées, ce sont nos croyances en action, et ce sont généralement les pas que nous sommes *prêts* à franchir.

En vérité, même l'abondance n'est qu'un travail intérieur. Allez d'abord en vous pour amorcer ce changement. Déterminez clairement ce que vous voulez, puis mettez-vous en mouvement, en suivant simplement la direction générale de votre passion. Et comme s'il avait reçu vos directives, l'Univers prendra le relais grâce à la magie que vous inspirent vos rêves.

La santé

Votre manifestation physique la plus intime est votre corps, et c'est un véritable miracle ! Quiconque doute de la magie de la vie ou de l'existence d'une intelligence divine n'a qu'à regarder cette « machine » prodigieuse pour élever son point de vue.

Tout d'abord, votre corps est vivant et possède une conscience propre, il est doté d'une intelligence qui lui permet de grandir automatiquement et sans effort, de s'adapter et de vivre sur notre planète. Il comprend un nombre infini de cellules vivantes, de tissus, d'organes, de muscles et d'os qui réagissent à la fois à cette conscience et à cet environnement avec leur propre conscience, œuvrant de concert les uns avec les autres pour respirer, manger, digérer, transpirer, se reposer, dormir, se régénérer, se reproduire, penser, voir, entendre, sentir, goûter, se réchauffer, se refroidir, marcher, et ainsi de suite.

Mais la caractéristique sans doute la plus extraordinaire de votre corps est le fait qu'il réagisse avec une précision redoutable à la moindre de vos pensées et de vos croyances à son sujet, vous offrant ainsi le tableau vivant de ce que vous pensez être.

Votre corps est votre manifestation, et sa condition physique (comme tout ce qu'il y a de matériel dans votre vie) reflète les croyances et les attentes que vous cultivez à son sujet. C'est une sculpture vivante, et vous en êtes l'artiste. Vous n'êtes pas ce que vous mangez ; vous êtes ce que vous pensez, et ce canevas miraculeux ne cesse de se créer et de se recréer, en fonction de vos pensées qui changent à chaque instant.

Si vous êtes inquiet à propos de votre santé, soit que vous ne vous sentiez actuellement pas bien ou que vous ayez tout simplement envie d'accroître votre bien-être, alors, d'une certaine manière, il y a quelque chose qui vous échappe quant à votre état naturel, qui provoque un déséquilibre dans votre système.

Quand je vivais à Boston, j'ai entendu un jour quelqu'un faire du « channeling » (cf. chapitre 5) à la radio. Comme ce qu'il disait me semblait de qualité, je lui ai téléphoné pour prendre rendez-vous pour une consultation personnelle. Au cours de cette consultation, j'ai posé de nombreuses questions, y compris sur ma santé. À l'époque, j'avais l'impression que mon estomac me posait constamment problème ; je ne pesais pas assez et je ne me sentais tout bonnement pas bien. Ce « channel » m'a dit beaucoup de choses à propos de mon état, mais la chose qui me fut le plus utile fut la suivante : il m'expliqua que j'abordais mes problèmes de santé en supposant que quelque chose n'allait pas en moi, ou que mon corps présentait spécifiquement un problème, alors que, m'a-t-il dit, mon corps était parfait et se comportait exactement un organisme en parfaite santé.

Eh bien, cette affirmation m'a laissé perplexe et j'ai dû y réfléchir un bon moment. Puis, j'ai eu un éclair de compréhension qui m'a fait éclater de rire. Le message qui venait de m'être donné était qu'un corps véritablement parfait (un corps en bonne santé) réagit à son environnement, aux aliments dont on le nourrit et à son sculpteur (moi) en manifestant des signes de malaise, des maladies ou des fluctuations de poids qui servent à faire savoir qu'il n'est pas bien traité ou bien considéré. Qu'il est parfaitement défectueux, si vous voulez.

C'était un message assez subtil, mais ô combien vrai et important. Il signifie que nous avons *tous* un corps parfait et en bonne santé, *à chaque instant*, et que s'il est parfois chamboulé, *c'est à cause de nous*, et non à cause de lui. En incriminant notre corps, non seulement nous éludons les vrais problèmes, mais nous nous créons de toutes nouvelles croyances restrictives que nous ne possédions même pas au départ ! Nous avons tous un corps parfait dès le départ, que nous conservons toute notre vie, et si notre santé décline, ce n'est pas parce qu'il devient soudain imparfait. Il réagit au regard que nous portons sur lui, sur nous-mêmes et sur notre vie. C'est exactement de tout cela que traite ce livre : *les pensées se réalisent*, y compris des « choses » comme notre santé physique.

Problème de poids

L'une des choses dont les gens se plaignent le plus souvent, à propos de leur corps, c'est de leur poids. Même si un problème spirituel précède toujours sa manifestation purement pondérale, c'est souvent *physiquement* que l'on en découvre l'existence, que ce soit en mangeant trop ou pas assez. Il arrive aussi parfois qu'en se penchant sur ce problème alimentaire, des chemins se frayent en nous jusqu'à des questions plus profondes, quand celles-ci ne se règlent pas automatiquement une fois le poids idéal atteint. Mais le fait qu'une cause spirituelle plus profonde sous-tende la prise ou la perte de poids ne signifie pas pour autant que celle-ci est si profonde et complexe que quelques ajustements rapides, à la fois de votre point de vue et de vos habitudes physiques, ne puissent en venir à bout.

Permettez-moi de vous proposer quelques réflexions susceptibles de *compléter* ce que vous faites actuellement pour gérer les éventuels problèmes de poids auxquels vous êtes confronté, juste quelques idées pour compléter – et non remplacer – toutes les connaissances classiques déjà disponibles sur ce sujet.

1 | ***Relax !*** Dans le grand ordre de l'Univers, *votre problème est assez simple*. Après tout, vous n'êtes pas en train d'essayer de faire pousser un nouveau membre ni de grandir de 10 cm ; vous cherchez seulement à ajuster votre poids ! Tant de gens abordent leurs problèmes pondéraux comme s'il s'agissait du défi le plus difficile et le plus complexe au monde... au point que leurs problèmes deviennent effectivement extrêmement difficiles et complexes, pratiquement impossibles à gérer, *simplement parce qu'ils les ont envisagés comme ça*. Donc, la première étape est de vous relaxer et de prendre conscience que, pour peu que vous adoptiez une juste perspective, le défi qui vous attend est, en réalité, tout petit.

2 | ***Ne vous trouvez pas d'excuses.*** Manger trop ou pas assez n'est pas « naturel » ; à elle seule, cette prise de conscience devrait résonner en vous. Toute autre façon de penser vous rendra complaisant et s'opposera alors à vos tendances naturelles qui, sinon, vous ramèneraient à l'équilibre. Ce point de vue vous

rappellera que votre corps *penche naturellement* vers un poids idéal, et que vos récentes habitudes alimentaires le forcent à aller à contresens ; vous prendre conscience que, pour peu que vous l'écoutiez, ses mécanismes innés d'équilibrage s'activeront en *votre* faveur, venant ainsi *soutenir* vos propres efforts pour atteindre le poids idéal. Le fait de justifier des habitudes alimentaires non naturelles à coups de clichés du genre « Je suis comme ça » ou « On est tous gros dans la famille » minimise votre propre responsabilité et, autrement plus grave, développe en vous des croyances qui vont saboter vos tentatives d'ajuster votre poids. Par le passé, j'ai souvent travaillé des heures et des heures, jusqu'à être totalement affamé, plusieurs fois par jour, et pratiquement tous les jours de la semaine, ne voulant être ni dérangé ni interrompu par mon besoin de manger. J'en faisais une marque d'honneur, quelque chose dont je pouvais être fier, mais en réalité, quel non-sens ! Surtout pour quelqu'un qui était déjà trop maigre ! Quand je me suis finalement rendu compte à quel point il n'était *pas naturel* et pas sain d'être constamment tiraillé par la faim, quand j'ai vu à quel degré mon travail *et* ma vie sociale en pâtissaient, mes vieilles habitudes sont soudain devenues plus embarrassantes que valorisantes. Il en va de même, bien entendu, pour celles et ceux qui mangent trop.

Bien sûr, il y a de toute évidence des raisons (que parfois vous vous masquez à vous-même) pour que vous souffriez d'un tel déséquilibre, aussi devriez-vous également explorer vos croyances et au besoin travailler dessus, peut-être en vous faisant aider, afin de découvrir et de transformer la cause profonde de votre problème alimentaire. En œuvrant à reculons, du symptôme extérieur à la problématique interne, et en acceptant le fait qu'il n'est pas naturel de manger trop ou pas assez, vous pouvez commencer à changer de comportement et à comprendre vos croyances, et parvenir ainsi à sortir de ces problématiques pondérales pour passer à autre chose.

3 | ***Prenez conscience que vous n'êtes pas votre corps !*** Votre corps n'est pas *votre création*. Détachez-vous des définitions que vous en avez faites, car il possède sa conscience et ses besoins propres. Il a besoin de vous, il compte sur vous et n'existe que pour être à votre service. Votre corps physique dépend de vous pour vivre, Aussi mérite-il les plus grands soins. Cette manière de penser peut également vous aider à séparer vos émotions de votre alimentation. Par exemple, si vous vous sentez triste, un jour, ou encore déprimé ou en colère, vous n'allez pas tripler la ration alimentaire de votre chat ou de votre chien, n'est-ce pas ? Ni le faire jeûner durant un jour ? Alors, pourquoi imposer cela à votre corps ? Chaque fois que vous abordez votre comportement, vos émotions et vos décisions, rappelez-vous d'allier la logique à l'amour. Puis, écoutez votre voix intérieure et faites-lui confiance. Songez à votre comportement, faites preuve de logique l'espace d'un instant, montrez-vous rationnel, soyez également spirituel, puis soumettez votre situation à une bonne dose d'intelligence divine, empreinte d'amour.

4 | ***Observez tout ce que vous dites et faites pour votre poids, pour éviter de renforcer la moindre programmation négative.*** Évitez de dire des choses du genre « Je n'y peux rien », « Cela ne sert à rien », « J'ai un métabolisme lent (ou rapide) », « C'est héréditaire »,

« C'est ma thyroïde », « C'est trop difficile », ou encore ce que l'un de mes amis avait l'habitude de dire, « Il suffit que je voie de la nourriture pour prendre du poids ! ». Ces pensées-là s'efforceront elles aussi de se réaliser, votre corps y réagira, votre métabolisme ralentira et vous serez encore plus mal qu'avant.

Par chance, peu importe si ces affirmations étaient vraies ou non autrefois ; à dater de maintenant elles ne le sont plus ; et vous devez cesser de leur donner du pouvoir. Même si vous pesez actuellement 40 kilos de trop, ne dites plus jamais « J'ai des kilos en trop », car cette déclaration ne fera que perpétuer la situation. Votre corps est parfait et il est totalement capable d'atteindre son poids idéal ; c'est juste que, jusqu'ici, vous l'avez mal programmé à votre insu, et il vous reste encore une bonne centaine de pensées inadaptées qui souhaitent se réaliser. Laissez tomber toutes ces pensées, et votre poids chutera également.

5 | ***Calquez votre comportement sur le moi dont vous rêvez.*** Faites des folies, lâchez-vous, accordez-vous les petits plats dont vous raffolez, *comme si* vous aviez déjà atteint votre poids idéal. Ces actes de foi – le fait d'agir *comme si* – vous disent avec force, à vous et à l'Univers, que vous jouez désormais à un autre jeu. Ils montrent que vous avez confiance en vous et vous donnent le sentiment d'avoir déjà réussi. Tout en imaginant que vous êtes déjà votre moi idéal, dégustez une bonne tranche de gâteau au chocolat après le souper, mais pas le gâteau tout entier ! Même pas deux tranches, car si vous étiez vraiment votre moi idéal, deux tranches seraient déjà trop pour vous et contraires à votre nature ! Ça marche dans les deux sens : en modelant votre comporte-

ment de cette manière, vous cultivez de nouvelles pensées qui vous aident à opérer le changement que vous désirez.

Commencez à affirmer délibérément le genre de choses que vous diriez si vous aviez votre poids idéal. N'hésitez pas à faire des déclarations qui n'ont actuellement aucun sens au niveau physique, du genre « Dieu merci, qu'est-ce que je suis mince ! ». Ce n'est pas un mensonge ; c'est la vérité. En effet, au niveau spirituel, il existe un autre vous-même qui possède un poids idéal, et vous en invoquez la manifestation dans votre réalité physique chaque fois que vous faites une déclaration qui en reconnaît l'existence. Quand vous dites que vous pesez trop ou pas assez, ou quand vous plaisantez sur votre corps et votre état physique, vous projetez ces commentaires-là sur votre avenir et donc sur votre réalité. Vous devez immédiatement vous mettre à penser, à parler et à agir en concordance avec le poids dont vous rêvez. Allez-y, faites une obsession de ce nouveau moi dont vous rêvez ; mangez comme lui, dormez comme lui et respirez-le en vous, afin que ce soit lui que vous projetiez dans votre avenir. Oubliez où vous en êtes actuellement et par où vous êtes passé, et vivez désormais dans la réalité de ce nouveau moi dont vous rêvez.

6 | ***Pensez moins à votre poids et davantage à vivre une vie harmonieuse.*** C'est le même conseil que je donne à ce qui se languissent de trouver un nouveau partenaire amoureux ou de jouir enfin de l'abondance. Leur désir est si fort qu'il les rend aveugles au reste de leur vie, à ce qu'ils sont déjà et à tout ce qu'ils possèdent déjà, au point que toute leur vie finit par en être affectée.

Peu importe combien vous pesez, vous n'en êtes pas moins vivant *maintenant* ! Et votre vie mérite attention. Ne remettez pas votre joie, vos défis ou quoi que ce soit d'autre au lendemain, sous prétexte que votre poids ne vous convient pas. Au contraire, le fait d'avoir une vie équilibrée vous aidera énormément à changer de poids ; le seul fait d'atteindre un tel équilibre de vie peut même entraîner automatiquement la perte de poids désirée.

7 | *Mangez moins.* Inversement, si vous voulez prendre du poids, mangez davantage. Oui, c'est simpliste, mais si souvent négligé ! Je m'excuse auprès de celles et ceux qui comprennent déjà que manger trop ou pas assez est le premier symptôme d'une problématique plus profonde, et j'adresse cette recommandation à ceux pour qui la composante physique de leur prise ou de leur perte de poids demeure un mystère. Comme je l'ai déjà dit, la problématique sous-jacente reste généralement le point de départ idéal pour opérer un changement significatif, mais le second point de démarrage efficace est le contrôle de la quantité d'aliments consommée. Il est assez hallucinant qu'on trouve aujourd'hui des aliments diététiques pour animaux domestiques, comme si la *quantité* de nourriture que mangeait votre animal favori était d'une importance cruciale, ou comme si le fait que Médor soit trop gros ait quelque origine mystérieuse et que, pour y remédier, il faille recourir à des aliments industriels modifiés. Il n'y a pas d'animal domestique ayant des kilos en trop, sur cette planète, qui ne puisse rapidement retrouver un poids idéal, pour peu qu'on l'alimente tout simplement moins. Le même principe s'applique aux personnes qui souhaitent perdre du poids.

8 | ***Faites de l'exercice !*** Je ne vais même pas développer ce point, sinon pour préciser qu'en la matière vous n'avez pas besoin d'en faire des tonnes, de vous inscrire dans un club de remise en forme ou de courir un marathon. Le moindre effort, dans ce domaine, idéalement sous la supervision d'un médecin, se révélera extrêmement payant et vous aidera à garder un corps en bonne santé et équilibré.

L'harmonie

Oh, combien la vie est plus agréable quand nous atteignons l'harmonie. Mais la clef, en ce qui concerne l'harmonie (et cela vaut aussi pour l'abondance et la santé), c'est de prendre conscience qu'il n'est pas nécessaire de l'atteindre. Elle existe déjà ; elle est en vous, elle vous entoure, elle est votre état naturel.

J'ai vécu quelque chose d'étonnant, voici quelques années. J'écoutais le canon de Pachelbel, l'un de mes morceaux de musique favoris, et, comme cela m'arrive parfois, je me suis soudain senti traversé par un sentiment de félicité pratiquement impossible à décrire, comme le bonheur à la puissance mille. Une fois le morceau terminé, je suis allé faire quelques travaux au jardin et, je ne sais comment, je me suis retrouvé dans un état modifié de conscience. Soudain, j'ai « entendu » ce canon dans les recoins de mon esprit, tout en percevant simultanément les plantes et les buissons qui m'entouraient se balancer en douceur sur cette mélodie, émanant une joie tout aussi inexplicable. En cet instant, j'ai eu le sentiment d'en savoir davantage sur les plantes qu'aucun livre ne le dira jamais. Je sus que telles étaient leur paix, leur joie et leur harmonie *à chaque instant*. Je me souviens avoir pris conscience à quel point tout cela était impénétrable. Je me suis même dit, aussi stupide que cela puisse paraître, que même si un arbre devait être frappé par la foudre ou arraché par un bulldozer, la chose n'aurait aucun effet sur son état de conscience, tout de béatitude : il continuerait d'être et d'émaner une joie invisible à nos sens physiques. J'ai également perçu que même si un arbre devait lentement décliner et mourir de sécheresse, il ne connaîtrait malgré tout que cette félicité-là.

Cet épisode ne dura que quelques secondes et je ne l'ai plus jamais revécu depuis, mais il me rappelle aujourd'hui encore comment les choses sont véritablement, non pas seulement pour les végétaux et les arbres, mais pour toute forme de vie. Cet amour, cette joie et cette harmonie sont présents dans tout ce qui vit : chaque atome, chaque cellule, chaque insecte, la moindre des créatures. Ils ne nous deviennent invisibles que lorsque nous les masquons au moyen des perceptions de nos sens physiques, de nos jugements et de nos croyances. Ils sont également présents en vous, en cet instant, à deux doigts de votre prise de conscience. Vous n'avez pas à trouver l'harmonie : laissez-la simplement se révéler de l'intérieur et permettez-lui de capter votre attention. Pour vous aider à déverrouiller les portes qui la cachent parfois à votre vue, voici quelques réflexions :

1 | ***L'acceptation.*** Si quelque chose hérisse vos plumes, ce n'est pas en le combattant que cela disparaîtra. Une telle lutte en ferait l'objet premier de vos pensées et, par conséquent, favoriserait sa prochaine manifestation. Acceptez d'avoir des difficultés et que votre vie soit telle qu'elle est. Comme je l'ai

dit précédemment, cela ne veut pas dire que vous deviez aimer vos problèmes ou ne rien faire pour les résoudre, mais il vous faut tout d'abord les accepter pour pouvoir aller de l'avant. L'acceptation, c'est arrêter de se battre contre l'Univers, car même si vous vous sentez dans votre bon droit, c'est l'Univers qui l'emportera. L'acceptation, c'est également reconnaître que quoi que la vie vous impose, il y a une leçon à apprendre, et c'est donc accepter de voir cette situation sous un nouveau jour pour trouver cette leçon et l'accueillir l'âme en paix.

2 | ***Quand la vie vous impose des épreuves, tournez-vous vers l'intérieur.*** Prenez conscience que c'est vous-même, et non ce qui vous trouble, qui vous prive de la joie et de l'harmonie de la vie, et que vous seul pouvez vous débarrasser du bandeau qui masque votre conscience. Ce ne sont pas les circonstances de notre vie qui sont responsables de nos souffrances, de notre peur ou de nos soucis ; ce n'est que la façon dont nous *percevons* ces circonstances qui déclenche tout cela. En acceptant ce qui vous arrive et en travaillant sur la façon dont vous le percevez, vous atteindrez un niveau de compréhension de la situation à la fois plus élevé et plus harmonieux.

3 | ***Rappelez-vous que votre vie est en tous points ce qu'elle devrait être.*** Ce n'est ni par hasard, ni par accident que vous vous retrouvez dans telle situation ou que vous faites telle expérience. D'ailleurs, vous ne vous *retrouvez* jamais dans rien ; vous ne faites que créer des expériences et des situations, parce que vous êtes prêt à en affronter les conséquences et à voir les choses sous un nouveau jour. Vous êtes vous-même la raison pour laquelle certaines choses

vous arrivent, et en les acceptant, en rapportant ce que vous observez dans votre vie à ce qui se passe en vous, vous finirez par comprendre que votre vie est en tous points telle qu'elle « devrait » être. Il n'y a pas d'accidents et l'Univers ne commet pas d'erreurs. La vie est notre terrain de jeu et notre laboratoire d'étude, où il nous est donné d'expérimenter nos pensées, et, même si ce n'est pas encore le cas, un jour tout cela prendra un sens à vos yeux. Vous vous rendrez compte que rien n'a jamais été perdu ; que vous avez toujours conservé votre intégrité ; et que, en tant qu'être spirituel éternel, il vous reste encore l'éternité devant vous.

Quoi que vous désiriez, libérez-vous de toute idée quant à la *façon* dont vous l'obtiendrez.

Ne vous occupez pas de « comment »

Qu'il s'agisse de l'abondance, de la santé ou de l'harmonie auxquelles nous aspirons, ce qui nous met dans le pétrin, c'est notre obsession à vouloir savoir *comment* les choses vont se faire. Pour le démontrer, revenons à la question de l'abondance (même si le même concept s'applique à la santé et à l'harmonie), et je vous soumettrai à un petit test. Imaginons que vous osiez rêver en grand d'une chose que vous désirez vivement manifester dans votre vie. Allez-y, choisissez quelque chose de très osé, maintenant, que vous rêvez de vivre ou de posséder.

Si vous êtes comme tout le monde, vous allez avoir le sentiment, au départ, que pour manifester le désir que vous venez d'exprimer, il vous faut tout d'abord déterminer *comment* vous allez l'obtenir. Si vous êtes un agent immobilier, par exemple, vous commencez sans doute déjà à réfléchir aux listings dont vous allez avoir besoin ; si vous êtes un auteur, vous imaginez déjà les best-sellers qu'il vous faudra écrire ; si vous êtes un commercial, vous réfléchissez en termes de commissions et de bonus ; et si vous êtes actuellement coincé dans un emploi sans possibilités de promotion ou si vous êtes au chômage, vous êtes probablement stressé, parce que vous n'avez pas la moindre idée comment diable vous allez pouvoir vous permettre vos rêves grandioses.

Alors, que devez-vous *effectivement* faire pour obtenir ce que vous voulez, sans pour autant vous occuper de ces maudits « comment » ? Voilà le test. Qu'allez-vous *devoir* faire pour réaliser votre rêve ? Quelle que soit votre profession, et même si vous n'en avez aucune, j'espère que vous venez de vous dire, « Je vais devoir inviter les forces invisibles de l'Univers à faire cela pour moi », puisque vous savez bien que votre rêve n'est qu'une bagatelle pour l'Univers, même s'il est virtuellement impossible à réaliser pour votre moi physique. Souvent, notre première erreur – quand nous réfléchissons à l'abondance, à la santé ou à l'harmonie – consiste à immédiatement nous demander *comment* nous allons les manifester, et ensuite à nous stresser.

Quoi que vous désiriez, libérez-vous de toute idée quant à la *façon* dont vous l'obtiendrez. Vous vous rappelez quand, à peine sorti de l'Université, je me disais que j'allais me faire virer au cours de mes trois premiers mois chez PW ? Eh bien, j'ai fini par me rendre compte que je ne faisais qu'aggraver la situation avec mes pensées négatives et j'ai décidé de faire de la visualisation chaque soir, à mon retour du travail. Rappelez-vous également que je vous ai dit que je ne savais pas quoi visualiser, car comme j'étais un mauvais vérificateur des comptes, je ne savais pas comment travaillaient les bons (sans quoi je n'en aurais pas été un mauvais). Eh bien, cette impasse fut en réalité une bénédiction, puisqu'elle m'a obligé à me concentrer sur le résultat final : me voir en train d'arpenter les corridors de PW, tout rayonnant de joie. Comme je ne savais pas *comment* me sortir de la position qui était la mienne, je n'ai pas dit à l'Univers *comment* il devait me sauver, ce qui l'aurait alors empêché de trouver la solution la meilleure et la plus adaptée. Il s'avère que la solution de ce problème fut quelque chose *que je n'aurais jamais pu imaginer, fût-ce en dix millions d'années*, à savoir que l'on m'a *prêté* au département fiscal !

Je me suis exclusivement concentré sur le résultat final – être heureux au travail – et c'est exactement ce que j'ai obtenu, en laissant l'Univers déterminer *comment*, c'est-à-dire s'occuper des détails, de la réalisation. Si j'avais demandé à devenir un « bon vérificateur des comptes », l'Univers n'aurait probablement pas pu trouver mon salut dans le département fiscal, car ma demande trop précise m'aurait fait rester dans le département des vérifications !

Je vous ai ensuite raconté comment, après avoir évité un départ rapide de chez PW, j'ai entrepris de réaliser un petit album, avec des coupures de journaux, pour m'aider à visualiser tout ce que je désirais dans la vie, y compris les destinations où je souhaitais me rendre. Cet album ne contenait que les photos des résultats auxquels je voulais parvenir, *et non les moyens de les atteindre*. Il comprenait des images de la vie de mes rêves, et c'est justement ça, le truc secret des outils de ce genre : vous vous mettez immédiatement à penser au *résultat final*. J'ai regardé ces images, et je les ai visualisées durant dix mois, avant que ne tombent des décisions qui allaient m'envoyer dans une ville du Moyen-Orient dont je n'avais jamais entendu parler et que j'avais encore moins visualisée. Il s'avéra par la suite que ce passage par Riyad, en Arabie Saoudite, était sans doute la meilleure manière de réaliser mes rêves le plus rapidement possible. C'est *de cette façon* que mes rêves devaient se réaliser, même si ce qui m'arrivait dépassait tout ce que j'aurais pu imaginer. Mais le plus fort, c'est que la *manière* dont les choses se sont faites était totalement en accord avec mon tempérament d'aventurier et que j'ai vécu une période formidable.

Vous ne vous *retrouvez* jamais dans rien ; vous ne faites que créer des expériences et des situations parce que vous êtes prêt à en affronter les conséquences et à voir les choses sous un nouveau jour.

En ne vous occupant pas des « comment », non seulement vous laissez l'Univers libre de déterminer les choses *pour* vous (d'une manière qui vous laissera sans voix), mais vous vous libérez vous-même de toutes les peurs, les soucis et les stress qui accompagneraient vos tentatives de manipuler le temps et l'espace.

Un autre problème apparaît quand vous essayez de faire les choses par vous-même. Plus vous cherchez à déterminer chaque étape du chemin, moins vous êtes dans le présent et plus vous commencez à vivre dans le futur et à vous faire du souci. Alors que si vous laissez l'Univers décider *comment* faire, vous pouvez pleinement profiter de l'instant présent. En déléguant les choses à l'Univers, non seulement vous avez l'assurance que tout ira pour le mieux, mais vous vous donnez la liberté d'apprécier toutes les merveilles que la vie vous offre déjà. Cela vaut pour tous les domaines de votre vie, pas seulement votre carrière, mais également votre santé et l'harmonie dans toutes vos affaires.

Ne vous occupez pas de ces maudits « comment ».

Vous *pouvez* le faire

Passons maintenant à la vitesse supérieure, car si vous lisez ce livre, ce n'est pas seulement pour améliorer un tout petit peu votre vie ; vous voulez que vos rêves se réalisent, ce qui signifie, au minimum, vivre dans l'abondance, la santé et l'harmonie. Selon où vous en êtes actuellement, le chemin peut vous paraître long, aussi devez-vous prendre conscience que la distance que vous avez à parcourir n'est pas physique. Le défi que vous avez à relever consiste à changer de manière de penser et de comprendre les choses. Vous devez passer des pensées qui vous ont conduit à votre situation actuelle à celles qui seront les vôtres quand vos rêves se seront réalisés. Et même s'il s'agit de deux catégories de pensées radicalement différentes, *ce ne sont malgré tout que des pensées.*

En ne vous occupant pas des « comment », non seulement vous laissez l'Univers libre de déterminer les choses *pour* vous (...), mais vous vous libérez vous-même de toutes les peurs, les soucis et les stress qui accompagneraient vos tentatives de manipuler le temps et l'espace.

Abordons donc cette nouvelle manière de penser. La pensée est comparable à n'importe quelle tâche physique. On prend l'habitude de la pratiquer d'une certaine manière ; on a sa zone de confort, ses routines et ses habitudes. Mais en cet instant, en lisant ce livre, vous reconnaissez être prêt à entreprendre certains changements, et je vous ai dit plusieurs fois que ce changement doit tout d'abord débuter dans vos pensées. Même si je vous ai déjà expliqué plusieurs façons d'y parvenir, je tiens vraiment à vous aider à adopter rapidement et facilement de nouvelles façons de penser. Vous trouverez donc ci-dessous cinq manières très faciles de cultiver de nouvelles pensées, qui mettent l'accent sur *quoi* (et non sur *comment*) penser.

Une palette de pensées

Faites-vous toute une palette de pensées à utiliser régulièrement (et pourquoi ne pas commencer dès aujourd'hui ?). Ce que je veux dire, c'est que vous pouvez préparer dès maintenant, à l'avance, un éventail de pensées à utiliser dans un avenir proche, quand vous ferez vos visualisations, quand vous irez faire les courses, quand vous rêvasserez, n'importe quand. Prenez le temps maintenant de vous préparer toute une palette de pensées parmi lesquelles choisir plus tard. Même si vous ne pratiquez la visualisation qu'une ou deux fois par jour, et pas plus de cinq à dix minutes à la fois, ce sera beaucoup plus simple si vous avez déjà à votre disposition un échantillon de toutes les nuances de la vie de vos rêves.

Par exemple, si vous désirez perdre du poids, au lieu de vous visualiser avec une silhouette mince, de temps en temps, élaborez dès maintenant les centaines de conséquences positives qu'entraînera pour vous le fait d'avoir perdu du poids. Vous pouvez par exemple vous imaginer comment ça sera d'aller vous acheter de nouveaux vêtements ou de devoir décider que faire des vieux qui ne vous iront plus. Vous pouvez également envisager les réactions de vos amis quand ils verront combien vous avez changé. Pensez également à vous fixer de nouveaux objectifs qui n'auront de sens qu'une fois que vous aurez *déjà* atteint votre poids idéal. Imaginez dès maintenant combien il sera plus facile pour vous d'aller vous promener ou de faire de l'activité physique. Voyez-vous également en train d'aider d'autres personnes à suivre le même chemin que vous. Pensez à tous les changements positifs qu'apportera votre réussite, car virtuellement tout aura changé !

Dotez-vous donc de cette immense palette de pensées, afin d'avoir toutes ces « munitions mentales » à votre disposition au cours des jours, des semaines et des mois à venir. En plus de ces listes, vous pouvez également illustrer ces scénarios positifs sur certaines pages de votre album. C'est facile à faire, et vous pouvez réaliser cela pour chacun des rêves que vous avez.

Pour l'abondance, songez dès maintenant aux « aides » que vous devrez embaucher pour gérer vos affaires : le comptable, l'avocat, la nounou, le jardinier, la personne qui entretiendra la piscine, et ainsi de suite. Demandez-vous comment vous allez les trouver. Imaginez les interactions que vous aurez avec ces personnes, voire avec leur famille. Pensez à ce que vous ferez de votre temps. Imaginez le genre de buts que vous vous fixerez, une fois que votre situation financière sera définitivement assurée. Prenez le temps d'imaginer en détail votre vie et votre activité professionnelle, dans ces nouvelles circonstances. Faites en sorte que votre palette soit si vaste que vous ayez toujours des pensées à retourner dans votre tête et à projeter sur votre avenir. Ces pensées devraient prendre tant d'importance, et le temps que vous leur consacrez devrez être tel que vous ne pourrez plus regarder la télévision ni un panneau publicitaire, sans faire un lien immédiat entre ces annonces et votre nouvelle vie.

Pensez en grand

Comme je l'ai évoqué brièvement au début de ce livre, pensez en grand, mais adoptez un rythme qui vous convienne. Quand vous pensez en grand, non seulement cela vous inspire, mais vos rêves propulsent vos pensées *au-delà de leurs limites connues*. En visant très haut, vous dépassez les nuages du doute, car vous n'avez aucune idée des limites qui pourraient bien exister tout là-haut.

En ce qui me concerne, l'idée de « vivre la vie de mes rêves » m'inspire autrement plus et suscite autrement *moins de résistance* en moi que si je me bornais à imaginer la publication de mon prochain livre ou ma prochaine intervention en public, car elle me propulse au-delà de tout ce que je connais. Et, bien que la notion de vivre la vie dont j'ai toujours rêvé soit abstraite, je peux quand même facilement en imaginer de nombreux détails : mes amis qui me félicitent, l'éclat brillant des chromes de ma nouvelle voiture, le nouveau mobilier de mon bureau, l'architecte avec qui je discute de la rénovation de mon appartement à Londres, la sueur qui me dégouline dans le dos après un bon jogging dans la campagne ! L'important, ici, est de ne pas accorder plus d'importance à ces détails qu'à la vision d'ensemble : *vivre la vie de vos rêves*.

Élevez progressivement vos objectifs

En réalité, il n'y a pas de mal à planer dans la vision de vos rêves les plus fous, sauf que des visualisations de ce genre peuvent être à ce point éloignées de votre vie actuelle que vous aurez du mal à vous imaginer capable de les réaliser et, par conséquent, vous risquez de ne plus y croire. Découpez donc vos buts grandioses en plusieurs objectifs de taille raisonnable, de manière à pouvoir également vous concentrer sur des résultats atteignables immédiatement, ce qui vous donnera confiance en vous, le temps d'atteindre vos rêves. Un petit avertissement s'impose ici : n'allez pas mal interpréter mes propos. Je ne suis pas en train de vous suggérer d'imaginer des « comment » progressifs (par exemple, « Je vais écrire un best-seller, afin que je puisse ensuite partir en safari au Kenya avec toute la famille ! »). Ce que je veux dire, c'est que vous devez imaginer *des résultats finaux* progressifs ; ce qui est très différent (par exemple, « Le premier jet de mon livre sera terminé d'ici la fin de l'année ! D'ici l'été, j'aurais trouvé un agent. Ce sera un livre qui passionnera les lecteurs du monde entier ! »). Ou encore, indépendamment de votre rêve de devenir écrivain, dites-vous, « Cet été, nous irons en vacances au Mexique ! L'année prochaine, ce sera un safari au Kenya ! ».

Bien sûr, on peut rêver grand *et* vite. Ce que je veux dire, c'est simplement que vous ne devez pas avoir un rêve dont l'objectif est de déterminer *comment* un autre rêve se réalisera. Rien ne vous empêche de rêver que votre premier livre sera un best-seller ; ce genre de chose arrive tout le temps. Mais j'ai délibérément choisi cet exemple, parce que la rédaction d'un best-seller est l'exemple le plus classique et le plus courant de la *façon* dont beaucoup de gens s'imaginent que leurs autres rêves vont se réaliser. La seule raison pour laquelle on devrait avoir envie d'écrire un livre, au départ, c'est soit que l'on a vraiment quelque chose à partager, soit qu'on adore écrire.

Le plus grand secret du bonheur

Autant que possible, profitez de votre vie telle qu'elle est pour l'instant. Ce n'est pas la réalisation de vos rêves qui vous procurera le bonheur ; la plupart des gens ajustent leurs rêves en cours de route, mettant la barre toujours plus haut, ce qui est normal. Avez-vous déjà entendu parler d'un millionnaire qui ne cherchait pas à gagner un second million ? Nous sommes par nature des créatures insatiables ; sitôt que nous avons atteint un but, notre regard est déjà fixé sur le suivant.

La poursuite d'un objectif est une aventure. Ce sont ces aventures-là qui nous font grandir et nous gardent en vie, ce qui veut dire qu'en changeant continuellement de buts et de rêves, la seule constante de notre existence est le périple que nous effectuons, un voyage sans fin dont l'une des composantes est l'obtention de « choses » que nous ne possédons pas encore. L'astuce consiste donc à apprendre à être heureux sans avoir encore tout ce qu'on veut, puisque cela n'arrivera jamais ! Vous comprenez ? Si nous attendons que notre rêve actuel se réalise pour être heureux, cette habitude se perpétuera indéfiniment, puisque sitôt un rêve réalisé, il est déjà remplacé par d'autres rêves. Profiter de la vie, c'est savoir apprécier le voyage, même si le fait même que nous soyons en mouvement signifie que nous n'avons pas encore tout ce que nous voulons. Voilà le plus grand secret du bonheur ; maîtrisez-le dès maintenant et vous pourrez vous la couler douce le « restant de vos jours ».

Ancrez-vous dans la vérité

Concentrez-vous de temps en temps sur le fait que votre état naturel est de vivre dans l'abondance, la santé et l'harmonie (il suffit de cinq à dix minutes pour cela). Réfléchissez à ces qualités et à leur omniprésence dans la vie. Imaginez que la vie vous procure tout ce que vous voulez, puisque c'est le cas. Considérez la nature elle-même, avec ses paysages de rêve et sa production prolifique de verdure, de fleurs et de fruits : rendez-vous compte combien les animaux sauvages ont peu à se préoccuper de leur survie, de trouver à manger ou un abri. Et rappelez-vous tous les incidents qui vous sont arrivés, au cours desquels la vie est miraculeusement venue à votre secours. Attardez-vous sur la magie de la vie et efforcez-vous d'atteindre la certitude que vous êtes parfait, que vous êtes aimé et que tout est bien. Cette façon de penser vous entraînera au-delà de vos limites, y compris de celles que vous ignorez avoir, et vous permettra de discerner de plus en plus toutes les preuves *de l'harmonie et de l'abondance de la vie* présentes tout autour de vous.

L'eau s'élève jusqu'à son propre niveau, sauf si on l'empêche physiquement de le faire, et votre niveau à vous comprend une abondance généreuse, une santé parfaite et une harmonie merveilleuse. Tous ces éléments vous sont dus, de naissance, et ils font partie intégrante de votre vie, dès maintenant. Vous êtes quelqu'un de spécial, de divin, qui mérite tant de choses ! La vie vous entraînera – comme elle l'a déjà fait – vers encore plus d'abondance, de santé et d'harmonie, pour peu que vous compreniez votre véritable nature, c'est-à-dire qui vous êtes, où vous vous trouvez et pourquoi vous êtes là.

Pouvez-vous vous imaginer dans la maison de vos rêves, en train de conduire des voitures de rêve, vous délassant dans les îles des mers du Sud ou aux Caraïbes en hiver, allant voir les derniers spectacles de Broadway à Manhattan, voyageant partout dans le monde chaque année (en première classe, bien entendu !), faisant du ski dans les Alpes suisses et du trekking dans l'Himalaya, sans oublier des safaris en Afrique ? Et la voile, la plongée sous-marine, le tennis, le golf ou le polo : est-ce que vous imaginez tout cela aussi ? Vous voyez-vous à l'Hermitage à Monte-Carlo ; aux meilleures places de Wimbledon, de Roland-Garros ou du Super Bowl ; en train d'acheter les plus beaux cadeaux pour votre famille et vos amis ? Vous imaginez-vous pouvoir aider les gens dans le besoin, fonder votre propre organisme de charité, financer des programmes de scolarisation, nourrir les affamés, trouver des logements pour les sans-abri ? Êtes-vous capable de vous projeter dans une vie de ce genre ? Moi, si.

Imaginez ensuite que vous vous sentez bien dans votre peau, que vous êtes mince et en forme, que vous faites régulièrement de l'exercice, que vous transpirez un bon coup et que vous aimez ça. Pouvez-vous vous visualiser en train de poser pour des photos et d'être fier du résultat ? Ne plus jamais avoir à prendre en compte votre état de santé quand vous décidez de vos prochaines aventures, de vos lieux de vacances, d'un nouvel emploi ou d'une destination voyage, tout en aidant les autres à mener une vie plus saine ? Êtes-vous capable de vous projeter dans une vie de ce genre ? Moi, si.

Vous pouvez vivre une vie sans stress, où vous vous sentez chaque jour satisfait de ce que vous avez fait, avec la certitude d'en avoir accompli assez et d'être exactement là où vous devriez être, à profiter pleinement de la vie, à vous sentir relié à l'Univers en sachant que vous avez tout le temps qu'il vous faut. Êtes-vous capable de vous imaginer vivre ainsi ? Moi oui, et l'Univers aussi.

Profiter de la vie, c'est savoir apprécier le voyage, même si le fait même que nous soyons en mouvement signifie que nous n'avons pas encore tout ce que nous voulons.

Vous êtes un miracle, vous êtes fait pour réussir et les cartes ont été battues en votre faveur. En acceptant cette vérité toute simple, vous allez inévitablement connaître l'abondance, la santé et l'harmonie qui sont déjà présentes partout dans votre vie.

9 LES RELATIONS

Qu'y a-t-il de plus stimulant et de plus gratifiant que les relations : à la maison, au travail, dans les loisirs et en amour ? Or n'est-il pas intéressant d'observer que si nous avons tendance à définir nos relations en fonction des personnes auxquelles elles nous lient, le seul point commun entre elles – leur dénominateur commun ultime – c'est précisément nous ?

Dans ce chapitre, nous allons commencer par aborder la relation que nous avons avec nous-mêmes, le dénominateur commun, car lorsqu'on est en paix avec soi-même, on peut avoir des relations paisibles avec autrui ; la compréhension que l'on acquiert de soi-même rend plus facile la compréhension des autres. De plus, quand on est heureux en sa propre compagnie, on peut d'autant plus l'être en présence d'autrui. Je partagerai également avec vous quelques éclairages spécifiques sur nos relations amoureuses, afin que vous puissiez prendre conscience de ce que votre cœur désire véritablement et de la meilleure manière de l'obtenir. Peu importe que vous ayez ou non une relation amoureuse en ce moment, car, comme vous le verrez, la majeure partie de ces idées s'applique à toutes les relations.

Notre relation à nous-mêmes

La clé, bien sûr, c'est l'amour de soi. Et la seule façon de vous aimer est de commencer par être vous-même : authentique, sincère et naturel, ce qui vous permettra de vous comprendre, ce qui – comme dans tous les domaines – débouchera sur l'appréciation, l'acceptation et la compassion.

Écoutez-vous

Suivez vos sentiments, votre cœur et votre esprit. Ne vous souciez pas des apparences et de ce que pensent les autres, car personne ne connaît les secrets de votre âme ni les promesses que vous êtes venu accomplir. Ce qui me rappelle quelque chose qui s'est produit durant la première année d'activité de TUT. Notre entreprise se développait lentement (nous ne touchions pas encore de salaire) et nous venions de transférer nos bureaux mondiaux de mon appartement à une seule chambre à coucher dans un nouvel appartement à deux chambres, où il y avait désormais des boîtes de T-shirts dans chaque pièce, du sol au plafond.

Chaque jour à cinq heures du matin, UPS passait prendre les commandes du jour. Le chauffeur devait généralement se frayer un chemin à travers les boîtes du living-room pour atteindre mon bureau de fortune. Un jour, il remarqua au mur mon diplôme d'expert comptable agréé de Floride et me demanda avec étonnement dans la voix, « Vous êtes expert-comptable ?! ».

« Ouais », répondis-je, plutôt fier.

« Mais alors, pourquoi diable vivez-vous comme ça ?! »

Ce fut un moment difficile pour moi. La réponse, bien sûr, c'était que j'étais à la poursuite de mon rêve. Je m'étais embarqué pour un voyage vers une destination fantastique et les quelques années qu'il me fallait passer dans cet appartement n'en étaient que les étapes préliminaires. Le chauffeur ne pouvait pas discerner l'ensemble du voyage ; il croyait que l'endroit où j'en étais correspondait à ma destination et, l'espace d'un moment, je me suis vu à travers son regard et j'ai totalement perdu confiance en moi.

Or, de toute évidence, votre situation actuelle ne représente jamais ce que vous êtes vraiment. Mais pourtant, c'est souvent la seule chose que les autres voient à votre sujet. Il n'y a que vous qui connaissiez la vérité sur vous-même.

Si vous voulez vous aimer et être vous-même, vous devez *vous écouter* et prendre conscience que c'est *vous* qui êtes la plus haute autorité à votre propos, le PDG de votre vie, et que nul ne peut avoir de meilleure vision d'ensemble de votre existence que vous-même.

Faites preuve de patience envers vous-même

Notre Univers n'est pas seulement un parent gâteux qui veille sur nous avec compassion, c'est aussi un être doté de superpouvoirs qu'il ne tient qu'à vous d'utiliser à votre profit. La moindre chose que nous pensons, que nous disons ou faisons est amplifiée un million de fois avant de nous être renvoyée ; l'Univers récompense vos efforts de manière exponentielle. Songez-y : en vous contentant de visualiser ce que vous voulez et de franchir quelques pas de bébé dans cette direction, vous ordonnez à l'Univers tout entier d'orchestrer des miracles de synchronicité, afin de redistribuer les acteurs et les actrices de votre existence et de rendre possible les coïncidences stupéfiantes et les joyeux imprévus qui mettront à votre disposition ce à quoi vous pensiez au départ.

C'est là que la foi entre en jeu : entre vos petits pas de bébé et la manifestation ultime de votre rêve. Au cours de cette partie du voyage, il nous faut vivre, autant que possible, comme si nous savions que la manifestation de nos rêves était inévitable, même si le monde physique qui nous entoure continue de nous renvoyer le reflet de nos pensées et nos attentes antérieures. Nous devons accepter que ce laps de temps soit nécessaire pour que *nos pensées se réalisent*, sans pour autant tirer la conclusion « qu'il ne se passe rien », « que ça ne marche pas » ou « que je ne fais pas les choses comme il faut », si nous n'obtenons pas des résultats instantanés.

Prendre un tournant majeur dans notre vie, c'est comme faire faire demi-tour à un jumbo-jet en plein vol : le pilote a beau virer à fond à gauche, à 900 km à l'heure il va falloir un peu de temps avant que l'avion pointe dans la direction opposée, et ça n'arrangerait rien que le pilote, au bout d'une minute, stoppe sa manœuvre en disant, « Je ne comprends pas. Il ne vire pas ; on dirait que ça marche pour tout le monde, sauf pour moi. »

Donnez du temps vos rêves le temps de se manifester.

Si vous voulez vous aimer et être vous-même, vous devez *vous écouter* et prendre conscience que c'est *vous* qui êtes la plus haute autorité à votre propos, le PDG de votre vie.

L'Univers est un serviteur capable et compétent, à votre service. Ayez foi en lui et montrez-vous patient quant aux progrès que vous pouvez faire ensemble. Comme je l'ai dit précédemment, le fait que vous soyez incapable de discerner tout ce qui se passe actuellement en votre faveur dans les coulisses du temps et de l'espace ne veut pas dire pour autant qu'il ne se passe rien, et faire preuve d'impatience envers vous-même risquerait juste de défaire tout ce travail.

Restez actif

Parfois, la meilleure façon de cultiver la patience consiste à rester actif. Vous est-il déjà arrivé d'aller faire de la voile et que le vent tombe soudainement ? D'un coup les voiles se dégonflent et il n'y a plus la moindre brise pour les gonfler à nouveau ? Ce qu'il y a de plus frustrant dans ce cas, c'est que vous n'avez pas la moindre idée du moment où le vent va se remettre à souffler. Vous pourriez tout aussi bien rester là quelques minutes que quelques heures. Si jamais cela vous est déjà arrivé, je suis sûr d'une chose, c'est que *vous saviez* que le vent finirait bien par reprendre à un moment ou un autre – peut-être pas aussi vite que vous auriez voulu, mais vous saviez que ça arriverait – et ça s'est toujours produit.

Alors, est-ce que cela vous aurait aidé de maudire les éléments, durant toute cette accalmie ? Non, bien sûr. Cela ne vous aurait pas aidé davantage de douter de vos talents de navigateur, de perdre foi en le retour inéluctable du vent et de vous inquiéter qu'il puisse ne *jamais* revenir. Il en va de même pour les moments de calme qu'il nous arrive de connaître quand nous sommes à la poursuite de la vie dont nous rêvons. Tous autant que nous sommes, nous voulons tant de choses, et nous les désirons maintenant ! Mais lorsqu'elles ne se manifestent pas aussi rapidement que nous voulons, ça ne sert à rien de se mettre à douter de notre capacité à manifester nos désirs, ni de perdre foi en l'Univers.

La meilleure attitude à avoir est encore de profiter de cette accalmie pour faire toutes sortes de choses que vous n'auriez pas le temps de faire si le vent soufflait. Allez à la pêche, allez nager, faites une sieste, mangez un bon repas, passez quelques coups de fil, lavez votre bateau, faites n'importe quoi, sauf vous complaire dans le doute et l'inquiétude. En restant occupé, non seulement vous serez productif, mais vous éviterez également de penser à ce qui vous manque.

Dans la vie, utilisez toujours le temps dont vous disposez pour faire ce que vous pouvez. *Faites toujours ce que vous pouvez.* C'est l'un des meilleurs conseils que vous trouverez dans ce livre, car quand vous faites ce dont vous êtes capable, de nouvelles possibilités se présentent à vous, de nouveaux points de vue et horizons apparaissent, et le présent devient l'objet de votre attention immédiate.

Acceptez-vous tel que vous êtes aujourd'hui

Acceptez tout ce que vous avez été ; vous avez toujours fait de votre mieux, compte tenu de la compréhension qui était la vôtre à chaque instant. Et c'est ce que vous avez fait jusqu'à aujourd'hui qui vous donne la perspective plus élevée qui est désormais la vôtre.

S'accepter, c'est aussi se pardonner ses soi-disant erreurs. De toute évidence, cela n'est possible que si vous avez déjà accepté l'entière responsabilité de votre existence, et cela ne veut pas dire éprouver de la colère ou de la déception envers soi-même. Cela signifie simplement prendre conscience que vous avez toujours été, *et par conséquent que vous* serez *toujours*, à la barre de votre navire. Cela veut également dire que si vous ne comprenez pas encore pleinement chacune des situations qu'il vous a été donné de connaître, vous n'en revendiquez pas moins la paternité.

Pardonnez-vous grâce à la compréhension : comprenez que vous n'êtes pas là pour être « parfait », mais pour vivre une expérience humaine dont une partie, à ce point de notre histoire collective, implique forcément de tâtonner dans le noir, en essayant de trouver le sens de ce que l'on vit. Assumez vos responsabilités et acceptez-vous, *et vous aurez ainsi le pouvoir* de changer tout ce qui ne vous plaît pas actuellement. Quels que soient les rejets que vous ayez connus, quelles que soient les difficultés qui ont été les vôtres, et aussi importantes qu'aient pu être vos erreurs à vos yeux, *aujourd'hui, vous êtes prêt à connaître la grandeur.* Vous êtes déjà parvenu jusque-là, et grâce aux leçons que vous avez apprises et aux vérités que vous avez découvertes, le meilleur reste à venir.

Arrêtez de considérer vos désirs comme des besoins

Vos désirs vous indiquent où vous *voulez* aller, tandis que la notion de besoin implique généralement un sentiment de manque ou d'incomplétude. En général, un désir s'accompagne d'une anticipation joyeuse, tandis qu'un besoin reste fixé sur les circonstances présentes qui ne sont pas satisfaisantes.

Chaque fois que vous voulez changer, concentrez-vous sur ce que vous désirez et anticipez-en la présence, plutôt que de rester scotché sur vos déceptions et sur ce qui vous manque. Toute fixation sur le manque ne fait qu'accroître celui-ci et vous donne ainsi toute raison d'être déçu, de sorte que vous abordez le changement sans joie. Par contre, si vous ne pensez qu'à ce que vous voulez, surtout d'une manière ludique, comme si vous l'aviez déjà, vous vous sentez confiant et plein d'une joyeuse anticipation. De plus, cela affecte positivement les principes de l'Univers qui vont réaliser votre désir pour vous.

Chaque fois que vous souhaitez un changement, faites en sorte qu'il émane de vos désirs et de vos forces, et non du besoin et de la pénurie, afin que le parcours qui suivra soit vécu comme une aventure délibérément choisie.

Relaxez-vous

Je me rappelle l'époque où j'ai découvert ces vérités, voici presque trente ans. Au début, j'exultais d'avoir découvert les pouvoirs que j'avais et l'Univers merveilleux dans lequel nous vivons, mais ensuite, quand j'ai pris conscience de la responsabilité que j'avais de penser et de vivre conformément à ces pouvoirs de manifestations, je me suis senti accablé. J'ai soudain pris conscience de toutes mes pensées restrictives et craintives, et j'avais le sentiment d'être perdu si je ne les combattais pas une par une, en luttant bec et ongles !

Aujourd'hui, j'ai une meilleure compréhension des choses. Il m'arrive encore d'avoir parfois peur, quand l'incertitude libère le train fou du doute de soi, mais comme je l'ai dit au chapitre 6, « L'Univers magique », je sais aujourd'hui que nous avons naturellement tendance à réussir. Nous sommes tous beaucoup plus enjoués et optimistes que nous ne le reconnaissons, et le seul fait de cultiver une pensée négative ne signifie pas pour autant que celle-ci va se manifester. En effet, non seulement elle devrait pour cela l'emporter sur nos innombrables pensées de succès, de bonheur et d'amour, mais en plus elle va à l'encontre de notre disposition naturelle qui est de prospérer et de nous épanouir.

Nous avons choisi de naître à une époque primitive. Spirituellement parlant, c'est comme si nous venions tout juste de sortir des cavernes. La peur et le pessimisme sont omniprésents autour de nous, mais, comme je l'ai souligné précédemment, notre civilisation a malgré tout fait des pas de géant, en dépit de l'obscurité qui prévaut. Même à notre époque, il y a beaucoup plus de lumière qu'avant, aussi bien aux niveaux individuel, national que global. Forts de cette prise de conscience, nous n'avons aucune raison de paniquer à la moindre inquiétude, à la moindre peur ou au plus petit doute qui se manifestent ; nous pouvons au contraire nous relaxer, profiter du voyage, et faire preuve de beaucoup plus de tolérance et de compassion pour nous-mêmes, en cours de route.

Faire confiance à l'Univers

Soyez assuré que l'Univers, ses principes et les dimensions supérieures de votre être œuvrent de concert en votre faveur, au service de votre intérêt supérieur. Vous n'avez pas besoin de demander quelque chose en particulier pour que des choses fantastiques et de merveilleuses surprises arrivent soudainement dans votre vie.

Quand je commençais tout juste à comprendre comment la vie fonctionnait vraiment, en plus des premières peurs et préoccupations que j'ai évoquées précédemment, j'ai découvert que j'avais une autre source d'inquiétude ! Sachant que *les pensées se réalisent*, je craignais que si je ne me montrais pas assez intelligent ou créatif pour *penser* à quelque chose suffisamment longtemps à l'avance, je n'aurais jamais l'occasion de le vivre ! De même, je craignais que si je rêvais d'une chose en particulier, sa manifestation allait peut-être me limiter dans des domaines que je n'avais pas envisagés. Puis, je me suis rappelé toutes les surprises agréables que j'avais déjà connues dans ma vie, comme vous, et la manière parfaite dont elles s'étaient insérées dans le cours normal de ma vie.

Le seul fait *d'être* heureux ou de *penser* au bonheur incitera l'Univers à vous *rendre* heureux, *de toutes les manières dont* vous *définissez le bonheur*. Si l'abondance matérielle fait partie de votre définition du bonheur, par exemple, l'Univers sait que vous ne serez pas pleinement heureux sans elle, et il l'inclura dans l'équation. Dans ce cas, votre seul désir de connaître le bonheur, *associé aux efforts physiques que vous ferez dans ce sens*, suffira à ce que vous baigniez prochainement dedans, sans même avoir besoin de visualiser l'abondance. L'Univers vous connaît de fond en comble et, d'une certaine manière, il connaît même à votre sujet des choses que vous ignorez. Chaque fois que vous demandez quelque chose (en cultivant de nouvelles pensées), non seulement cela vous sera fourni, mais ça le sera en prenant en compte *tous les autres aspects de votre vie,* sans même que vous ayez à réfléchir à toutes les nuances et à tous les détails de votre demande.

Ne craignez pas non plus qu'en attirant l'abondance dans votre vie, par exemple, cela se fasse au détriment de votre santé ou de vos relations. L'Univers sait automatiquement comment orchestrer chaque manifestation, en prenant en compte non seulement toute votre existence, mais également celle de tous ceux qui sont concernés par la vôtre. Bien entendu, si vous rêvez de connaître l'abondance, mais que vous essayez également de déterminer ces maudits « comment », d'en régler vous-même les détails, en éliminant certaines options et, de ce fait, en liant les mains à l'Univers qui sinon serait tout-puissant, votre aspiration à la richesse risque effectivement de mettre en péril d'autres aspects de votre vie. Mais si vous faites votre bonhomme de chemin en comprenant comment opère véritablement la vie, celle-ci s'équilibrera automatiquement et sans effort.

Ne faites pas une obsession de vos pensées ; contentez-vous d'en avoir conscience. Elles ne vont pas vous trahir, et l'Univers pas davantage. Libérez votre esprit, laissez-le vagabonder à sa guise, laissez-le s'émerveiller et explorer la réalité par lui-même. Ayez confiance. Nous sommes tous créatifs, spontanés et joueurs, ce que reflètent nos pensées et nos manifestations. Quand notre pilote automatique spirituel est réglé sur le succès (qui est notre inclination naturelle) et que l'Univers infiniment obligeant travaille 24/24 en notre faveur, on ne peut faire autrement que de passer du bon temps et d'avoir de merveilleuses surprises.

Nos relations aux autres

Avant d'aborder les relations à autrui, il me faut revoir les bases, afin que nous soyons bien au même niveau. Tout d'abord, pour mémoire, j'imagine que vous reconnaissez désormais que la vie est d'une perfection par trop stupéfiante, elle est trop miraculeuse et splendide pour n'être qu'un accident, pas vrai ? Dans cet ordre d'idées, il est tout aussi impossible de concevoir que votre naissance et toutes les circonstances qui l'entourent étaient, elles aussi, un accident. La vie est bien trop exigeante, intentionnelle et significative pour que puissent exister des « accidents ». Rien n'est jamais laissé au hasard, y compris *votre* naissance. C'est *vous* qui déterminez le parcours, *vous* qui choisissez vos parents, et *vous encore* qui déterminez quand et où vous allez naître. C'est ce que nous avons tous fait.

Maintenant, peut-être allez-vous vous opposer à cette idée, peut-être vous dites-vous que votre « conscience », ou votre personnalité, est toute neuve, qu'elle a débuté le jour de votre naissance. Après tout, il semble logique de déduire que puisqu'on ne se souvient de rien avant sa naissance, c'est que l'on n'existait pas auparavant. Pourtant vous n'en croyez pas moins, j'en suis sûr, que « la vie » est éternelle. Or, si la vie est éternelle, n'est-ce pas de conscience dont nous parlons, précisément ? Et n'avons-nous pas déjà établi que la conscience existe non seulement d'une manière indépendante du temps et de l'espace, mais qu'elle les a même créés ? Si vous m'avez suivi jusqu'ici, vous comprenez sans doute maintenant que *vous* êtes éternel ; qu'il n'y aura jamais un « temps », dans le futur où vous n'existerez plus en esprit. Vous me suivez ? Bien. Vous pouvez donc pousser un cran plus loin et prendre conscience que si vous allez exister spirituellement à jamais, dans le futur, ne serait-ce que parce que le temps est une illusion, ne faut-il pas aussi en conclure que vous avez aussi toujours existé par le passé ? Accrochez-vous, car les conséquences sont importantes. Vous n'êtes pas seulement né en 1935 ou en 1985, avec l'éternité devant vous ; vous *venez* de l'éternité. Vous existiez avant même qu'apparaissent les illusions du temps et de l'espace ; bien obligé, puisque vous en êtes le cocréateur aujourd'hui. Si ce n'était pas le cas, votre essence ou votre esprit serait aussi artificiel que les illusions qui vous soutiennent. Si vous ne transcendiez pas le temps et l'espace, vous disparaîtriez en leur absence.

Maintenant que vous « voyez » qu'il vous fallait bien être « dans les parages » avant même votre naissance, ne pensez-vous pas que vous aviez quelque chose à voir avec les circonstances de cette naissance ?

Rien n'est jamais laissé au hasard, y compris *votre* naissance. C'est *vous* qui déterminez le parcours, *vous* qui choisissez vos parents, et *vous encore* qui déterminez quand et où vous allez naître. C'est ce que nous avons tous fait.

Vous avez choisi chacun des paramètres merveilleux (ou pas si merveilleux que ça) de la vie que vous menez aujourd'hui, en vue d'avoir les émotions, les prises de conscience et la compréhension qu'il vous est donné de connaître aujourd'hui. C'est vous qui avez tout mis en scène. Non pas que demain soit déjà gravé dans la pierre, car en réalité *tout* peut arriver, en fonction de l'évolution de vos pensées, de vos croyances et de vos intentions, entremêlées à celles de la population.

Si j'explique tout ceci, c'est parce que les personnes présentes dans votre vie, celles avec qui vous êtes en relation – de vos parents, frères et sœurs, et petits amis d'enfance, à vos propres enfants, vos collègues et vos partenaires amoureux actuels – ne sont pas là par hasard ; c'est un choix que vous avez fait, directement ou indirectement, *en fonction de toutes vos pensées, vos croyances et vos désirs*, de même que vous aussi faites partie de leur choix à elles. C'est pourquoi, quand on évalue ses relations et qu'on veut en tirer des leçons, il est important de garder à l'esprit que ces gens (surtout *ceux-là*) sont présents dans votre vie avec votre bénédiction et qu'ils ont quelque chose à vous apprendre.

Ce qui ne signifie pas pour autant que les relations présentes à notre naissance doivent être vénérées et tenues en plus haute estime que les autres. Cela ne veut pas dire non plus qu'il faille indéfiniment les préserver, car il se pourrait que l'un de vos défis soit précisément d'en finir avec certains schémas récurrents que présentaient vos vies passées. Toutes nos relations sont le fruit d'un choix – aussi bien celles qui nous lient dès la naissance que celles que nous forgeons ensuite, en cours d'aventure – et vous êtes libre de modifier vos choix d'un jour à l'autre, d'après vos besoins et vos désirs.

Si votre enfance a été particulièrement malheureuse et que vous vous demandez pourquoi – *pourquoi aurais-je choisi des choses aussi déplaisantes ?* – la réponse est simple : vous vouliez cette difficulté, sachant ce que vous en retireriez, à savoir un autre point de vue, plus d'empathie, de compassion, d'appréciation, de conscience et de compréhension. Je ne suis pas en train de dire qu'il faut subir des épreuves pour grandir et progresser, mais si c'est ce qu'il y avait sur votre chemin, vous en serez récompensé. Et sans doute qu'avant même d'avoir trouvé ce livre, *vous avez déjà touché certaines de ces récompenses*, à un certain point.

Quand on se dit qu'une incarnation n'est – eh bien… – qu'une incarnation, et qu'on peut en avoir autant qu'on veut, on comprend peut-être pourquoi certains font le choix de plonger dans des circonstances de vie plutôt extrêmes – même dans des situations brutales et violentes – car, une fois que tout aura été consommé, ils reviendront (comme nous tous) à la beauté et à la réminiscence de leur divinité. Ajoutez à cela que celui qui choisit une vie avec un départ difficile peut la faire suivre, s'il le désire, d'une vie dans le luxe, et la chose en devient encore plus facile à comprendre.

Chacun son lot ; nous prenons tous les décisions qui nous concernent et même si nous vivrons maintes et maintes fois dans le temps et l'espace, *chacun de nos vies est précieuse et importante, puisqu'elle nous procure des connaissances inestimables qu'aucune autre incarnation ne pourrait nous apporter, ni aucune autre personne, dans toute l'éternité.*

Je tiens cependant à préciser que personne n'est victime de ses décisions passées. Et le fait que la vie d'untel ait été difficile jusqu'ici ne veut pas dire qu'une cause mystérieuse et cachée la fera se poursuivre de la même manière. En réalité, chaque difficulté, chaque épreuve est également une occasion de se dépasser et de vivre dans l'abondance, la santé et l'harmonie ; nous n'avons pas besoin d'apprendre à vivre avec ces difficultés-là, de les prolonger et de les traîner avec nous toute notre vie. Chaque jour est un nouveau départ qui nous offre de nouvelles chances de nous en sortir, et nous prenons chaque jour des décisions qui s'appuient sur les croyances que nous avons adoptées et sur les pensées qu'elles nous inspirent.

J'aimerais aborder un dernier sujet avant de parler de la manière d'avoir le maximum de joie dans nos relations avec les autres. C'est un sujet délicat – auquel la plupart d'entre nous se sont colletés un jour ou l'autre – puisqu'il traite justement des autres, de leurs choix et de la façon dont ces choix-là s'accordent ou non avec les nôtres.

Vivre dans un monde plein d'autres créateurs

Gardez à l'esprit le fait que lorsque vous vous faites votre niche dans la vie et que vous visualisez l'existence dont vous rêvez, non seulement votre vie touche celle de nombreuses autres personnes, mais vos pensées aussi.

En général, pour que vos pensées se manifestent, il faut qu'elles correspondent aux paramètres *de base* des croyances sociales et culturelles de l'époque, pour éviter de contrevenir aux expériences de vos co-aventuriers. Par exemple, si vous vouliez changer votre chat en chien, vous faire pousser une autre paire de bras ou léviter au-dessus de New York City (et que ces événements puissent être observés et vécus par d'autres), vous n'y arriveriez pas, tant que les croyances communes aux masses ne le permettraient pas. Mais la bonne nouvelle, c'est que la conscience globale s'élève de plus en plus, et que les gens s'éveillent à leur spiritualité et résonnent de plus en plus avec la vérité de leur pouvoir et de leur magnificence. Toutes sortes de nouvelles possibilités et de nouveaux potentiels entrent désormais en jeu qui *vont* permettre à de nouvelles pensées de se développer et à des manifestations stupéfiantes de voir le jour.

Chaque événement qui affecte plus d'une personne, voyez-vous, doit être « approuvé » par les croyances et les attentes de toutes les personnes concernées. Par exemple pourquoi Jésus n'a-t-il pas utilisé ses formidables pouvoirs de guérison pour guérir *tous* les lépreux d'un coup (ce qui aurait du même coup banni à jamais cette maladie), au lieu de se limiter à ceux avec lesquels il est entré en contact ? La raison, c'est que ce n'est pas lui qui a opéré cette guérison ; il n'a fait qu'invoquer les pouvoirs thérapeutiques des personnes qui venaient à lui, dans le désir d'être guéris, et qui croyaient cela possible. S'il n'a pas guéri le monde entier d'un coup, c'est parce qu'il ne le pouvait pas : tout le monde n'était pas encore prêt à être guéri. Les croyances et les attentes des gens s'y opposaient. Ce que je veux dire, c'est que lorsqu'on fonctionne dans une réalité partagée, comme c'est notre cas, notre influence sur les autres est entièrement déterminée par eux et, lorsqu'on parle de masses tout entières, l'expérience qui leur est proposée doit correspondre aux croyances prédominantes de l'époque.

Ce qui ne veut pas dire que vous ne pouvez pas battre un record mondial, vous guérir d'une maladie, accumuler de vastes fortunes ou entreprendre des choses encore jamais faites, car la conscience globale s'attend effectivement à quelques réalisations et miracles de ce genre. Mais lorsque la manifestation de vos pensées affecte la vie des autres, vous opérez au sein d'un espace partagé qui comprend également leurs croyances, leurs pensées et leurs attentes.

Comme je l'ai déjà dit, les personnes qui sont présentes dans votre vie et qui peuvent être affectées par vos pensées savent déjà à quoi s'en tenir, tout comme, au fond de vous, vous savez quels sont leurs rêves à elles et la direction que prend leur vie. Vos espoirs et vos peurs leur conviennent ; de même que les leurs vous vont aussi. Il en va de même de votre place dans la population mondiale. *Tous autant que nous sommes*, nous avons été attirés ici par des pensées similaires et des objectifs complémentaires, à la fois au niveau de notre cercle d'amis proches et en termes plus généraux.

Au cas où vous voudriez influencer les choix d'une autre personne, vos pensées n'auront que l'influence que celle-ci vous accordera, en fonction de ses croyances profondes et de ses attentes par rapport à la vie. Après tout, vous exigeriez le même niveau d'intimité si les rôles étaient inversés et que quelqu'un d'autre essayait d'influencer *votre* vie. Néanmoins, si vous souhaitez exercer une telle influence, votre succès potentiel dépendra aussi de vos motivations et de vos désirs.

Si vous êtes bien intentionné, vos pensées aideront la personne concernée, car elles seront reçues avec tout l'amour dont vous les avez imprégnées, éveillant ainsi en elle de l'espoir et une meilleure conscience des choix qui s'offrent à elle. Si, par contre, votre motivation est personnelle (et il n'y a pas de mal à cela), vous faites mieux d'oublier cette personne et de visualiser plutôt la réalisation de votre propre objectif.

Par exemple, comme je l'ai dit plus haut, si vous voulez connaître le « grand amour » avec une personne en particulier, ne la visualisez pas ; visualisez votre grand amour et toutes les conséquences que vous en attendez dans la vie. Imaginez aussi intensément que possible les sentiments que cet amour éveillera en vous et l'impact qu'il aura sur votre vie quotidienne. Ne vous fixez pas sur la personne qui, selon vous, viendra éveiller ce grand amour en vous ; cela ne ferait que déformer votre désir de trouver l'amour véritable. Quand vous vous focalisez sur quelqu'un, cela revient à vous occuper du « comment », au lieu de laisser tous les détails – les moyens de réalisation – à l'Univers. Contentez-vous de visualiser le résultat final ; voyez-vous heureux, avec un compagnon ou une compagne formidable.

Amoureux, amoureuse

Jusqu'ici, je me suis concentré sur notre relation à nous-mêmes, à la façon dont les gens apparaissent dans notre vie et à l'impact que nous avons les uns sur les autres. Durant le reste de ce chapitre, je vais entrer dans les détails, notamment ceux qui concernent nos relations amoureuses :

comment, grâce à la compréhension et au respect que nous avons de nous-mêmes, nous pouvons élargir notre amour à notre partenaire, pour poursuivre l'aventure.

Voici pour commencer cinq pensées souvent mal comprises ou négligées. Elles ont pour but de vous aider à gérer et à apprécier vos relations.

1 | ***Honorez-vous entre deux relations.*** Le premier point concerne en fait les moments où vous n'avez *pas* de relation amoureuse ! S'il y a bien une chose triste, dans la vie, c'est de voir des gens essayer de *se caser*, quel qu'en soit le coût pour leur intégrité. D'après mon expérience, notre société et notre culture entretiennent beaucoup trop l'idée fausse selon laquelle, idéalement, les gens devraient vivre en couple. Cette attente culturelle ne prend pas en compte le fait qu'ils soient ou non prêts pour cela, et qu'ils en aient ou non envie. Les gens « devraient » vivre en couple, point. Ce qui signifie, bien sûr, que si vous ne voulez pas d'un partenaire, c'est que vous avez un problème, et que vous ne pourrez jamais être aussi heureux que si vous étiez en couple. Je ne dis pas qu'une amitié n'est pas naturelle, pas plus que je ne nie le fait que la vie de couple peut améliorer pratiquement tout ce qu'on vit. Mais cet a priori culturel nuit à ceux qui sont seuls et peut rendre très compliqué pour ceux d'entre nous qui, hélas, sont influencés pas les croyances dominantes, le fait d'être heureux en leur propre compagnie. Toute vie a ses saisons et ce qui est juste pour l'un ne l'est pas forcément pour l'autre.

Que vous soyez célibataire par nature, ou que vous soyez entre deux relations, votre vie actuelle vous offre des occasions d'évoluer, de vivre des aventures et de vous découvrir, dont ne jouissent *pas* ceux qui sont actuellement en couple. Profitez de ce temps-là.

Utilisez-le. Appréciez-en chaque moment, en vous fichant de ce qu'en pensent les autres.

2 | ***Mesurez vos relations à l'amour qui s'y échange.*** On mesure trop souvent les relations au temps qu'elles ont duré, et non à la quantité d'amour et de bon temps qu'elles ont permis de partager. Une croyance voudrait que les relations les « meilleures » passent l'épreuve du temps. Depuis quand est-ce qu'une horloge ou un calendrier sont l'unité de mesure de l'amour, de l'évolution émotionnelle ou du bonheur ? C'est la qualité qui compte, pas la quantité. Ce qui ne veut pas dire qu'on ne peut pas vivre une relation de qualité qui dure toute une vie, ni qu'à la moindre adversité il faille renoncer à telle ou telle relation. Mais ces deux points de repère – la qualité et la quantité – n'ont généralement pas grand-chose à voir l'une avec l'autre. Ce qui compte, dans toute relation, c'est qu'elle soit épanouissante, que ce soit une expérience enrichissante en terme d'apprentissage ou de bonheur.

3 | ***Comprenez vos motivations.*** Débuter une relation alors que vous n'êtes pas prêt, ou pour les mauvaises raisons, peut la condamner dès le départ à être une mauvaise expérience. Notre obligation envers nous-mêmes est de comprendre ce qui nous motive, et cette obligation s'étend également aux partenaires que nous choisissons. Qu'est-ce qui nous motive dans la vie, la peur ou le besoin d'aventure ? Cette relation, nous la voulons pour nous masquer le reste de notre vie ou pour qu'elle se fonde pleinement en elle ? Et – c'est la question la plus courante – est-ce que cette relation doit amplifier notre bonheur ou le créer de toutes pièces ?

Ce ne sont pas les relations qui vous rendront heureux ; elles ne font qu'intensifier les sentiments que vous cultivez déjà à votre sujet et à propos de votre existence. Les autres ne sont qu'un miroir ; ils reflètent vos attitudes envers vous-même et votre vie. Une personne heureuse qui débute une relation amoureuse en sera sans doute encore plus heureuse, et une personne malheureuse qui fait de même se retrouvera sans doute encore plus malheureuse.

Que vous renvoie le miroir des autres ? Ce ne sont pas vos comportements, votre apparence ou votre forme d'expression extérieure, mais bien vos croyances et la perception que vous avez de vous-même. C'est ainsi que les personnes qui ont une faible estime de soi se retrouvent fréquemment maltraitées dans le cadre de leurs relations intimes. Elles s'estiment nulles, indignes d'être aimées et appréciées, pensent devoir être punies, parfois, et non seulement leur partenaire capte ces pensées mais, selon ses dispositions, peut même les traduire en acte, avec risque d'abus. Bien sûr, les choses sont en réalité plus complexes que cela, mais retenez que vous retirerez de votre relation ce que vous-même y apportez dès le départ, que ce soit le bonheur, la tristesse ou le doute de soi.

Dans la même veine, il est futile et souvent malhonnête de débuter ou de poursuivre une relation en pensant que cela va rendre *l'autre* heureux. Combien de fois entend-on des gens dire, « Je veux simplement te rendre heureux ? » Bien trop souvent ! Personne n'est en couple (ni devrait prétendre l'être) pour rendre quelqu'un d'autre heureux. Une telle affirmation laisse aussitôt penser que cette personne n'est elle-même pas heureuse, et généralement au sein même de son couple. Votre premier objectif donc, dans votre intérêt et dans celui de votre couple, est de veiller à être heureux vous-même, indépendamment d'autrui. Quand vous êtes heureux et que c'est la joie qui vous motive, les détails restants de votre vie se règlent d'eux-mêmes et, en règle générale, quoique pas toujours, votre entourage sera le premier à en bénéficier.

4 | ***C'est vous qui décidez de votre destin.*** Comment se fait-il que dans la plupart des domaines, les gens croient au libre arbitre, aux possibilités infinies et à notre liberté intrinsèque et innée, mais qu'en matière de relations, ils estiment que certaines d'entre elles sont le fruit du destin ? C'est probablement notre part romantique et, dans ce sens, quand tout va bien dans la relation, il est agréable de s'imaginer que peut-être l'Univers voyait en vous deux êtres si complémentaires qu'il a décidé de cette union avant même votre naissance. Mais si la relation devient difficile, l'idée que cette union était « prévue » peut tout compliquer ! Si la relation s'achève, y a-t-il eu faute ? Est-ce un échec ? Et qui est responsable ? Faut-il « sauver » la relation à tout prix (puisqu'elle était « prédestinée ») ?

Il n'y a rien de prédestiné dans le temps et dans l'espace, sinon ce qui existe déjà dans le présent et tout ce qui nous attend dans le futur, que détermineront nos croyances et nos attentes qui ne cessent d'évoluer. Demain n'est qu'une ardoise vierge. Il doit nécessairement en être ainsi, sans quoi notre capacité à créer notre propre réalité serait soumise à certaines contraintes et limites.

5 | ***Nos relations sont une aventure.*** Une aventure, comme la vie, est faite d'espoir, de défis, de promesses et de mystère. Les relations ne sont pas un « travail » en soi, comme on l'entend souvent dire aujourd'hui. Je comprends ce que certains veulent dire par là et, oui, toutes les relations, comme toutes les aventures, sont une tâche qu'on accomplit pour le plaisir. Mais sachant que pour beaucoup de gens le travail reste encore un gros mot, il n'est pas très sage de vous en servir pour définir vos relations. Toute croyance en quelque chose, y compris la supposition que nos relations sont un « travail », risque d'engendrer cette réalité. En réalité, les relations n'ont pas de caractéristiques propres avant que les gens ne les définissent. Elles ne sont ni faciles ou difficiles, ni pénibles ou gratifiantes, elles ne sont ni du travail ou un jeu, jusqu'à ce que quelqu'un en décide ainsi. Et il est encore plus vrai de dire que les relations ne sont pas ceci ou cela : ce sont les individus qui la composent qui les voient comme ceci ou comme cela, et c'est ainsi qu'elles le deviennent.

Accessoirement, plutôt que de travailler sur son couple, chacun « devrait » « travailler » en conscience sur sa propre perception de la vie, ce qui vaut d'ailleurs aussi bien si l'on est célibataire ou que si l'on est en couple. Il se trouve simplement que les relations amoureuses vous donnent une occasion formidable de le faire, puisque votre partenaire vous révèle souvent les faiblesses et les forces que vous percevez en vous, de même que vos zones de compréhension et d'incompréhension. Ce n'est pas qu'une relation soit un « travail » : c'est juste qu'elle crée les conditions idéales pour qu'on apprenne à se connaître soi-même. Mais si ce « travail » devient ardu, si on en accuse la relation, vous allez reprocher à tort votre partenaire d'être responsable de vos souffrances, au lieu de comprendre que votre relation a simplement facilité votre éveil naturel et inévitable à la vérité qui accompagne la découverte de soi. Une telle manière de penser déteindrait ensuite sur vos relations futures, que vous envisageriez comme des laboratoires de souffrance, ce qui en *ferait* effectivement de tels laboratoires. *Les pensées se réalisent.*

Quelques réflexions pour mettre plus d'amour dans vos relations

Je vous propose ci-dessous dix réflexions pour améliorer vos relations amoureuses, qui pourront s'ajouter aux autres idées et conseils que vous utilisez déjà. Elles sont assez directes et, même si vous les avez déjà entendues, en les associant désormais aux éclairages spirituels de ce livre, peut-être prendront-elles encore plus de sens à vos yeux.

1 | ***N'ayez aucune attente comportementale de la part de votre partenaire, en dehors de ce qui est « nécessaire ».*** Quand vous commencez une relation, c'est toujours pour satisfaire vos souhaits et vos désirs, aussi est-il normal que vous vous *attendiez* à ce qu'ils soient satisfaits. Par exemple, vous vous attendez à être aimé en retour, à être respecté, et peut-être à adopter des rôles complémentaires qui faciliteront cette relation et donneront ainsi naissance à quelque chose qu'aucun de vous deux n'aurait pu créer seul. Mais en dehors de ce dont vous ne pouvez vous passer, n'imposez aucune exigence comportementale à votre

partenaire et restez plutôt concentré sur vous-même, sur votre comportement et vos valeurs, afin de pouvoir améliorer cette relation plutôt que de lui nuire. Ainsi, vous atteindrez le meilleur de vous-même ; vous libérerez du même coup votre partenaire de la tâche implicite de vous distraire et de vous rendre heureux, que notre culture impose souvent à chaque moitié d'un couple, et vous dégagerez ainsi de l'espace pour l'inattendu. Toute attente inutile limite votre perception de ce que votre relation « devrait être », mais aussi votre expérience, vous éloignant de la beauté qui est déjà la sienne. Par chance, on peut changer d'attentes aussi rapidement que de pensées.

2 | ***Soyez attentif à ce qui va bien.*** Rien ne nuit autant à une relation que de ne s'occuper que de ce qui ne va pas. Dans la vie, vous obtenez ce à quoi vous pensez, alors, si vous restez constamment fixé sur ce qui ne va pas chez l'autre ou dans votre relation, prenez garde ! Vous risquez de l'amplifier et de le démultiplier à l'avenir. Voilà qui peut faire peur, car nous savons tous ce qui se passe quand quelque chose nous trouble. On a justement tendance à se focaliser dessus et à le ruminer sans fin.

Plus vous vous appesantissez sur ce qui ne va pas, plus vous déterminez quel sera votre avenir. Il vous faudra peut-être beaucoup de volonté (ou, mieux encore, de *compréhension*) pour sortir de ce cercle vicieux, mais qu'est-ce qui compte le plus à vos yeux, avoir raison ou avoir une bonne relation ?

De manière analogue, ne faites pas une fixation sur vos différences. J'entends souvent des amis me dire, « Nous sommes tellement différents ; je ne comprends même pas pourquoi on s'est mis ensemble ! ». L'ironie c'est que, de mon point de vue, ils ont beaucoup plus de points communs que de différences. En général, si vous vous êtes senti attiré par quelqu'un, au point d'entamer une relation sérieuse, vous avez bien plus de choses en commun que vous ne croyez, que vos similitudes se manifestent ou non par les mêmes loisirs. Ce que vous avez vraisemblablement en commun, ce sont les mêmes présupposés fondamentaux sur la vie et les mêmes croyances de base, et la chose est sans doute aussi vraie aujourd'hui qu'au jour où vous vous êtes rencontrés.

Autre ironie du sort, ce sont généralement les petites différences qui existent entre deux partenaires qui les attirent précisément l'un vers l'autre, au départ. C'est souvent cela qui est agréable, de pouvoir voir les choses du point de vue de l'autre, *tout en partageant les mêmes croyances fondamentales*. C'est vrai, au fond, nous n'avons pas envie d'être des clones ; nous recherchons quelqu'un qui puisse nous aider à équilibrer notre vie, et non à nous faire de l'ombre. Et pourtant, ce sont souvent ces petites différences-là qui font l'objet de notre fixation et sont parfois exagérément amplifiées, au point de servir de prétexte à mettre fin à la relation même qu'elles ont contribué à créer.

Inversement, dans un monde où *nos pensées se réalisent*, quand vous vous focalisez sur ce qui marche, sur ce qui vous plaît, sur vos similitudes et sur ce qui va bien, non seulement vous en intensifier la présence dans votre vie, mais vous augmentez vos chances de susciter un comportement « positif » de la part de votre partenaire.

3 | ***Ne faites pas de suppositions***. Cette recommandation peut paraître un peu infantile, mais ce problème concerne tant de relations malheureuses. Si vous faites des suppositions sur autrui, *ça veut dire que vous cherchez à deviner ses intentions*. Et si vous en êtes à devoir deviner les choses, cela veut dire que la communication et, plus important encore, la compréhension n'existent plus entre vous.

Chaque fois que nous ne comprenons pas vraiment ce qui se passe, nous essayons d'en inventer les raisons et, pour ce faire, nous prêtons généralement davantage d'attention à nos peurs qu'à ce que nous savons être vrai. Nous nous mettons alors à réagir à nos propres suppositions et à nous comporter d'une manière qui reflète ce que nous estimons à tort être vrai. Notre partenaire réagit alors à son tour à nos nouvelles croyances à et à nos suppositions, ainsi qu'au comportement qu'elles nous inspirent, jusqu'au moment où vous aurez fini par créer la réalité qu'ont déclenché vos peurs, *une réalité qui n'existait pas auparavant !*

Le défi, bien sûr, consiste à savoir quand vous faites une supposition ; personne ne décide consciemment d'en faire. On ne fait que réagir à ce qu'on croit être la vérité. Donc, voici l'astuce : la prochaine fois que votre partenaire ou une situation vous dérangeront, marquez une pause, rentrez en vous-même, étudiez de près les faits qui se rapportent à la situation, puis voyez où vous commettez probablement une erreur.

4 | ***Acceptez le fait qu'il y aura des difficultés***. Appréciez les difficultés qui se présentent, car, du seul fait qu'elles existent, elles vous offrent l'occasion idéale

de maîtriser certains aspects de votre vie et de vous-même dont vous avez une compréhension insuffisante. Comme je l'ai souligné dans ce chapitre, ce n'est pas par hasard que telle relation ou tel partenaire sont présents dans notre vie. Vous ne vous retrouvez pas comme par hasard avec quelqu'un qui vous maltraite, vous n'avez pas épousé aléatoirement un vrai bourreau de travail, vous n'êtes pas juste tombée amoureuse d'un introverti. Les qualités de votre partenaire sont souvent exactement celles qui vont vous donner l'occasion d'évoluer là où vous en avez le plus besoin.

5 | ***Laissez votre partenaire vous aimer à sa manière***. C'est probablement ce qui vous a attiré en lui au départ, à savoir sa personnalité unique et la façon dont il s'exprime. D'ailleurs, j'aurais pu inclure cette règle dans la règle des « attentes ». Ne vous attendez pas à être traité de la façon dont vous traitez votre partenaire ; ce n'est pas juste, et cela ne fera qu'attirer votre attention sur les défauts que vous *percevez* chez lui, créant ainsi des problèmes là où il n'y en avait pas.

Toute attente inutile limite votre perception de ce que votre relation « devrait être », mais aussi votre expérience, vous éloignant de la beauté qui est déjà la sienne.

Si vous concoctez des règles que votre partenaire doit respecter pour que vous vous sentiez aimé, vous allez passer davantage de temps à compter ses mauvais points qu'à exprimer votre amour *à votre façon*, et vous minimiserez les efforts qu'il fait dans votre sens. Montrez-vous reconnaissant pour ce que vous avez déjà, donnez tout ce que vous pouvez donner, veillez à vous améliorer vous-même et laissez ensuite les choses se faire comme elles doivent. Au moins, vous saurez que vous avez fait de votre mieux.

6 | ***Parlez avec sagesse***. Aux dires de certains, la communication est l'ingrédient le plus important d'une relation réussie, mais j'ajouterais qu'il est crucial de choisir ses propos avec sagesse. Ce que vous dites peut faire autant de dégâts, voire *davantage*, que le silence.

Premièrement, ne vous plaignez jamais, ne critiquez jamais ; ces deux attitudes ne sont pas constructives. Les plaintes et les critiques ne sont que des conversations à sens unique, des impasses qui éveillent chez l'autre à la fois du ressentiment et la sensation de ne pas être comme il faut, quel que soit le tact dont on fasse preuve. Faites plutôt des suggestions constructives quant à ce que vous voudriez voir changer, au lieu de parler de ce que vous n'aimez pas. Et, que vous soyez ou non en conflit, prenez l'habitude d'exprimer régulièrement tout ce que vous aimez. En manifestant tout d'abord votre compassion et votre appréciation, vous vous montrez sous le jour d'un partenaire et d'un allié, facilitant ainsi de vraies conversations, plutôt que des conflits.

Si des comportements déplaisants doivent être abordés, apprenez à les séparer de la personne concernée ; comprenez que c'est seulement son comportement qui vous dérange. Vous pourrez alors exprimer vos sentiments, sans laisser entendre que votre partenaire vous a intentionnellement blessé, et sans qu'il se sente attaqué.

Deuxièmement, renoncez l'idée que l'un d'entre vous a raison et l'autre tort, car compte tenu des perspectives qui sont les vôtres sur vos différends, vous avez chacun un point de vue pertinent. Que vos échanges aient pour objectif une meilleure collaboration et une meilleure compréhension des expériences l'un de l'autre, plutôt qu'une justification de votre propre position.

Enfin, veillez à bien comprendre ce qui vous motive à vouloir parler. Je sais ce que c'est, quand quelque chose nous contrarie, qu'on voudrait que ce ne soit pas le cas, mais, bon sang, que c'est contrariant ! On a l'impression d'avoir atteint ses limites et, sans même essayer de mieux comprendre la situation et ce qu'elle déclenche en nous, on décide, « Il faut qu'on en parle ». Un échange de ce genre revient à vous soulager de votre fardeau pour le mettre sur les épaules de votre partenaire, et même si vous vous sentez momentanément mieux, le pendule ne manquera pas de revenir dans votre direction.

Si vous avez un problème, faites tout d'abord de votre mieux pour comprendre pourquoi vous êtes contrarié. Avez-vous fait des suppositions ? Avez-vous des attentes ? Y a-t-il dans cette situation des éléments que, peut-être, vous seul contrôlez ? Si ce n'est pas le cas, alors, au moment opportun et de la manière opportune, abordez ces préoccupations avec votre partenaire, en les présentant comme les vôtres et non pas comme un « problème » relationnel.

En manifestant tout d'abord votre compassion et votre appréciation, vous vous montrez sous le jour d'un partenaire et d'un allié, facilitant ainsi de vraies conversations, plutôt que des conflits.

7 | ***Acceptez la responsabilité de vos sentiments.*** L'important n'est pas ce qui est arrivé, mais la façon dont vous y avez réagi. Rappelez-vous que vos réactions émotionnelles dépendent de votre perception des choses. Si quelque chose vous déçoit, c'est vous, et *vous seul*, qui avez le pouvoir de changer vos sentiments.

Souvent, quand quelque chose nous contrarie dans nos relations, notre premier réflexe est d'essayer d'en éliminer la cause. Je ne suis pas en train de dire que vous devez vous accommoder de tout ; loin de là. Nous avons tous des préférences quant à la manière dont nous voudrions que notre vie et nos relations se déroulent, et *il est à la fois bon et naturel d'en avoir.* Toutefois, quand elles concernent votre situation et qu'elles sont source de souffrance, vous pouvez choisir votre réaction, en commençant par réexaminer votre compréhension et votre point de vue, ce qui est impossible si vous reprochez vos sentiments à autrui.

8 | ***Opposez la bonté à la colère***. La colère est destructive, comme je l'ai dit au chapitre 13, « Chères émotions », quand deux personnes se mettent en colère, les dégâts sont deux fois plus importants, à la fois pour chaque personne et pour la relation elle-même. Je ne suis pas en train de vous dire d'offrir des fleurs chaque fois qu'on vous insulte, ni de faire mine d'ignorer la situation. Mais si vous prenez conscience que la colère de l'autre provient de ses perceptions limitées, il vous sera plus facile d'aborder le problème avec compassion.

Quand quelqu'un est fâché contre vous, c'est que, d'une certaine manière, il se sent menacé ; c'est généralement qu'il a peur de perdre le contrôle de la situation. Si vous ripostez avec votre propre colère, cela ne fera que renforcer sa croyance qu'il risque de perdre quelque chose d'important. En réagissant plutôt avec bonté, peut-être en présentant immédiatement des excuses sincères ou en l'invitant gentiment à s'exprimer, vous n'apparaissez plus comme le problème, mais comme une solution. La bonté procure un vrai pouvoir, et celui qui sait se conformer en permanence à un code de bonté est quelqu'un de puissant.

9 | *Ayez votre propre vie et vos propres zones d'intérêt, et efforcez-vous d'être aussi épanoui en dehors de votre couple que vous souhaitez l'être en dedans.* Cela vous paraîtra peut-être la chose la plus évidente au monde, ce n'est certainement pas le cas de tout le monde. Accordez-vous de l'espace et un certain niveau d'indépendance, en ce qui concerne vos relations en dehors du couple, que vous les trouviez au travail, dans vos loisirs ou dans d'autres activités. Si vous fondez tous vos espoirs de bonheur sur le temple de votre partenaire, vous en reportez toute la responsabilité sur la personne que vous aimez. Vivre juste pour être avec quelqu'un d'autre, ce n'est pas un acte d'amour, c'est une preuve de peur, peur de la vie elle-même.

Et voici quelque chose de très très important, si vous voulez avoir une vie complète : elle doit comporter des interactions avec d'autres gens. Il ne doit pas nécessairement s'agir d'amis ; ça peut être des collègues, d'autres membres de votre club de sport, des personnes qui vont à la même église que vous, des bénévoles de la même association – n'importe qui – mais il est indispensable d'avoir de telles interactions sociales dans la vie, si l'on ne veut pas passer à côté.

Que cela ne vous prive pas d'apprécier la solitude – de passer du temps seul au jardin, avec vos animaux domestiques, de lire un bon livre ou de regarder la télévision – mais trouvez le moyen de rester en contact avec le monde et avec les gens.

Nos relations devraient être à notre vie ce qu'un excellent dessert est à un fabuleux repas ; elles ne devraient pas constituer le repas lui-même. Autrement dit, vos relations devraient apporter un plus à votre vie, et non représenter toute votre vie.

10 | ***Faites de votre bonheur une priorité.*** Rien de ce que vous ferez pour votre couple n'est plus important pour vous et pour ceux que vous aimez. Voilà qui soulève bien sûr la question de l'égoïsme, qu'on me pose souvent, car beaucoup de gens associent le fait de s'occuper de son propre bonheur à l'hédonisme, à la décadence et à la cupidité. Rien à voir. Ce ne sont là que des programmes de l'ancienne école. Nous sommes des êtres spirituels. *Nos instincts naturels sont la compassion, l'amour et la charité.* Si ce n'était pas vrai, nous n'aurions aucune chance de survivre, et encore moins de nous épanouir, pour toute l'éternité. D'ailleurs, notre civilisation ne serait jamais allée aussi loin sans ces qualités-là.

On dirait qu'une croyance continue de hanter le monde, selon laquelle si quelqu'un réussit, c'est forcément au détriment d'autrui. Ce n'est certainement pas vrai de la découverte de l'ampoule électrique par Thomas Edison, ni du lancement de l'iPod ou de l'iPhone par Steve Jobs. De manière analogue, vous infuserez de la joie dans vos relations quand vous aurez fait de votre propre bonheur votre toute première priorité.

Il n'y a pas de garantie de succès, en matière relationnelle, car chaque relation dépend dans une certaine mesure de quelqu'un d'autre que soi-même. Mais en faisant la part qui vous revient – en restant fidèle à vous-même et en faisant une priorité de votre propre bonheur – vous serez mieux préparé à affronter les erreurs de compréhension commise par les autres ou par vous-même, et avec le temps, vous serez attiré par des personnes partageant les mêmes passions que vous.

Quand vous ne savez pas que faire, ne faites rien ! **Attendez. Attendez jusqu'à ce que vous sachiez quoi faire, car si vous restez fidèle à vous-même, vous finirez immanquablement par le savoir.**

Des différences inconciliables

Qu'en est-il des relations qui présentent des différences inconciliables ? On a mal rien que d'y penser, n'est-ce pas ? Et l'une des raisons pour lesquelles ça fait si mal, sinon que l'amour et la compassion sont nos penchants naturels, c'est que nous avons trop tendance à voir les choses en noir et blanc. Aucune relation n'est jamais complètement terminée et, aussi difficile à croire que ce soit, aucun amour n'est jamais perdu. Nous sommes éternels, nous sommes hors du temps, et il en va de même des liens qui nous unissent les uns aux autres. Ce sont nos sens physiques qui nous font croire que quelque chose est terminé, nous rendant aveugles à ce que l'on a gagné, mais que nous percevions ce gain ou pas, il est nôtre malgré tout.

Aucun amour n'est jamais perdu, car, que la relation se poursuivre ou non, ses composantes positives et leurs effets finiront par dépasser dans la durée toutes les douleurs et les souffrances qu'on peut avoir endurées. Ce qui en prend surtout un coup, quand une relation s'achève, c'est notre fierté, mais, comme je l'ai dit auparavant, les douleurs de ce genre n'ont pas de prix, pour peu qu'on tienne à découvrir ses croyances restrictives, soi-disant invisibles. Servez-vous de cette douleur, remontez-la jusqu'à sa source et découvrez pourquoi vous vous sentez diminué alors que, de toute évidence, vous êtes exactement la même personne qu'avant de l'avoir ressentie.

Nous sommes éternels, nous sommes hors du temps, et il en va de même des liens qui nous unissent les uns aux autres.

Que faire si vous avez une relation qui présente apparemment des différences inconciliables, et que vous voulez savoir si vous ne feriez pas mieux d'y mettre un terme ? C'est un point délicat et le meilleur conseil que je puisse vous donner est ce vieil adage que ma mère aime à répéter : *Quand vous ne savez pas quoi faire, ne faites rien du tout !* Autrement dit, « Dans le doute abstiens-toi ». Attendez. Attendez jusqu'à ce que vous sachiez, car si vous restez fidèle à vous-même, vous finirez par savoir.

Notre travail, c'est la façon dont nous créons, dont nous participons à ce monde, c'est la façon la plus importante que nous ayons d'y faire notre contribution.

Au travail

Devinez quelle est votre relation la plus importante au travail ? C'est celle que vous avez avec votre travail lui-même. Toutes les autres choses et les autres personnes viennent largement en second. Votre travail, que vous soyez à la maison pour élever des enfants ou que vous travailliez dans un bureau, c'est ce que vous redonnez au monde. Dans les milieux spirituels, on entend beaucoup dire qu'il faut donner, donner, donner, afin de recevoir, recevoir, recevoir. Je pense qu'on aurait besoin d'un nouveau mot, dans notre vocabulaire, pour dire « se donner à la vie », car en général le mot « donner » évoque la charité, et ce n'est pas de ce don-là dont je parle ici. Ce dont je parle, c'est de se brancher sur la vie, afin que le monde continu de tourner, de lui donner votre temps, vos talents et vos passions, et si vous êtes payé pour cela, tant mieux. Notre travail, c'est la façon dont nous créons, dont nous participons à ce monde, c'est la façon la plus importante que nous ayons d'y faire notre contribution.

Prenez du recul, l'espace d'un instant. Notre civilisation, dans une grande partie du monde, a enfin atteint le point où la plupart d'entre nous n'ont pas besoin de cultiver la terre. Nous avons atteint une telle vitesse de croisière que notre société a créé une quantité innombrable d'emplois, qui ont tous leur importance pour que nous puissions apprécier la qualité de vie que nous possédons déjà. Nous travaillons tous *ensemble*, en douceur, d'une manière magique, sans même prendre conscience comment une main lave l'autre, ni combien nos contributions à ce monde ont de valeur et sont indispensables. C'est comme si nous étions tous des coureurs dans une grande course de relais, mais que nous soyons complètement inconscients de la destination finale et de l'importance de chaque coureur. Travailler, c'est *donner,* au sens le plus authentique du terme, aussi sous-payé ou surpayé que vous puissiez vous estimer être, et la base de votre relation à votre travail doit être la compréhension de sa valeur indiscutable, pour les autres comme pour vous-même.

À la maison

S'agissant de vos relations à la maison, en particulier avec vos enfants, gardez à l'esprit ce point important : nous devons respecter nos enfants comme des êtres spirituels provenant d'une lignée aussi longue et ancienne que la nôtre. Ce sont nos compagnons d'aventure, qui partagent notre temps et notre espace, et chacun d'eux est un être unique avec ses propres leçons à apprendre, ses objectifs et le chemin qui l'attend. N'essayez pas de faire en sorte que vos enfants, ou la relation que vous avez avec eux, correspondent à vos a priori. Tous les enfants ne sont pas intellectuels ou scolaires, doués d'une grande compassion, ouverts et amicaux, ou encore joyeux et « heureux », mais quelle que soit la personnalité unique d'un enfant, il est dans sa nature de s'efforcer de maximiser tous ses apprentissages et son bonheur au cours de cette vie-ci.

Nous devons respecter nos enfants comme des êtres spirituels provenant d'une lignée aussi longue et aussi ancienne que la nôtre.

Acceptez vos enfants tels qu'ils sont et les relations que vous avez avec eux comme elles sont. Ce qui ne veut pas dire que vous n'allez pas leur prodiguer des conseils ni même leur imposer quelques règles sévères ; vous avez la responsabilité de le faire. Cela ne signifie pas non plus qu'il ne vous faille pas constamment vous efforcer d'améliorer leur vie et votre relation avec eux. Cela veut surtout dire qu'il faut apprécier leurs différences, les approuver et les encourager à suivre leur rythme intérieur.

Il y a peu de choses dans la vie qui peuvent nous procurer autant de joie ou de souffrances que nos relations les uns avec les autres, car elles mettent crûment en lumière notre croyance en la dualité du monde physique, où toute chose semble bonne ou mauvaise, et où l'on se sent parfois impuissant face à cela. Mais nous ne sommes jamais impuissants à transformer les circonstances, aussi longtemps que nous ne restons pas fixés sur le monde extérieur pour provoquer ces changements. Regardons en nous. Cherchons d'abord à nous comprendre nous-mêmes, et donc à nous aimer.

Comme nous sommes des êtres spirituels, nous devons aller en nous pour produire un changement, ce qui veut dire travailler sur nos pensées et nos croyances au sujet des autres et de la manière dont nous croyons qu'ils nous influencent. Au moment de prendre conscience de ces croyances, *observez-vous et écoutez bien* tout ce que vous pensez, dites et faites, car la vérité choquante est que c'est vous-même qui suscitez certains comportements de la part de tous les gens avec qui vous entrez en contact, en fonction de vos croyances, de vos perceptions et de votre disposition intérieure, à chaque instant.

Pour tirer le meilleur de vos relations, prenez conscience que les personnes présentes dans votre vie ont été sélectionnées : c'est vous qui les avez choisies pour apprendre de nouvelles choses et être plus heureux, de même qu'elles vous ont aussi choisi, peut-être pour éclairer leur chemin plongé dans l'obscurité. J'imagine qu'en lisant ce chapitre, il a bien dû vous arriver une fois ou deux de souhaiter que la personne avec qui vous êtes en couple actuellement comprenne certains des points que j'ai développés. Mais vous savez bien que les gens ne s'ouvrent pas à de nouvelles idées – aussi utiles soient-elles – tant qu'ils ne sont pas prêts, ce qui veut dire que vraisemblablement c'est vous qui allez mener la danse pendant quelque temps. C'est aussi vous qui devrez accepter de ne pas avoir le dernier mot. Vous en récolterez toutefois les fruits, non seulement en ayant de meilleures relations, mais, tout bien considéré, en voyant combien votre patience et votre bonté ont influencé l'humanité, nous élevant tous un petit peu plus vers la lumière.

---

10 OUTILS ET TECHNIQUES

Bien que je m'efforce généralement d'éviter les méthodes formelles et les rituels, il existe un certain nombre de petits exercices que j'utilise de manière assez régulière et qui peuvent vous être utiles, pour travailler sur vos pensées et vos croyances. Ces suggestions ont pour seule fonction de stimuler votre imagination jusqu'à ce que vous maîtrisiez le principe « *les pensées se réalisent* ».

Comme je vous ai déjà suggéré de nombreuses choses à essayer, comme la visualisation, le passage au bulldozer de vos croyances, les mantras, les affirmations et ainsi de suite, au lieu de me répéter, je vais les passer en revue en y ajoutant d'autres éléments, et vous présenter également quelques nouveaux outils.

Aucune de ces méthodes n'est très rigide ; elles peuvent même vous paraître très légères, mais vous pouvez (et devriez) les adapter à votre style et à votre tempérament. Il va sans dire qu'il n'y a pas de bonne ou de mauvaise manière d'acquérir la maîtrise des illusions du temps et de l'espace, et que ce qui marche pour une personne, même pour moi, ne conviendra pas forcément à tout le monde.

Vous n'avez pas besoin de pratiquer les exercices qui suivent jour après jour, ni de manière prévisible non plus, mais il est bon de les connaître et de les avoir à disposition, pour les moments où vous ressentirez le besoin ou l'envie de les utiliser. Il n'y a aucune règle, ce qui devrait vous libérer de la pression *d'avoir* à « faire quelque chose », car en réalité vous n'avez *rien* à faire. Vous forgez déjà votre vie, jour après jour, vous évoluez déjà et vous ne cessez de vous améliorer et de devenir plus sage à chaque instant ; c'est inévitable.

La visualisation créatrice

L'idéal est de visualiser une à deux fois par jour, durant cinq à dix minutes. Et je vous ai déjà expliqué que le plus important est sans conteste d'imaginer les émotions que vous souhaitez éprouver lorsque votre rêve se sera manifesté. Permettez-moi maintenant d'ajouter quelques éléments qui vous aideront peut-être à améliorer et à élargir vos expériences de visualisation.

Albums et tableaux de vision

Bien avant que *Le Secret* suggère la confection de tableaux de vision, je me faisais déjà mes propres albums avec des grandes pages de papier sur lesquelles je collais des photos découpées dans des magazines, correspondant à ce que je désirais dans la vie de mes rêves. Je me référerai donc à ce genre d'albums, même si la même chose s'applique aux tableaux de vision, qui ne sont que de grands albums réalisés avec des pages de poster.

Ce qui fait la force d'un album, c'est qu'il est rempli d'images représentant *les résultats finaux* auxquels vous souhaitez parvenir, sans du tout prendre en compte le « comment ». En effet, votre album ne précise pas du tout *comment* vos rêves vont se réaliser ; vous n'y mettez que les photos de la vie dont vous rêvez.

Les albums ne doivent certainement pas se limiter à l'acquisition d'objets matériels.

Ensuite, pour que votre album soit encore plus utile, vous pouvez y ajouter des citations, que ce soient des passages de vos livres favoris ou vos propres phrases, tout ce qui vous inspire. Personnellement, je fais alterner des pages avec une photo et d'autres avec une citation. Vous pouvez également utiliser certains clichés illustrant des moments forts de votre vie, des photos de vous et vos amis, ou d'autres qui évoquent de bons souvenirs, notamment *le sentiment d'être en paix, heureux ou insouciant*, c'est-à-dire le genre de sentiments que vous souhaiteriez connaître à nouveau. D'ailleurs, vous pouvez découper des photos de visages souriants dans des magazines, pour indiquer la joie que vous voulez connaître dans votre vie, car les albums ne doivent certainement pas se limiter à l'acquisition d'objets matériels. Et, pendant que vous y êtes, n'oubliez pas d'inclure une ou deux photos récentes de vous-même, au milieu des autres images. Rappelez-vous que ce montage se rapporte à votre vie ; il semble donc tout naturel que la personne d'honneur y soit représentée ! Cela vous aidera également à vous associer mentalement aux images que vous choisissez.

J'ajoute également à mon album de petits mots que je m'adresse, comme s'ils émanaient de quelqu'un d'autre, que ce soient des félicitations, des remerciements ou des offres d'emplois, le genre de chose que l'on m'écrirait si l'un de mes rêves en particulier s'était *déjà* réalisé.

Je me suis même écrit de faux chèques, émanant de vraies personnes ou de vraies entreprises, avec un montant énorme, en paiement des services que j'espérais leur offrir (par exemple, le versement de droits d'auteur ou une rémunération pour une conférence).

Le dernier conseil que je puisse vous donner pour votre album est de le mettre à jour très régulièrement. Quand vous regardez constamment la même photo, elle finit par perdre de son attrait et susciter moins d'enthousiasme. Alors, ne vous contentez pas d'ajouter de nouvelles réflexions et de nouvelles photos à votre album ; retirez-en les anciennes, quand elles n'ont plus le même impact émotionnel. Votre album est censé vous inspirer et vous stimuler, vous devez avoir du plaisir à le regarder.

Oh, encore un dernier point : laissez-le de côté de temps en temps. Vous n'avez pas besoin de votre album pour visualiser. Parfois, vous obtiendrez le même résultat en achetant le dernier numéro d'un grand magazine et, d'autres fois, c'est simplement en fermant les yeux et en visualisant vos propres images que vous aurez les meilleurs résultats. Rappelez-vous qu'il n'y a pas de règles.

Se préparer

Juste avant de commencer à visualiser, faites de votre mieux pour éveiller en vous le sentiment que vous êtes vraiment un créateur divin et que tout est possible. Efforcez-vous de parvenir à la compréhension que vous méritez *vraiment* tout ce que vous avez « l'audace » de croire, faites en sorte d'atteindre la certitude que vos pensées *sont toujours devenues* et *deviendront toujours* les objets et les événements présents dans votre vie. Rappelez-vous que ce n'est pas à vous qu'il incombe d'orchestrer la réalisation de vos rêves ; tout ce que vous avez à faire est de déterminer vos rêves, de les définir et de vous concentrer sur leur résultat final, et l'Univers se chargera d'en régler les détails. L'Univers et ses principes recevront alors les impressions de ce que vous désirez, ils capteront les pensées que vous avez quand vous visualisez et ils prendront le relais à partir de là ; *telle est la loi.*

Il y a également autre chose que vous pouvez faire avant de visualiser, c'est de vous rappeler tous vos précédents succès dans la vie, en particulier ceux qui ressemblent à ce que vous poursuivez actuellement. Vous pouvez le faire chaque fois que vous êtes confronté à un défi, en vous souvenant des époques passées où vous avez surmonté des adversités de même type, que vous soyez sur le point de pratiquer une visualisation ou non. Dressez-en la liste, si cela vous aide, puis remémorez-vous ou écrivez toutes les fois que vous avez reçu l'aide dont vous aviez besoin : toutes les fois où l'Univers est intervenu en votre faveur, parce que vous avez eu foi en les changements que vous espériez, et que vous avez su triompher de la peur. En regardant cette liste et en pensant à vos succès antérieurs, avant de commencer votre visualisation, vous vous mettrez dans le bon état d'esprit et vous stimulerez en vous la croyance que vous êtes effectivement capable d'obtenir tout ce que vous voulez.

Il n'est pas toujours facile de se mettre dans le bon état d'esprit, alors ne vous en voulez pas si vous vous sentez un peu stressé ou soucieux avant de commencer. Chaque fois que c'est possible, faites ce que vous pouvez pour vous défaire de ce sentiment : écoutez de la musique, lisez des propos inspirants ou branchez-vous momentanément sur un programme radio. Cela peut faire une grande différence dans votre visualisation, y compris dans les résultats que celle-ci finira par produire, car vous subirez beaucoup moins de résistance de la part de vos croyances restrictives en prenant le temps de démarrer ainsi. Ces croyances négatives s'en trouveront diminuées, au moins temporairement, du fait de l'état de grâce que vous aurez su créer en vous. Vous finirez par prendre l'habitude de penser de cette manière, que vous vous apprêtiez à faire une visualisation ou non.

Au-delà du rêve

Je fais également autre chose, quand je visualise. Je pense *au-delà* du moment où mes rêves se seront réalisés. Je songe à ma vie comme si tous mes rêves s'étaient déjà concrétisés, puis je me demande quels seront les nouveaux objectifs dont je rêverai alors. Je me demande le genre de pensées qui seront les miennes, quand j'aurai atteint un plus grand niveau d'illumination. Je m'interroge sur les personnes auxquelles je serai associé. J'essaie de deviner mes priorités futures, *qui présupposent toutes que mes rêves se seront réalisés depuis longtemps*. Je m'imagine ainsi dans le futur lointain, totalement accompli, en train d'aider autrui, et j'imagine ce que sera ma vie quand je serai devenu cette personne. De cette perspective future, je me renvoie des pensées dans le présent, du genre, « Allez, Mike : tiens bon. Si seulement tu pouvais voir ce que je vois maintenant, tu en tomberais raide ! Reste branché et profite du voyage, car quels que soient les revers que la vie t'impose, c'est ici – là où je me trouve maintenant – que tu vas bientôt te retrouver, et ça vaut bien tous les obstacles que tu rencontreras en chemin ! ».

Dans la mesure où, pour penser de la sorte, il faut partir du principe que vos rêves d'aujourd'hui se sont déjà réalisés, cette manière de penser – ces suppositions – va s'efforcer de se concrétiser dans votre existence, afin que vous puissiez effectivement éprouver un tel sentiment de réussite. Et la seule manière d'y parvenir, c'est d'atteindre effectivement une telle réussite. En vous concentrant sur ce résultat final, et en particulier sur les émotions qui s'y rapportent, vous inciterez l'Univers magique à déterminer *comment* vous conduire jusque-là, et il le fera, si vous avez la foi. Il ne vous laisse jamais tomber.

Se prendre au jeu, s'amuser

Cette dernière réflexion sur la visualisation nous ouvre la porte à d'autres exercices : visualiser ses rêves ou y penser comme s'ils s'étaient déjà réalisés ne doit pas être un exercice isolé. Je sais que je vous ai suggéré de ne pas visualiser plus d'une à deux fois par jour, durant cinq à dix minutes, mais cela ne s'applique qu'à des moments spécifiquement consacrés à la méditation, dans un endroit calme, chez vous ou au bureau. En plus de ces moments-là, toutefois, à n'importe quel moment de la journée, ne vous privez pas de rêvasser à des choses agréables et heureuses, de manière tout à fait informelle. Rappelez-vous que si la visualisation marche, c'est parce que les pensées se réalisent, et ce processus fonctionne toujours, que vous visualisiez ou non.

Toutes vos pensées, y compris vos rêveries, concourent pour obtenir une place dans votre vie, alors, n'hésitez pas à truffer votre maison, votre bureau ou votre voiture, voire votre sac et votre attaché-case, de pense-bêtes qui vous mettront constamment à l'esprit les pensées que vous souhaitez cultiver et voir se manifester. Utilisez des photos découpées dans des magazines, ou d'autres tirées de vos propres albums photo, ainsi que des citations qui vous inspirent. Tout ce que vous seriez susceptible de mettre dans votre album peut également être affiché sur le miroir de votre salle de bains, sur votre réfrigérateur ou sur l'écran de votre ordinateur.

Organisez votre vie de manière à être constamment exposé à des aide-mémoire qui vous rappellent à quoi ressemblera votre nouvelle vie. Dites-vous, « Ah oui, voilà ma nouvelle Porsche », et non « Regardez-moi ça. Ça ne serait pas super d'en avoir une ? ». Dites plutôt, « *C'est* super », comme si vous l'aviez déjà maintenant et qu'elle était bien à l'abri dans votre garage !

« Cartes à puces »

Voici encore un autre truc que j'utilise régulièrement pour m'aider à me concentrer et à penser à *ce que je veux* penser. J'utilisais autrefois un petit bloc-notes, mais désormais je préfère les fiches cartonnées. J'y écris, sous forme de liste à puces, la description de tout ce que je veux et, quand je m'en sers, j'ai généralement une carte par sujet. Par exemple, l'une de ces fiches concerne mon travail et ma carrière, une autre le genre de véhicule que je souhaite posséder, une troisième la maison que je rêve d'acquérir, une autre encore pour la sagesse et l'illumination que je souhaite atteindre, et encore une autre pour mes objectifs à court terme et une dernière pour mes buts à long terme. À vous d'attribuer à vos cartes les catégories que vous voulez.

En ce moment, l'une de mes fiches favorites est celle sur laquelle j'ai noté trois objectifs différents qui ne sont pas d'une très grande portée, mais qui, s'ils devaient simultanément se concrétiser dans un avenir proche, non seulement m'enthousiasmeraient, mais m'apporteraient la confirmation que je suis sur le bon chemin. Ce sont des buts raisonnables, mais qui me poussent pourtant à me dépasser.

Quelles sont les trois choses relativement simples qui pourraient vous arriver, dans les douze prochains mois, qui vous confirmeraient dans vos choix, vous enthousiasmeraient et vous permettraient de regarder l'avenir avec beaucoup plus de confiance ? Notez-les toutes les trois ensembles ; ce sont les objectifs intermédiaires dont j'ai parlé précédemment.

Sur une autre de mes cartes, j'ai noté les compliments et les louanges que m'ont fait diverses personnes, par catégorie – aussi bien récemment qu'il y a longtemps – qui me disent, par la bouche d'autrui, que des choses merveilleuses m'attendent et que mon potentiel est illimité. Lorsque je les relis, c'est comme si je les revivais ; j'ai le *sentiment* de les recevoir à nouveau. Ils me font vibrer, ils m'inspirent et m'aident à imprégner mes pensées d'émotions positives.

Sur une autre fiche, j'ai mis la description de ma prochaine maison : elle sera moderne, sise au milieu de plusieurs lacs, avec une cheminée, une piscine, de magnifiques paysages, des pistes de randonnée, une jetée moderne, une rampe d'accès pour les bateaux, un hangar à bateaux, une eau cristalline et potable, un toit en tuiles et de hauts plafonds. Ce sera également une structure solide et bien construite, au-dessus des zones inondables, nécessitant peu voire pas du tout d'entretien, et ainsi de suite, jusque dans les moindres détails que je désire. La rédaction d'une telle carte revient pratiquement à dessiner chaque mot. On parvient presque à voir ce que l'on décrit.

Non seulement ces fiches vous inspirent quand vous les rédigez, mais vous pouvez vous y référer plus tard et les utiliser dans vos visualisations et vos rêveries. D'ailleurs, en ce moment même, dans le coin du mur qui se trouve derrière mon bureau se trouve une pile de plusieurs douzaines de cartes que je ne cesse d'accroître ou de modifier, quand je n'en enlève pas certaines qui ne m'inspirent plus. Comme pour votre album, veillez à tenir vos fiches à jour. Il n'y a pas non plus de règles ici ; il m'arrive parfois de ne pas toucher à mes cartes durant plusieurs semaines ou plusieurs mois, tandis qu'à d'autres moments je les consulte tous les jours.

Actes de foi

Un acte de foi est quelque chose de très puissant. Pour vous rafraîchir la mémoire, il s'agit d'une démonstration physique qui est parfaitement alignée sur vos rêves : c'est un acte qui implique soit que vos rêves se sont déjà réalisés, soit qu'ils sont sur le point de l'être. Par exemple, la rédaction d'un album n'est pas un acte de foi, tandis que faire occasionnellement des folies, oui, même si votre vieux moi vous dit, « Hé, tu ne peux pas te permettre ça ! ».

Permettez-moi de préciser ce que j'appelle un comportement raisonnable. N'hésitez pas à sortir de votre zone de confort habituel, quand vous commettez de tels actes, sans pour autant mettre en péril votre stabilité financière, votre santé ou votre paix intérieure. Ne faites pas de vos actes de foi des démonstrations d'imprudence ! Par exemple, comme je l'ai dit plus tôt, s'endetter au nom de la foi est parfaitement inutile. Relisez le chapitre 4, « La vie vous attend », vous y trouverez de nombreuses idées pour exprimer que vous vivez dans l'abondance, sans avoir à dépenser beaucoup d'argent. La ligne de démarcation est étroite, et c'est à vous de la définir intuitivement.

Comme je l'ai dit plus haut, vous pouvez noter par avance les actes de foi que vous envisagez d'exécuter, puis en faire un ou deux par jour, et ensuite, à mesure que vous prenez conscience de comment ça marche (la vie, je veux dire), vous verrez automatiquement de nouvelles occasions de sortir de vos anciennes ornières pour adopter de nouvelles croyances. En tous les cas, il vaut la peine de faire au moins un acte de foi par jour, car dans le 99 % des cas, un acte de ce genre ne coûte pas grand-chose, tandis que ses effets sur notre psychisme sont incommensurables.

Les croyances

Dans la mesure où les croyances sont au cœur de l'art de changer de vie, n'imposez aucune limite au nombre d'exercices que vous inventerez et pratiquerez pour aligner les vôtres sur la vie de vos rêves.

Dialogues intérieurs

D'abord et avant tout, votre premier outil pour mettre en lumière les croyances qui vous limitent, c'est de développer constamment la conscience – jour après jour – de tout ce que vous pensez, dites et faites. C'est comme si vous aviez une sentinelle ou un chien de garde qui filtre la moindre de vos pensées, à la recherche d'une éventuelle limite, ou encore comme un logiciel antivirus dont se sert votre ordinateur pour vérifier chacun de vos e-mails et des pièces jointes.

Vous trouverez peut-être cela un peu léger pour aller déterrer d'anciennes croyances restrictives profondément enfouies, ou vous penserez peut-être que cette approche est inefficace puisque nos croyances sont effectivement invisibles. Mais l'identification de nos croyances n'est difficile que si on le croit. En réalité, elle est facile, amusante et simple, n'est-ce pas ?

Prenez l'engagement d'être toujours sur vos gardes et d'observer tout ce que vous pensez, dites et faites, et vous serez surpris de constater tout ce que vous découvrirez. C'est vraiment une habitude qu'il vaut la peine de développer. Et, chaque fois que vous vous surprenez à avoir une pensée ou un comportement limités, pour développer ce que j'ai dit précédemment, ne vous contentez pas de vous dire, « Ah, ça y est, je recommence : il faut que j'arrête de penser comme ça ! ». Prenez conscience que cette pensée ou ce comportement sont le résultat d'une croyance restrictive, *et que cette croyance est toujours là*. Sitôt que vous vous surprenez à exprimer une limite, faites quelque chose ! Dénichez cette croyance, liquidez-la, passez-la au bulldozer, remplacez-la, faites quelque chose, car vous y êtes presque ! C'est le bon moment de commencer à dresser la liste de vos croyances, si vous aimez faire des listes. Mais, que vous les écriviez ou non, vous devriez vous demander pourquoi vous avez eu cette pensée. Qu'est-ce qui l'a déclenchée ? Quels étaient vos sentiments ? Qu'y a-t-il sous cette pensée restrictive, quelles croyances avez-vous adoptées et de quelle autre manière pouvez-vous considérer cette situation ?

Pour toutes les fois où vous vous demandez si vous avez ou non des croyances restrictives, ainsi que pour les moments où vous aimeriez être proactif, une astuce toute simple consiste à vous poser quelques questions. Ce sont les mêmes que vous poserait un maître – le Christ ou Bouddha – sur votre vie, sur vous-même et vos difficultés. Soyez aussi précis que vous voulez. Par exemple, vous pouvez vous demander, « Quelles sont les plus grandes leçons que je puisse tirer de cette situation ? Pourquoi ai-je choisi cette incarnation ? De quelle manière puis-je m'y prendre pour trouver un travail créatif et épanouissant ? Pourquoi me sens-je impuissant, confus et désemparé ? Que devrais-je comprendre, qui m'échappe, sur l'abondance, la santé et mes relations ? ».

En général, je fais comme si je posais ces questions à mon Moi supérieur, mais si vous voulez, vous pouvez les écrire et les poser à l'Univers, à Dieu, ou à toute autre divinité que vous honorez. Vous pouvez également faire comme si c'était un ami proche qui vous avait posé cette question et qui attendait une réponse de votre part. Si vous n'êtes pas sûr de la réponse, faites *comme si* vous la connaissiez, et écrivez-la. Inventez et exprimez ce qui vous semble juste. Faites simplement l'essai, car je sais que les résultats vous surprendront. Encore une fois, il n'y a pas de règles ici non plus, mais personnellement cet exercice donne les meilleurs résultats quand j'enregistre mes questions et mes réponses.

Dans mon cas, le plus efficace consiste également à répondre immédiatement à chaque question, plutôt que d'écrire toute une série de questions, car il s'établit ainsi une sorte de dialogue. En général, au départ, mes réponses comportent d'autres questions que je me renvoie à moi-même, ce qui me force à réexaminer mes pensées ou peut-être mes présupposés et mes croyances sous-jacentes, à l'origine de cette première question. Parfois le processus prend un peu de temps, mais à un certain point, les réponses jaillissent d'elles-mêmes et mes efforts sont récompensés, car j'acquiers ensuite une plus grande *compréhension* de moi-même, de mon point de vue et de mes croyances, qu'avant le début de l'exercice. Grâce à l'élixir de la compréhension, le monde retrouve rapidement un sens à mes yeux.

Si vous affirmez que cette approche est difficile ou que vos croyances sont invisibles, ce sera effectivement le cas pour vous. Dites-vous donc plutôt que les résultats vous étonneront, que cette méthode est facile, que vous avez réussi à mettre en évidence des croyances restrictives et que vous faites de grands progrès.

Intellectualisez vos croyances

Cet exercice est particulièrement efficace quand vous êtes confronté à un dilemme. Peut-être n'arrivez-vous pas à faire une percée vers une vie de richesse et d'abondance, peut-être êtes-vous confronté à une peur spécifique, ou à une problématique, comme de perdre du poids. Voilà un autre exercice que vous pouvez écrire, comme vous pouvez également retourner ce problème dans votre tête le matin en voiture ou le soir au cours d'une balade ; à vous de voir ce qui marche le mieux.

Cet exercice vous demande d'énumérer toutes les raisons physiques et spirituelles pour lesquelles vous « devriez » vivre le contraire de la difficulté à laquelle vous faites face. Par exemple, si l'abondance ne cesse de vous échapper, énoncez toutes les raisons pour lesquelles ce problème ne devrait pas en être un pour vous. Dressez la liste de toutes vos qualités importantes ; si possible, rappelez-vous une époque où l'abondance n'était pas un problème pour vous ; rappelez-vous également que la richesse, comme la pauvreté, découle exclusivement de ce sur quoi vous vous concentrez ; énumérez les faits qui prouvent que beaucoup de gens sont très facilement devenus riches ; et ainsi de suite.

Appuyez-vous sur les succès que vous avez déjà connus dans la vie, les situations où vous êtes effectivement parvenu au résultat désiré, que ce soit en matière de santé, d'amitié ou de bonheur, et prenez conscience qu'il n'est pas plus difficile d'attirer de l'argent, des ventes ou des contrats, que la santé, des amitiés et des moments de bonheur.

Posez-vous des questions du genre, « Qu'est-ce qui, *jusqu'ici*, m'a empêché d'exprimer ma créativité ? Mon intelligence ? Ma ___________ ? ». Puis, quand vous tombez sur une croyance restrictive, emparez-vous-en et ne la lâchez pas avant d'en avoir évacué la logique fautive de votre esprit !

Une intellectualisation de ce genre de vos croyances peut se révéler utile, car elle va dans le sens des penchants et du fonctionnement habituel de votre raison. C'est un exercice pratique qui nous révèle parfois l'absurdité des pensées et des croyances qui nous ont si longtemps empêchés d'aller de l'avant.

Soyez créatif, puis lâchez prise, en sachant que vos pensées d'aujourd'hui créent votre réalité de demain. *C'est la loi.*

Voici une technique drôle et facile que vous pouvez utiliser, bien qu'elle nécessite au moins deux personnes (de préférence des gens que vous connaissez bien, qui ne vous prendront pas pour un fou). Je le faisais souvent avec ma mère et mon frère, quand nous travaillions ensemble. On se retrouvait une fois par semaine pour le petit-déjeuner pour réfléchir ensemble à notre entreprise et à nos rêves, et, vers la fin de notre rencontre, j'abordais généralement les nouvelles fantastiques les plus récentes, comme d'aller rencontrer nos distributeurs au Japon, en Suisse ou en Amérique du Sud. J'expliquais en détail tous les contrats géniaux que nous venions de signer, et j'évoquais tous mes voyages dans notre jet privé. Je leur suggérais que, pour nos prochaines réunions familiales nous nous retrouvions au Ritz, à Londres, pour boire un thé, puisque nous avions tous des projets au Royaume-Uni, et ainsi de suite. Bien entendu, rien de tout cela n'était déjà arrivé ; ce n'était là que des fantasmes, mais j'en parlais *comme si c'était vrai,* et mon frère et ma mère m'écoutaient dans le même état d'esprit. Ils me posaient des questions très sérieuses, comme le feraient de vrais partenaires en affaires, et je leur répondais. Ensuite, je leur passais la parole, je demandais à ma mère ce qu'il y avait de neuf à Hollywood, où se multipliaient les propositions de faire des films à partir de ses livres, et elle nous racontait alors sa dernière entrevue avec Steven Spielberg, pour la réécriture du scénario, ainsi que les derniers galas auxquels elle s'était rendue.

Andy participait également. Il se plaignait que mon jet privé était trop petit pour ses amis et qu'il allait donc s'en acheter un plus grand, qu'il me prêterait à l'occasion. On se donnait des rendez-vous sur toute la planète : « Quand j'aurai fini en Thaïlande... », et l'autre répondait « Et toi, quand tu auras réglé tes affaires à Paris... », et ma mère s'y mêlait aussi, « Dès que les prises de vues sont terminées, retrouvons-nous à Hong Kong pour passer du bon temps ».

Bon, j'imagine que vous devez probablement croire que je suis encore plus fou que vous ne le pensiez au départ, mais on s'amusait vraiment pendant ces réunions, en associant à nos fantasmes la lecture de livres qui nous inspiraient et les dernières découvertes que nous avions faites dans la semaine. Une fois notre réunion terminée, nous en ressortions tous les trois la tête dans les nuages.

De manière analogue, un jour où mon frère présentait notre ligne de T-shirts à une exposition de vêtements, à Las Vegas, pour l'aider à avoir de bonnes pensées je lui ai envoyé un fax à l'hôtel où il séjournait (c'était avant qu'existe Internet), où il était écrit en grosses lettres, « Urgent ! Je dois emprunter le jet ! Où puis-je joindre ton pilote ? Mike ».

Même si aucun de nous trois n'est encore allé dans un jet privé, nous avons tous fait le tour du monde pour nos voyages d'affaires et, en ce moment même, deux producteurs d'Hollywood envisagent de faire un film à partir du livre *Grown Men* de ma mère. Vous voyez une fois de plus qu'il est à la fois amusant et facile de travailler sur ses pensées et de trouver le moyen de nourrir celles qui nous sont le plus utiles. Soyez créatif, puis lâchez prise, en sachant que vos pensées d'aujourd'hui créent votre réalité de demain. *C'est la loi.*

Se brancher

Il s'agit d'une technique totalement différente, que j'utilise pour m'aider à prendre des décisions et pour affiner mes sens intérieurs. Chaque fois que je suis confronté à un choix (de n'importe quel type), j'essaie de le formuler sous forme d'une question à laquelle on peut répondre par oui ou par non ; ensuite, je pose très clairement cette question, je ferme les yeux, je fais quelques respirations profondes, puis je visualise les mots « oui » et « non ». Je joue avec ces images mentales, je m'efforce de les voir aussi clairement que possible, et c'est celui de ces deux termes qui me semble le plus grand, le plus dominant, ou encore le plus proche de moi qui est la réponse que l'Univers ou mon moi supérieur m'adresse. J'ai entendu diverses variantes de cet exercice, dont certaines suggèrent de poser la question sur une expiration, puis d'inspirer et de voir si c'est un oui ou un non qui vient. Vous devriez vraiment essayer cet exercice, sous la variante qui vous convient le mieux, car je dois vous avouer que la précision des réponses que j'ai obtenues ainsi est absolument stupéfiante. Au point que je me souviens d'une fois ou deux où j'ai eu la mauvaise idée de ne pas suivre les conseils ainsi reçus, et de l'avoir amèrement regretté par la suite !

Je me sers fréquemment de cette technique, parfois plusieurs fois par jour, même pour de petites choses comme de choisir une marque en faisant mes courses, ou pour décider si je dois ou non passer un coup de téléphone à quelqu'un. Plus vous la pratiquez, plus elle devient facile, et l'avantage, quand on l'applique à des décisions mineures, c'est qu'on commence à avoir confiance dans les réponses ainsi reçues et qu'on aiguise ses sens intérieurs, ce qui est très utile quand on doit prendre des décisions plus importantes. D'où viennent ces réponses ? Il est important que vous en preniez conscience : elles viennent de l'intérieur, *de vous-même*. Cet exercice ne vous fait pas renoncer à votre propre pouvoir ou à votre autorité intérieure, il renforce au contraire les deux.

Nos sens intérieurs sont comme nos sens physiques, c'est-à-dire que si nous ne les utilisons pas, ils perdent en précision et nous finissons par les ignorer. Il serait d'ailleurs préférable de les comparer à des muscles : un muscle non utilisé s'atrophie, et l'on finit par dépendre des seuls muscles qu'on utilise. En faisant usage de cette technique « oui ou non », vous faites travailler un muscle intérieur que vous n'avez peut-être jamais utilisé auparavant, et avec de l'entraînement, viendra un moment où vous aurez l'habitude d'écouter *vos sentiments* chaque fois que vous aurez une décision à prendre, *sans même avoir à utiliser cette technique consciemment*. Instinctivement, et de manière automatique, vous soumettrez vos options à votre ressenti, de la même manière que vous y *pensez* automatiquement maintenant, quand vous abordez une décision de manière intellectuelle.

Le but de la journée

Voici un autre exercice pour développer certains de vos muscles intérieurs : celui-ci agit sur le muscle de la foi. Choisissez-vous un objectif pour la journée, quelque chose de tout à fait atteignable, un but dont vous êtes certain qu'il pourrait se réaliser aujourd'hui, même s'il pourrait également ne pas être atteint. Cela peut-être d'achever une tâche en particulier ou d'en commencer une nouvelle. Vous pouvez également choisir de recevoir un compliment (sur votre coupe de cheveux, par exemple) ou de trouver quelque chose, comme un dollar dans la rue. N'importe quoi !

Par exemple, à l'époque où j'ai créé le programme audio qui a précédé ce livre, je le vendais activement sous la forme de souscriptions, en envoyant un enregistrement (un chapitre) par mois à chaque client, durant un an. Pratiquement tous les jours, je choisissais le nombre de commandes en ligne que je désirais recevoir, et vous seriez étonné de voir le nombre de fois où je suis tombé juste.

Voilà comment je m'y prenais : chaque matin, j'allais dans un endroit calme pour me centrer et avoir une conversation personnelle avec l'Univers, ou avec Dieu (ça ressemblait vraiment à une prière). Je disais à l'Univers la quantité de souscriptions que je souhaitais vendre, *au minimum* ; j'expliquais pourquoi je voulais cela ; je détaillais mes raisons personnelles – ce que cela signifierait pour moi – et j'analysais même la pertinence de ma requête. Ce qui distingue cet exercice d'une simple prière ou d'un moment de réflexion, c'est l'intensité et la clarté de la concentration qu'il requiert. Je m'adressais *vraiment* à l'Univers et il ne faisait aucun doute à mes yeux qu'il entendait chacune de mes paroles. Ensuite, je me visualisais intensément en train de traiter ces commandes, et, comme acte de foi, j'allais chercher le nombre exact de programmes que je comptais vendre, déjà emballés et prêts à partir.

Si cet exercice est aussi efficace, c'est en partie qu'en faisant une demande raisonnable (raisonnable à *mes* yeux) et crédible (d'après *mes* croyances), je suis d'autant plus convaincu qu'elle va se réaliser, ce qui stimule ma croyance que le succès est inévitable. En cultivant les croyances adéquates, la définition de ce qui est raisonnable peut s'adapter à toute demande, et, avec de l'entraînement et une certaine confiance en soi, vos demandes (et les miennes) peuvent progressivement augmenter jusqu'à inclure pratiquement n'importe quoi.

Il y a certains points que vous devez garder en mémoire, pour cet exercice : lorsque vous obtenez exactement ce que vous voulez, c'est à vous qu'en revient le mérite. Vous devez vous en féliciter, car cela signifie que vous comprenez la façon dont vous façonnez les événements de votre vie et, inversement, vous devez aussi assumer vos responsabilités quand les choses n'arrivent pas comme prévu. Ce qui ne veut pas dire que vous deviez vous en vouloir et vous arracher les cheveux en criant, « Bon sang, je ne vois pas où je me suis trompé ! ». Cela signifie simplement que vous ressayerez demain, en étant encore plus concentré, avec une demande encore plus précise, en faisant une meilleure visualisation et en accomplissant peut-être un nouvel acte de foi.

Si vos demandes doivent être plus raisonnables ou plus crédibles, pas de problème, faites ce qu'il faut pour cela. Simplement, même après avoir abaissé vos attentes, reconnaissez-vous quand même le mérite de savoir faire appel à la magie de l'Univers. Cela peut se révéler difficile, si vos demandes sont vraiment trop faciles à réaliser, car votre raison va alors dire, « Oh, ça serait de toute façon arrivé ». La meilleure façon de vous protéger contre ce genre de rationalisation est de pratiquer cet exercice quotidiennement – de le faire souvent – et vous verrez certaines constantes, certaines nuances accompagner vos succès, et vous développerez ainsi votre muscle de la foi, la foi qu'il est possible de demander des choses, puis de les voir se réaliser.

La méditation

Si vous êtes comme j'étais autrefois, la seule évocation de ce mot éveille en vous une certaine culpabilité, parce que vous vous dites que vous devriez méditer, mais vous ne le faites pas. Eh bien, pour vous aider à changer ça, permettez-moi tout d'abord de vous rappeler que la vie dans le temps et l'espace, comme l'acquisition de l'illumination, ne s'assortissent aucune obligation. Deuxièmement, à un degré ou un autre, vous méditez déjà de diverses manières, même si vous n'êtes pas assis dans la position du lotus en train de prononcer un OM.

Beaucoup de gens commettent l'erreur de croire que la méditation est indispensable à l'évolution spirituelle, mais, au risque de me répéter, il n'y a *rien* que l'on doive faire pour évoluer ; il n'y a *pas* de règles. La méditation a tellement de connotations mystérieuses qu'elle peut sembler parfois être hors de portée d'un individu normal. En réalité, il existe autant de types de méditation différents que d'humeurs.

D'ailleurs, *la vie* est une grande méditation. En effet, elle n'est faite que de *pensées*, concentrées d'une manière ou d'une autre. « Tout est bon », et que vous méditiez à la manière de yogis ou non n'a pas grand-chose à voir avec votre évolution spirituelle et avec les prises de conscience de plus en plus grandes que vous pouvez atteindre.

Qu'il s'agisse d'écouter de la musique, de lire, d'aller courir, de marcher, de rêvasser, d'aller au cinéma, de déguster un repas délicieux, de passer du temps en pleine nature, voire de fumer calmement un cigare pour débuter la journée, tout peut être une forme de méditation. Toutes ces choses calment et apaisent l'esprit, et elles permettent d'atteindre une certaine concentration qui ne se manifesterait pas autrement. J'estime que ce qui est important, ce n'est pas la façon dont les gens trouvent le moyen de passer du temps en pensée, même s'ils doivent pour cela calmer leurs pensées, l'important c'est qu'ils le fassent, aussi souvent ou aussi rarement qu'ils le jugent bon pour eux.

Est-ce que je consacre un peu de temps, chaque jour, à me libérer l'esprit de toute pensée ? Non. Est-ce qu'une telle forme de méditation me serait bénéfique ? Bien sûr, tout comme la consommation régulière de carottes, chose que je fais rarement, ce qui ne veut pas dire pour autant que je n'ai pas globalement une bonne alimentation ! Il se peut qu'un jour je décide de faire cela de manière régulière (me libérer l'esprit, *pas* manger des carottes !). Dans l'intervalle, ce que j'essaie de vous dire c'est que je ne suis pas moins spirituel ni moins résolu à me comprendre moi-même que ceux qui chantent des OM ; j'ai progressivement appris à apprécier ma propre façon de faire, aussi peu orthodoxe puisse-t-elle paraître à autrui.

Franchir le portail

J'aimerais également vous proposer quelques techniques (en réalité, vous offrir quelques réflexions) pour aborder les problèmes les plus « ordinaires » auxquels nous soyons confrontés au quotidien.

Surmonter ses résistances

Rien ne détruit plus rapidement une idée que de s'asseoir dessus ! Tous autant que nous sommes, quand nous débutons un nouveau projet, qu'il soit grand ou petit, nous percevons des résistances en nous. Celles-ci proviennent en grande partie de nos doutes et nos peurs, qui nous rendent hésitants. Après tout, personne n'a envie d'investir beaucoup de temps dans un projet pour ensuite changer d'avis, quelques jours, semaines ou mois plus tard ; on peut ainsi gaspiller beaucoup d'énergie. Mais, même quand on connaît le chemin qu'on souhaite emprunter, on peut néanmoins hésiter et, dans cette hésitation, perdre sa concentration, jusqu'à mettre en péril la réalisation d'un rêve.

Lancez-vous simplement !

Le conseil que je vous donnerai ici, c'est simplement de *commencer* ce que vous souhaitez faire. Ne pensez pas encore à la fin. Et l'une des meilleures façons dont je me motive à démarrer quelque chose, sans que ce soit trop stressant, c'est en me racontant des blagues. Je me mens ostensiblement ! Je me dis que je n'ai qu'à briser la glace, et c'est tout ; qu'il suffit que je fasse un petit effort, et qu'ensuite, je peux me reposer jusqu'au lendemain. Et alors, invariablement, une fois que je me suis lancé, j'ai envie d'aller plus loin, puis encore plus loin, et avant même que j'en aie conscience, le projet est sur les rails. Je sais que je suis en train de me mentir, quand je me convaincs de « juste commencer », mais ça marche quand même !

La première fois que j'ai fait cela, c'était à l'époque où je m'entraînais pour un marathon. Mon réveil sonnait à 3h30 du matin, pour que je puisse aller courir avant le travail, mais honnêtement, à cette heure-là, je n'avais qu'une envie : jeter mon réveil par terre et me rendormir, en me disant que j'irais courir après le boulot. Mais je savais que ça ne marcherait pas, alors, à 3h30, je me disais que je n'étais pas obligé de courir, si je ne voulais pas, mais qu'il fallait au moins que je me lève pour aller aux toilettes. En effet, à une heure aussi matinale, il est infiniment plus facile de sortir de son lit pour aller aux toilettes que pour aller courir 20 km, mais une fois que j'étais levé, il m'était beaucoup plus facile d'enfiler mes shorts et mes baskets, et de m'enfoncer dans la nuit. Ça marchait à chaque fois, avec le même stupide mensonge.

Je me raconte toutes sortes de mensonges, pour m'aider à débuter un projet. Une autre façon de voir les choses consisterait à dire que je change de point de vue et de perspective, ce qui n'est pas du tout se mentir. Je détache mon regard d'une tâche qui me semble insurmontable, préférant me concentrer simplement sur la première étape qui m'attend, et cette astuce peut aussi vous aider dans pratiquement n'importe quel projet. Pour commencer, concentrez-vous sur ce que vous avez à faire immédiatement, et non sur ce que vous devrez faire demain ou le mois prochain. Faites les choses un jour à la fois, une heure à la fois, voire *une minute à la fois* ; c'est tout ce qu'il faut pour entamer le voyage même le plus long.

Voir avec de nouveaux yeux

Une autre technique, pour surmonter vos résistances, consiste à regarder la tâche qui vous attend avec de nouveaux yeux. Lorsque j'avais environ 12 ans, j'ai fait une expérience dont je me souviens encore aujourd'hui.

Quand j'étais enfant, j'avais toujours un vélo ; j'étais d'un naturel aventurier et je vivais pratiquement sur ma bicyclette, allant parfois très loin, tant que je n'avais pas un pneu crevé. Je n'étais pas très doué pour les réparations, au point que mes réparations avaient généralement besoin d'être réparées. Par conséquent, pneu crevé signifiait automatiquement pour moi « pas de vélo » durant *des mois*, jusqu'au jour où un jeune voisin plutôt costaud – environ un an plus jeune que moi – m'a fait découvrir un autre point de vue.

Il s'appelait Billy et avait des super roues tout-terrain que je désirais acheter pour quelques dollars. Au départ, il en voulait trop, mais il a fini par baisser son prix. Le problème, c'était que l'un de ses deux pneus était crevé, en l'occurrence. « Ah ha ! », me suis-je dit. « Pas étonnant qu'il veuille les vendre ; ils sont foutus ! » Je savais que si je les achetais, ces roues resteraient crevées dans mon garage indéfiniment, alors je lui ai dit, « Pas question. Ce pneu-là est crevé ! T'es fou, ou quoi ? ». Billy n'en revenait pas. Il m'a regardé et a dit, « Et alors ? Répare-le ! Ça prend cinq minutes ! ». Impossible. Il n'allait pas m'avoir comme ça. « C'est facile », ajouta-t-il. Puis, agacé par mon attitude, il a lancé, « Regarde ! ». Et là, sous mes yeux, en cinq minutes, Billy a enlevé le pneu, il en a extrait la chambre à air, l'a gonflée, l'a mise dans un seau d'eau, a trouvé le trou, dégonflé la chambre à air et mis une rustine. « Laisse sécher la colle, et tu peux utiliser ton vélo demain », a-t-il dit à la fin, sans imaginer l'impact qu'il venait d'avoir sur moi.

Je suis rentré chez moi avec mes nouvelles roues, me sentant vraiment stupide. « Pourquoi faisais-je toujours une telle histoire d'un pneu crevé ? », me suis-je demandé. J'ai repensé à tous les mois que j'avais passés sans vélo, à cause de la perception erronée que j'avais d'une crevaison. De manière analogue, on peut passer beaucoup de temps à expliquer que quelque chose est difficile ou ne peut être réalisé, alors que cette tâche aurait pu être accomplie en moins de temps que nous n'en avons perdu à défendre nos faibles positions.

Une heure à la fois, voire *une minute à la fois* ; c'est tout ce qu'il faut pour entamer le voyage même le plus long.

Alors, posez vous la question : qu'est-ce qui vous semble difficile, dans la vie ? Votre rôle de parent, votre activité professionnelle, une tâche en particulier, comprendre votre conjoint, perdre du poids, vous levez le matin, arrêter de fumer, ou gagner un million de dollars ? Il est temps de voir tout cela avec de nouveaux yeux, car, qu'il s'agisse de voler dans les airs, d'atterrir sur la Lune ou de cloner un mouton, rien n'est difficile ni impossible, et rien ne devient facile et accessible, tant que nous n'en décidons pas ainsi.

Prenez un engagement

La troisième technique, pour surmonter vos résistances, consiste à prendre un engagement envers vous-même. Ne vous trouvez aucune échappatoire ; brûlez les ponts derrière vous, comme on dit. La façon dont j'ai créé le programme audio ayant précédé la rédaction de ce livre illustre comment j'ai moi-même brûlé les ponts. En décembre, j'avais annoncé à tous mes contacts e-mail que je mettrais au point un programme audio de douze heures intitulé *Vos possibilités sont infinies*, qui serait diffusé au rythme d'un envoi par mois durant l'année à venir.

Aussitôt, en l'espace d'un seul jour, j'ai vendu pour pratiquement 5000 $ de souscriptions à des clients qui m'avaient payé en ligne à l'avance, avant même que je sache ce que comporterait le premier enregistrement que j'allais devoir envoyer deux semaines plus tard ! Il m'était impossible de faire marche arrière, de recontacter tout le monde et de les rembourser, et je n'avais pas l'intention de le faire. Alors, je me suis lancé et j'ai poursuivi, en faisant un enregistrement à la fois et, comme je l'ai expliqué précédemment, je trichais avec moi-même pour parvenir à écrire le script du mois suivant. Allez, Mike, me disais-je, écris juste un ou deux paragraphes, c'est tout ; contente-toi de commencer. Et invariablement, du seul fait que je prenais la plume, je mettais les choses en mouvement, j'invoquais mes propres ressources intérieures, et l'étape suivante se faisait d'elle-même.

Trouvez de l'inspiration

Il existe de nombreux livres sur le thème de l'inspiration, aussi ne vais-je pas chercher à les égaler. Je voudrais simplement vous faire deux suggestions.

Premièrement, ne perdez jamais de vue les bénéfices que vous espérez. Comprenez bien que tout ce que vous faites aujourd'hui – *tout* – vous prépare aux trésors qui vous attendent un bout plus loin. Que la chose soit ou non apparente, *tout* ce que vous faites vous prépare à vivre la vie de vos rêves, et tout ce que vous avez traversé jusqu'ici, y compris ce que vous vivez en ce moment, que ce soit douloureux ou superficiel, est exactement ce qu'il vous faut pour être prêt à ce qui va suivre. Si vos rêves s'étaient manifestés trop rapidement, par exemple, ils auraient pu vous glisser entre les doigts tout aussi vite. C'est pourquoi votre préparation est en cours et les fondations en voie d'être posées. Voilà le regard que vous devez poser sur le chemin parcouru jusqu'ici et sur les étapes que vous franchissez en ce moment même : ils représentent un entraînement et une préparation, afin que vous viviez bientôt « les plus beaux moments de votre vie ».

Prenons une image : si vous escaladez une échelle et que vous oubliez où elle aboutit, vous serez beaucoup moins inspiré à poursuivre votre ascension que si vous vous rappelez que chacun de ces échelons vous rapproche de la réalisation de votre but. De manière analogue, chaque jour vous rapproche également de votre objectif, aussi difficiles que les choses puissent parfois vous paraître, et même quand vous avez le sentiment d'être complètement à côté de la plaque. Remettez-vous constamment en mémoire ce qui vous pousse à faire ce que vous faites actuellement, en visualisant la réussite à laquelle vous aspirez, le sentiment d'accomplissement qui l'accompagnera et tous les bénéfices secondaires qu'il apportera dans votre vie.

Deuxièmement, ne perdez pas de vue la vision d'ensemble, à savoir que c'est la vie, le parcours lui-même, qui est la plus grande aventure. Je ne voudrais pas que le commentaire qui suit vous surprenne ou vous paraisse morbide, mais nous allons tous mourir un jour, n'est-ce pas ? Alors, mettez-vous au boulot ! Hâtez-vous ! Le soleil brille en ce moment et c'est à votre tour d'être sur scène, mais ce ne sera *pas* toujours le cas. Si vous prenez cette réflexion comme moi, j'espère qu'elle vous inspirera, car elle signifie en réalité que vous n'avez aucune raison de vous inquiéter ; vous n'avez rien à perdre à tenter le coup, à essayer de faire ce que vous rêvez de faire. Il est vrai que vous êtes éternel et que vous aurez d'autres opportunités, d'autres incarnations, mais *aucune d'elles* ne sera exactement comme celle-ci, aucune ne vous procurera les mêmes bénéfices. De plus, la gloire inimaginable qui vous attend à la fin de cette existence sera amplifiée par chacun de vos efforts *aujourd'hui*. La vie récompense nos efforts d'une manière exponentielle, aussi, moins vous laissez votre moteur au ralenti, plus grands seront vos bénéfices.

Arrêtez de vous stresser

De nos jours, le sujet du stress justifierait un livre à lui seul, aussi me limiterai-je à quelques pensées. À mes yeux, le stress tient principalement au fait que nous *croyons* que c'est nous – à savoir la dimension physique de nous-mêmes – qui devrions surmonter *physiquement* tous les obstacles qui se présentent, faute de reconnaître que, dans notre vie, le véritable travail s'effectue au niveau spirituel.

Le stress est la conséquence d'une volonté obsessionnelle de *manipuler physiquement* le temps, l'espace et notre vie. En réalité, vous devez bien comprendre qu'il vous suffit de *diriger* votre vie et vos manifestations. Comment au monde pourriez-vous vivre un jour la vie de vos rêves, si vous n'étiez doté de cette aptitude et de ce pouvoir ?

Nous déraillons complètement et nous oublions qu'il est impossible de diriger physiquement notre existence ; l'étincelle qui l'anime vient de l'intérieur. Nous devons également nous rappeler qu'il ne faut pas essayer de contrôler certaines personnes, certains endroits ou certaines choses en particulier, mais qu'il faut garder une vision beaucoup plus large de ce que nous souhaitons, en termes d'abondance, de santé et d'harmonie, en laissant l'Univers en régler les détails. Ce sont justement ces détails qui nous stressent, mais ils sont du domaine de l'Univers, et non de notre moi physique.

La vie est un jeu spirituel, et nous devons y jouer spirituellement, si nous voulons gagner ; la clé consiste justement à en être conscient, même si notre existence s'exprime physiquement. Pendant que vous lisez ces pages, vous agissez physiquement dans un monde physique, aussi paraît-il logique de comparer votre position actuelle à celle que vous voulez atteindre, que vous prenez également pour une destination physique. Vous en déduisez alors que pour passer du point physique A au point physique B, l'idéal est de manipuler toutes les composantes physiques du parcours. Mais c'est justement là où nos illusions nous induisent en erreur : À et B ne sont que le reflet de notre propre monde spirituel intérieur (des mirages), et il nous faut donc manipuler notre propre paysage spirituel intérieur pour passer du mirage A au mirage B.

Il est surprenant de voir combien les choses se passent bien, sitôt qu'on arrête de résister ou d'insister.

Quand les choses ne marchent pas

Que faire quand on a l'impression de ne plus avancer dans la vie, quand toutes les portes qu'on ouvre se referment aussitôt en claquant ? Le meilleur exemple que j'aie de cette situation-là remonte à l'époque où nous vendions des T-shirts au détail : l'industrie a soudain changé, et rien de ce que nous faisions n'arrivait à endiguer la marche des événements, ni à nous remettre en selle. Je vous épargne toutes les solutions insensées que j'ai essayées, qui allaient de la vente directe à des soldes, en passant par un déménagement et des conditions de vente innovantes avec certains de nos grossistes. Plusieurs de ces tentatives nécessitèrent plus d'une année de mise en place et de vérifications, avant de se révéler parfaitement inopérantes.

Au final, la solution que nous avons retenue a consisté à prendre une tout autre direction : à fermer nos magasins et à nous retirer totalement de ce business. Bien sûr, il restait encore d'autres alternatives, mais nous avons fait ce choix-là pour diverses raisons, dont la moindre n'est pas que nous ne pouvions plus nous permettre les moindres répercussions négatives. Avec le recul, il nous semble évident aujourd'hui que la fermeture de cette entreprise aurait dû intervenir beaucoup plus tôt. À l'époque, pourtant, ce fut très douloureux. C'était comme si quelque chose mourait ou, pire, comme si nous commettions une euthanasie sur un rêve. On avait l'impression d'abandonner la partie, et d'une certaine manière, c'était effectivement ça.

Mais, parfois, quand les choses ne vont pas, c'est le signe que vous vous êtes laissé aller à vouloir déterminer *comment* les choses devraient se passer, physiquement parlant, au point de perdre de vue ce que vous désirez au niveau spirituel. Vous ne laissez plus l'Univers, vos rêves et vos pensées, déterminer *comment* les choses doivent se passer, l'empêchant même de vous montrer d'autres alternatives, y compris celles qui remettent en question la voie même que vous avez choisie. Vous commencez alors à demander à ce que les choses – des choses physiques – se produisent de telle ou telle manière, et, ce qui aggrave encore la situation, vous ne cessez de vous rappeler que tout est possible, *que les pensées se réalisent*, que nos rêves sont faits pour être concrétisés, allant jusqu'à rationaliser les défis que vous rencontrez comme étant tout à fait normaux. Dans notre cas (et je crois que l'on observe souvent cela dans la vie de nos amis et de nos contemporains), nous avons fait preuve de plus en plus d'étroitesse d'esprit, insistant pour que les choses se passent de telle façon précise, mais ce que nous désirions matériellement ne se manifestait pas, pour diverses raisons profondes que nous ne discernions pas l'époque.

La vie est un jeu spirituel, et il faut y jouer spirituellement pour gagner ; la clé est d'en avoir conscience, même si notre existence se manifeste physiquement.

Quand nous regardons aujourd'hui combien notre transition s'est faite harmonieusement pour chacun d'entre nous, nous avons conscience que si nous avions remis cette décision à plus tard, nous n'aurions fait que retarder la découverte du chemin formidable sur lequel nous sommes tous aujourd'hui. La joie nous avait quittés bien avant que nous ne fermions nos magasins ; chacun d'entre nous avait déjà d'autres rêves, quant à ce qu'il souhaitait faire de sa vie, et pourtant nous n'arrivions pas à lâcher l'entreprise même qui nous empêchait d'aller de l'avant, en nous disant que si nous arrivions à augmenter nos profits, tout irait bien, et en essayant de nous faire croire que cette évolution était nécessaire pour que nous puissions réaliser nos autres rêves.

Il est surprenant de voir combien les choses se passent bien, sitôt qu'on arrête de résister ou d'insister. Si vous n'êtes *pas* honnête avec vous-même, vous allez déclencher des signaux d'alerte un peu partout, et le sol même que vous avez sous les pieds va devenir instable.

Bien sûr, c'est un sujet délicat, car de nombreuses raisons peuvent expliquer pourquoi les choses ne vont pas, mais je pense qu'on peut toutes les classer en deux catégories : soit vous êtes sur le bon chemin, mais vous avez des croyances conflictuelles ; soit vous n'écoutez pas votre cœur – vos aspirations les plus profondes – et vous devriez prendre un nouveau tournant. Dans un cas comme dans l'autre, l'honnêteté et l'introspection vous aideront à prendre la bonne décision.

Voilà donc les outils et les techniques que j'utilise. Des choses toutes simples, comme vous le voyez. Mais si vous avez l'impression qu'elles sont trop simples, c'est peut-être que vous pensez que l'illumination et l'éveil spirituel doivent forcément être quelque chose de difficile et d'ardu. Et si c'est effectivement ce que vous pensez, réfléchissez-y à deux fois. L'illumination et la sortie de notre sommeil spirituel devraient être faciles et naturelles : vous n'avez pas besoin de vivre en réclusion pour éveiller en vous de nouvelles pensées. Vous avez simplement besoin de pensées nouvelles !

Il n'y a en réalité qu'une seule façon d'évoluer spirituellement, et c'est par la pensée. Et il n'y a également qu'une seule façon de manifester la vie de vos rêves, et c'est également par la pensée. Tout exercice susceptible d'avoir un impact positif sur vos pensées – en stimulant vos rêves ou en élargissant votre conscience – vaut de l'or. Le temps que vous consacrez à étirer vos muscles philosophiques, que ce soit le matin devant une tasse de café ou en faisant appel à une pratique plus structurée, ne manquera pas de hâter le jour où vos rêves se réaliseront.

---

11 QUESTIONS ET RÉPONSES

Ce chapitre me donne l'occasion de partager avec vous certains des échanges épistolaires que j'ai eus avec les personnes qui m'ont posé des questions sur tout ce que je vous ai présenté jusqu'ici. Les gens qui m'ont posé ces questions, peut-être pour la première fois de leur vie, ont pris conscience du pouvoir et des responsabilités incroyables qui sont les leurs. Certaines de ces questions reviennent très régulièrement, aussi y a-t-il des chances pour que certaines d'entre elles ressemblent à celles que vous vous posez.

Peut-on imposer une date butoir à l'Univers ? Par exemple, au lieu de simplement demander à l'Univers de me rendre millionnaire, puis-je ajouter « d'ici la fin de l'année » ?

Oui et non. Vous pouvez le demander, mais je pense que ces limites temporelles peuvent faire plus de tort que de bien. Sitôt que vous commencez à vous occuper du temps, vous vous mêlez de la dimension physique des choses, qui est du domaine de l'Univers. Vous courez le risque de lui lier les mains et de l'empêcher de trouver le chemin le plus court entre vous et ce que vous demandez. Quand vous visualisez, si vous voyez votre rêve comme *déjà* réalisé, vous indiquez à l'Univers que vous êtes prêt à ce qu'il le soit *maintenant* ! Mais si vous imposez une date à l'Univers, qu'arrivera-t-il s'il peut faire mieux que cela ? Ou encore, imaginons que la manifestation de votre rêve soit inévitable, mais qu'en imposant une date à sa réalisation, qui va à l'encontre de certains de vos autres désirs et croyances, vous ratiez cette échéance ? Dans ce cas, non seulement vous risquez d'être extrêmement déçu d'avoir manqué cette occasion, mais, faute d'avoir eu conscience de votre succès imminent, vous finirez pas vous demander si vous êtes capable d'obtenir ce qui vous aurait échu avec certitude, si vous ne vous en n'étiez pas mêlé. Chaque fois que vous posez une échéance, vous risquez de nuire à votre confiance en l'Univers, voire à votre croyance en la réussite possible de ce que vous voulez, faisant ainsi avorter quelque chose qui se serait manifesté sans effort autrement!

Bien sûr, dans certains cas il est inévitable de préciser une date. Par exemple, quand vous avez une échéance physique bien réelle, comme le paiement de votre loyer avant une date précise. Dans ce cas-là, je vous suggérerais malgré tout de ne pas vous fixer sur la date et de rester concentré sur l'objectif désiré : avoir un toit confortable sur la tête, habiter dans un endroit où vous pouvez honorer agréablement vos obligations financières (plutôt que de vouloir absolument vivre sous tel toit en particulier et que tel propriétaire bien précis reçoive un montant prédéterminé à une date inchangeable). Ne vous occupez pas de savoir comment et quand les choses se feront ; ces détails sont du domaine de l'Univers.

Autre exemple : quand vous devez vous fixer des buts. Par exemple, qu'espérez-vous atteindre d'ici trois ans, cinq ans, ou dix ans ? Du fait même de leur nature, ces buts-là ont une structure temporelle beaucoup plus souple et, au moment de vous les fixer, vous savez par avance que vous aurez à les ajuster, à mesure que vos priorités évoluent.

Autrement dit, dans ce cas, les dates sont davantage des repères que des échéances, ce qui est une bonne chose.

Ces précisions étant faites, j'estime qu'un être véritablement illuminé n'aurait aucun problème à manifester pratiquement n'importe quoi à une échéance précise, mais tant que vous ne marchez pas sur l'eau, il est inutile de vous y risquer, vous ne feriez qu'augmenter votre stress et votre anxiété. Choisir une date est pratiquement une aussi mauvaise idée que de vouloir s'occuper de ces *maudits « comment »*. C'est risqué, et vous feriez mieux de l'éviter, autant que possible.

Une autre question qui m'est souvent adressée émane de personnes qui ont l'impression qu'à une certaine époque de leur vie elles étaient beaucoup plus avancées, plus branchées sur la magie de la vie, qu'aujourd'hui. Elles ont le sentiment d'avoir perdu quelque chose qu'elles souhaitent récupérer, et la réponse que je leur fais est toujours la même :

Vous n'avez rien perdu. C'est souvent notre maturité ou notre évolution spirituelle qui nous fait atteindre un nouveau territoire qui, parfois, peut nous paraître effrayant. Mais les peurs qui apparaissent soudain dans notre vie ne signifient pas que nous ayons perdu quelque chose ; elles se manifestent simplement parce que notre conscience s'élargit. Il ne fait aucun doute que vous avez aujourd'hui les mêmes intuitions profondes qu'autrefois ; on ne peut pas les perdre. Mais aujourd'hui, vos intuitions s'appliquent à une réalité beaucoup plus vaste – qui prend en compte votre véritable nature et vos responsabilités, à mesure que vous passez de la théorie à la pratique – et il s'agit là d'une évolution naturelle que suit chaque âme en chemin vers la maîtrise de ses illusions.

Pour vous aider à comprendre cela, j'imagine que vous ne voudriez pas avoir aujourd'hui moins de conscience que vous n'en avez ? N'importe qui peut être idiot, courageux et déterminé. Vous avez déjà franchi ce stade ; vous avez fini vos études. Il est temps maintenant d'être sage, courageux et déterminé !

Des occasions ne se présentent pas qu'une seule fois ; il s'en présente chaque jour, à chaque instant, pour chacun d'entre nous.

Je reçois également beaucoup de questions dont les auteurs expriment des doutes et des regrets concernant des décisions passées. Voici le conseil que je leur donne habituellement :

Ne regardez pas en arrière. Quelles que soient les décisions que vous avez prises, l'Univers (vos pensées) les gère maintenant en votre nom. Il conspire en votre faveur et s'occupe de tous les détails pour que vos rêves se réalisent, exactement là où vous en êtes dans votre vie aujourd'hui. Il est parfaitement capable de gérer les décisions que vous avez prises autrefois et n'est pas du genre à se cogner la tête sur les murs en disant, « Regarde ce que tu as fait ! Je vais devoir me donner un mal de chien ! ». Non, aux yeux de l'Univers, *toute* tâche est facile ; la magie est son fort ! Il n'a pas renoncé, et vous devriez faire comme lui ; il ne vous juge pas, alors ne le faites pas non plus ; il ne regarde pas en arrière, alors faites comme lui. Aidez-le, libérez-vous, soyez heureux et regardez vers l'avenir. L'Univers continue de viser les joies infinies qui vous attendent, car il sait que tout reste à jamais possible. Il n'est jamais trop tard pour quoi que ce soit. Des occasions ne se présentent pas qu'une seule fois ; il s'en présente chaque jour, à chaque instant, pour chacun d'entre nous. Combien de dégâts entraîne le fait de penser autrement !

Tirez simplement les leçons du passé et considérez ce qui s'est produit comme un programme d'entraînement, conçu sur mesure pour vous offrir de nouvelles perspectives et vous préparer aux opportunités encore plus formidables qui sont sur le point de s'offrir à vous.

Comment gérer toutes les incertitudes que présente ma vie ?

En ayant confiance en « l'inconnu ». Après tout, c'est de là que tout provient, y compris les choses merveilleuses qui vous sont déjà arrivées ou qui vous arriveront à l'avenir. L'inconnu est votre ami, il est habité par l'intelligence divine, il recèle des possibilités infinies.

Chaque fois que vous ne savez pas ce qui vous attend, vous pouvez faire le choix d'en être effrayé ou de vous en réjouir, et votre décision influencera profondément les mystérieux moments qui vous attendent. Rappelez-vous également que le fait de ne pas pouvoir voir quelque chose avec vos yeux, ni le détecter par d'autres sens physiques, ne veut pas dire que cela n'existe pas. Juste au-delà de nos sens physiques, l'Univers est constamment à l'œuvre, avec sa magie et ses miracles. Il n'est jamais au repos, il ne cesse d'orchestrer votre vie. En cet instant même, du fait de votre inclination naturelle et innée à vous épanouir et à prospérer, des choses se mettent en place dans l'invisible, dont vous pouvez déjà vous réjouir. Chacune des merveilleuses pensées que vous avez jamais nourries est active en ce moment, s'efforçant de se manifester dans votre vie.

Si nous ne jugeons nos progrès qu'en faisant appel à nos sens physiques, cela veut dire que nous oublions de regarder en nous pour définir qui nous sommes et où nous allons. Cela signifie également que nous cherchons le sens de la vie dans des illusions et des mirages. Voilà l'épreuve ultime de la vie : voir sans regarder, entendre sans écouter, savoir sans aller et être sans devenir. Comment ? En confiant le pouvoir de votre imagination à l'inconnu, à cet enchevêtrement de principes invisibles, en ayant la certitude que des résultats merveilleux sont inévitables.

L'Univers est constamment à l'œuvre, avec sa magie et ses miracles. Il n'est jamais au repos, il ne cesse d'orchestrer votre vie.

J'ai besoin d'aide. Comment puis-je entrer en contact avec l'Univers ?

Commencez par rester calme et par suivre vos sentiments. L'idée, c'est vraiment d'entrer en contact avec vous-même, car vous êtes votre propre point de contact avec l'Univers. Consacrez un peu de temps chaque jour à vous relaxer, à respirer profondément et à laisser votre esprit vagabonder où il veut, sans règles. Accordez-vous quelques instants exclusifs, en vous autorisant à sentir et à penser ce que vous voulez, *et arrêtez de vouloir être spirituel*. Soyez simplement vous-même.

Je suis vraiment au bout du rouleau. Ma vie est réussie, mais je suis constamment fatigué et malheureux. J'ai l'impression de perdre mon optimisme et mon désir de changer. C'est comme si je n'arrivais pas à passer à autre chose.

Faites quelque chose, *n'importe quoi*. Passez à l'action. Soyez le changement. *Arrêtez de l'attendre*. Il ne suffit pas de dire que la vie est merveilleuse, d'en distinguer toute la beauté et d'échafauder des rêves qui se concrétiseront peut-être un jour d'eux-mêmes. Cela n'arrivera pas. Inscrivez-vous dans un club, allez suivre des cours, demandez une promotion, déménagez, adoptez un animal domestique, devenez bénévole, faites des rencontres, développez vos réseaux. Osez, lancez-vous des défis, activez la magie de la vie.

Comment le rêveur se réveille-t-il du rêve ?

La question concerne bien sûr ce rêve qu'est la vie, mais pour y répondre, permettez-moi de commencer par vous raconter un cauchemar récurrent que je faisais. Dans ce rêve, je prends soudain conscience que je suis probablement en train de rêver. Du coup, je commence à observer attentivement mon rêve ; je regarde les choses proches et lointaines, j'écoute les divers sons – un oiseau qui chante, ou le vent dans les branches d'un arbre – et alors je me dis, « Non, je ne rêve pas. Tout cela est bien trop réel ; il y a trop de détails ; les environs ressemblent exactement à ce qu'ils sont quand je suis éveillé ». Du coup, je perds ma concentration, je cesse de croire que c'est un rêve, et je ne me réveille que quelques minutes ou quelques heures plus tard. Alors, était-ce un rêve ? Oui. Était-il différent de la vie réelle ? Non ! J'ai tiré deux nouveaux concepts de cette expérience. Premièrement, les rêves sont réels, aussi réels que l'existence que vous et moi menons ; deuxièmement, *la vie est un rêve* tout aussi illusoire que ce que nous faisons durant notre sommeil.

Voilà l'épreuve ultime de la vie : voir sans regarder, entendre sans écouter, savoir sans aller et être sans devenir.

Pour répondre à la question ci-dessus, je pose celle-ci, « Un rêve est-il moins réel que notre soi-disant réalité ? Qu'est-ce qui les différencie l'un de l'autre ? ». Pour se réveiller *à l'intérieur même* d'un rêve nocturne, la clé consiste davantage à prendre conscience qu'on rêve qu'à s'en extraire pour revenir à la réalité éveillée ; et il en va de même dans la vie. Nous avons fait le choix *de venir ici* ; de nous concentrer dans le temps et dans l'espace. L'objectif n'est donc pas de quitter cette réalité, mais bien de nous éveiller *à l'intérieur même* de ce rêve, *de prendre conscience que nous rêvons* et que c'est nous-mêmes qui tissons nos rêves, ce qui nous permettra alors d'accélérer nos manifestations, d'apprendre plus rapidement nos leçons et de nous amuser encore plus.

Voilà la clé essentielle pour vivre la vie de vos rêves : prendre conscience que c'est vous-même qui les tissez, de vivre en accord avec cette prise de conscience en observant la moindre de vos pensées, de vos paroles et de vos actions, puisque ce sont elles qui déterminent la façon dont votre rêve se déploiera. Et pour les plus enthousiastes d'entre vous, l'accès à ce niveau de conscience se fera comme se font toutes les expériences, d'abord en l'imaginant, puis en le revendiquant, et enfin en le traduisant en un acte, en en faisant la démonstration et en le vivant.

Soyez le changement. ***Arrêtez de l'attendre*.**

Comment puis-je mieux gérer mes déceptions et la souffrance qui les accompagne ?

Il est parfois difficile de se convaincre que les déceptions sont « naturelles » et qu'à long terme elles se révèlent utiles. Mais pour peu que vous *compreniez* la situation et que vous voyez les choses « comme il faut », cette souffrance disparaîtra. Si vous comprenez votre douleur, cela veut dire que vous *comprenez* comment vous avez mal interprété la situation. Cette véritable compréhension vous fera prendre conscience que vous n'êtes en rien diminué par rapport à avant, que vous jouissez de la même liberté de vous forger votre bonheur, et que la souffrance que vous avez ressentie était simplement une leçon destinée à vous enseigner cela.

Ça ne vous paraît peut-être pas facile, mais vous en êtes capable. Secouez-vous. Faites ce qu'il faut pour cela. Réfléchissez aux questions que soulève votre déception Et méditez leurs réponses.

Apparemment, rien ne marche, alors je me suis demandé si l'on peut changer de désir, ou si c'est une manière de renoncer ?

Il n'y a rien de mal à changer de désir, c'est l'une de nos plus grandes libertés et y faire appel peut parfois nous propulser encore plus rapidement vers de nouveaux territoires excitants.

Quand vous ne savez plus trop ce que vous voulez, commencez par vous montrer honnête envers vous-même et par écouter votre voix intérieure. Il est très tentant de poursuivre aveuglément un rêve, de tout son cœur, et de se fermer à son intellect et à son bon sens. Mais si c'est pour tourner en rond ou buter constamment contre des obstacles, il se peut que votre intellect puisse vous aider à ajuster votre gouvernail. Au minimum, l'intellect vous aidera à trouver le chemin de moindre résistance, entre vos croyances restrictives invisibles. Si vous hésitez quant à la direction à prendre, ce n'est jamais parce qu'elle est inatteignable ; *tout* est atteignable. Par contre, c'est peut-être parce que vous avez des croyances contraires, dans cette direction, ou que votre instinct vous met en garde contre des dangers qui vous guettent, et si vous ignorez ces avertissements, au nom du principe *les pensées se réalisent*, vous risquez d'aller au-devant de sérieux ennuis.

Quand vous aimez le chemin qui est le vôtre, la destination dont vous rêvez devient presque accessoire, car votre bonheur est quotidien.

Quand on demande à des personnes couronnées de succès, dans n'importe quel domaine, comment c'était au début, quand elles ont pris un maximum de risques, elles répondent souvent qu'elles n'avaient aucune conscience de ces risques, tellement elles étaient concentrées sur ce qu'elles voulaient et *tellement elles aimaient ce qu'elles faisaient.* La leçon à retenir, ce n'est pas d'aimer ses rêves (cela devrait être un *must*), mais d'aimer aussi le chemin qui y conduit, ce qui sera difficile si vous éprouvez des résistances intellectuelles. Quand vous aimez le chemin qui est le vôtre, la destination dont vous rêvez devient presque accessoire, car votre bonheur est quotidien.

Frappez à toutes les portes et retournez toutes les pierres, quand il s'agit de choisir une direction qui vous convienne intellectuellement autant que vos rêves. Les gagnants évoqués ci-dessus ont fait précisément cela, et c'est pour ça qu'ils ont rencontré si peu de résistance intérieure. Pour eux, l'aventure ne présentait pratiquement aucun risque. Ne vous avancez pas aveuglément sur la planche de vos espoirs et de vos rêves. Si vous percevez des résistances internes, ne les ignorez pas au nom de la foi et ne les couvrez pas de votre voix, au nom de votre divinité. Entendez-les. Puis, en toute honnêteté, vous pourrez soit les dissiper grâce à vos certitudes, soit ajuster votre cap.

Comment pouvez-vous dire que la vie est juste ?

La vie est ce qu'on pense qu'elle est. Et il suffit d'y réfléchir un peu pour comprendre que, spirituellement parlant, il est impossible d'échouer ; tout œuvre en notre faveur ; les éléments conspirent en notre nom ; il y a toujours des raisons d'être heureux ; des millions de vies humaines sont touchées par la nôtre ; nous pouvons avoir tout ce dont nous rêvons ; les choses ne cessent de s'améliorer ; et nous vivons éternellement.

Franchement, je crois que l'adjectif « juste » convient bien.

D'ailleurs, bien que j'aie dit plusieurs fois que la vie était juste, je pense m'être mal exprimé à chaque fois. Si elle était juste, nos chances de *survie* seraient de 50/50. En réalité, la vie *n'est pas* « juste », si l'on prend en considération le fait que nous sommes nés pour prospérer et qu'au final, l'échec est impossible. En vérité, les cartes ont été mélangées en notre faveur !

Je ne sais pas ce que je devrais faire de ma vie !

Ma réponse à cette question comprend deux parties.

Première partie : quelle que soit votre activité professionnelle actuelle, c'est cela que vous « devriez » faire, *y compris de me poser cette question !* Si vous n'étiez pas dans votre situation actuelle, vous ne chercheriez pas les réponses dont vous avez le plus besoin et qui vont peut-être vous permettre d'obtenir la sagesse que vous comptiez acquérir dans cette vie.

Deuxième partie : si vous posez cette question, c'est vraisemblablement parce que vous souhaitez en faire « davantage » dans la vie. Dans ce cas, faites-en simplement davantage. « Faire quoi ? », allez-vous demander. Commencez par de petites choses, qui se transformeront d'elles-mêmes en choses plus importantes. Tout voyage commence par un seul pas, qui est celui qui coûte le plus, tant il semble futile par rapport à la distance que l'on compte parcourir. Mais une fois qu'il a été franchi, il devient plus facile de faire le second pas, puis le troisième, et ainsi de suite. N'hésitez donc pas à faire de petits pas dans le moindre corridor apparemment intéressant qui s'ouvre devant vous. Allez-y, dispersez vos efforts, qu'avez-vous à y perdre ? Vous ne tarderez pas à savoir exactement quoi faire de votre vie, et vous découvrirez vraisemblablement que vous êtes déjà en train de le faire.

Nous *sommes* parfaits, non pas parce que nous avons atteint tel niveau, mais parce que nous nous efforçons de l'atteindre.

L'idée que nous n'atteignons jamais la perfection, qu'elle reste hors de notre portée, me perturbe. Qu'est-ce qui m'échappe ?

Si vous définissez la « perfection » comme une destination, je suis d'accord avec vous : personne n'y parviendra jamais. Par contre, si vous la définissez comme un processus, je vous dirai que nous sommes tous « arrivés » et que les choses n'iront jamais, au grand jamais, mieux qu'aujourd'hui.

Vous et moi sommes des aventuriers au beau milieu d'une excursion remplie de révélations et de béatitude, à travers l'éternité. Notre définition exacte de qui nous sommes, de notre position actuelle et notre raison d'être évolue à chaque instant, mais nous n'en demeurons pas moins le reflet parfait de ce que nous pensons être. Nous créons infailliblement notre propre réalité, sans effort et de manière automatique, grâce aux pensées que nous cultivons, que nous en ayons conscience ou non. Le plan qui nous a envoyés ici est désormais en cours d'exécution, et *c'est un plan parfait*. L'accord par lequel nous sommes liés est *un accord parfait*. Quant à notre conscience et à notre évolution, elles sont également fluides, et *elles progressent parfaitement.*

Nous sommes *parfaits*, non pas parce que nous avons atteint tel niveau, mais parce que nous nous efforçons de l'atteindre.

Je ne comprends pas. Vous dites que j'ai choisi d'être « martyrisé » ? Y a-t-il une personne au monde qui fasse ce choix ? Si quelqu'un me contrarie, ce serait ma « volonté » ?

C'est une question qui revient souvent, car les gens ne comprennent pas comment ni pourquoi ils ont créé les épreuves ou les horreurs qui se manifestent dans leur vie. En général, personne n'écrit un scénario horrible avant même que sa vie commence, mais beaucoup d'entre nous choisissent des circonstances d'incarnation difficiles, assorties de penchants et d'inclinations qui, combinés à tous les autres choix que nous faisons, peuvent effectivement nous mettre dans le pétrin. Alors, même s'il ne venait à l'idée de personne d'épouser un meurtrier à la hache, certaines personnes choisissent de se marier avec quelqu'un de profondément perturbé, en sachant quelles conséquences éventuelles peuvent en résulter. Pourquoi quelqu'un tombe-t-il amoureux d'une personne profondément perturbée ? Il peut y avoir de très nombreuses raisons à cela, dont la première serait la reconnaissance de la divinité de cette personne et l'envie de contribuer à sa guérison. Mais ce genre de décisions ne se prend pas seulement avant le début d'une incarnation. Nos contrats spirituels, comme certains les appellent, se modifient à chaque instant de notre existence, de sorte que rien n'est prédestiné et que notre bonheur ne dépend jamais de nos choix passés.

Si vous considérez n'importe quel incident de votre vie comme un événement isolé, vous le sortez de son contexte.

Pour vous donner un autre exemple, j'ai eu plusieurs relations amoureuses qui se sont conclues d'une manière douloureuse, tout au moins pour moi. Mais aujourd'hui, avec le recul, j'en discerne beaucoup mieux les contours et je leur dois deux grandes leçons. Premièrement, j'ai appris à être honnête avec moi-même. Et, dans chaque cas, j'avais conscience qu'il était *possible* que se manifestent les problèmes qui sont apparus par la suite, ce qui ne m'a pas empêché de poursuivre la relation et même de prétendre être parfaitement choqué et consterné par les manigances ayant abouti à la rupture finale. D'où le vieux dicton : si vous jouez avec le feu, vous allez vous brûler et, quand ça arrive, ça ne sert à rien de clamer votre innocence.

Avec le recul, j'ai également pris conscience que j'avais effectivement choisi de jouer avec le feu, pour de très bonnes raisons, au point que même après avoir été brûlé, j'estime que ces relations en valaient largement la peine. Leur fin douloureuse ne représentait qu'un petit prix à payer pour tout le bien que j'en ai retiré, y compris certains des meilleurs moments de ma vie jusqu'ici. Au final, je n'ai pas seulement choisi la fin de ces relations, mais tout l'ensemble, et dans l'ensemble elles en valaient vraiment la peine.

Si vous considérez n'importe quel incident de votre vie comme un événement isolé, vous le sortez de son contexte.

En prenant en compte la vision d'ensemble, et en regardant les événements ayant précédé et suivi cet incident, vous finirez toujours par en découvrir la valeur et par prendre ainsi conscience que cette expérience est le fruit de votre envie d'apprendre et d'évoluer, afin d'acquérir plus de sagesse et de compassion.

C'est quoi le truc ? Pourquoi est-ce si difficile ? Quelle est l'astuce magique qui permet à nos bonnes pensées de se réaliser ? Est-ce que ce ne sont que nos pensées restrictives, autodestructrices et remplies de doute qui se réalisent, souvent sans effort ?

Je pense que, comme de nombreux chercheurs spirituels, vous pensez que, dans la vie, les réponses sont complexes et mystérieuses, aussi difficiles à trouver qu'à appliquer. Mais cette manière de penser ne fait que perpétuer votre quête de réponses, tout en la rendant plus difficile. Alors, reprenez les bases : la vérité, c'est que *les pensées se réalisent*, point. Tout est dit dans ces quatre mots ; ça ne peut pas être plus simple. Mais, comme je l'ai dit au chapitre 2, « Les croyances », ce sont nos croyances qui influencent nos pensées. Alors, si vous constatez que vos expériences sont plutôt insatisfaisantes, c'est simplement parce que telle est la nature de vos croyances prédominantes, que vous en ayez conscience ou non.

Dès que vous commencez à prendre conscience de vos croyances restrictives, la clé consiste à en changer tout de suite, et, pour ce faire, vous pouvez affirmer, « C'est facile, c'est amusant, et je sais comment ça fonctionne », tout en arrêtant de dire, « C'est difficile, je ne sais pas que faire et je suis perdu ». Puis, comportez-vous immédiatement comme si la vie était effectivement facile, amusante et connaissable.

De nombreuses personnes disent, « Oui, j'ai bien compris que *mes pensées se réalisent* », mais elles ne consacrent pourtant pas une minute à la visualisation. Certaines continuent même de ruminer leurs mauvais souvenirs, dont elles projettent ainsi l'ombre sur leur futur. Combien d'entre elles ont vraiment pris le temps de définir clairement la vie de leurs rêves ? Si vous croyiez vraiment que *les pensées se réalisent*, vous pratiqueriez la visualisation, vous vous concentreriez sur le meilleur et vous définiriez exactement ce que vous voulez. Et si vous ne le faites pas, c'est que vous croyez encore que la vie est quelque chose qui vous arrive, au lieu de comprendre pleinement que c'est vous qui la dirigez.

Le défi que vous devez relever, tout comme moi, est de commencer à vivre ces vérités ; les connaître ne suffit pas. Ce qu'il faut, c'est les vivre en présence de nos anciennes manifestations, ce qui est « difficile » au début, mais à mesure que votre vie changera et que vous prendrez de l'élan, ça deviendra de plus en plus facile.

À mes yeux, vos écrits – comme ceux d'autres auteurs du même genre – dénotent une mentalité visant à « blâmer la victime », qui manque singulièrement de perspicacité. Y a-t-il quelque chose qui m'échappe ?

Premièrement, la notion de « blâme » implique une faute, ce qui est une manière très négative de considérer la responsabilité. Par exemple, nous ne *blâmons* pas nos enfants quand, par pure naïveté, ils se brûlent les mains sur une plaque, tombent en courant ou attrapent la varicelle d'un petit copain à l'école, aussi, de manière analogue, nous ne devrions pas non plus *blâmer* les adultes pour ce qui leur arrive. Par ailleurs, croire qu'il existe des « victimes » ne tient aucun compte de la prémisse selon laquelle nous sommes des créateurs absolus. Nous ne sommes pas des créateurs à temps partiel, et la « domination sur toute chose » qui nous a été donnée n'est pas conditionnelle non plus ; par conséquent, aussi difficile à accepter que soit ce concept, spirituellement parlant, il n'existe pas de « victimes ». Bien sûr, la chose est impossible à discerner quand on perçoit la vie et qu'on essaie de la comprendre avec ses seuls sens physiques, ce qui la sort complètement du contexte plus général dont elle émane.

Deuxièmement, ce contexte plus général, dans lequel s'inscrivent tous les événements, est toujours spirituel. *Les pensées se réalisent* est le principe spirituel qui explique comment la matière et les diverses circonstances viennent au monde, mais il ne dit rien des raisons, des motivations ou des leçons dont s'accompagnent nos actes quotidiens. De même que la pesanteur rend possible le vol atmosphérique moderne, elle ne dit cependant rien de l'aérodynamique ou de l'aviation.

D'innombrables raisons peuvent expliquer pourquoi « de mauvaises choses arrivent à de bonnes gens », certaines étant le fruit de la naïveté, d'autres de la noblesse, mais le fait que nous n'en discernions que la douleur et les souffrances ne signifie pas pour autant que les objectifs des uns et des autres ne soient atteints, ni que les différentes parties concernées n'étaient pas cocréatrices de ces événements. *Rien de ce que je dis là, bien entendu, ne justifie la moindre violation de droits, et cela ne veut pas dire non plus que les parties concernées doivent se cantonner au rôle d'observateurs neutres. D'ailleurs, l'une des raisons mêmes pour lesquelles un tel scénario a été conçu était justement d'impliquer d'éventuels spectateurs et d'inciter autrui à remettre en question ses attitudes, ses coutumes et ses stéréotypes démodés.*

Comment se lance-t-on, une fois qu'on connaît ces choses-là ?

À petits pas. Vivre la vie de ses rêves, ce n'est pas seulement rêver ; c'est également vivre. Il faut s'exposer au monde, afin que les vents du changement puissent gonfler vos voiles ; vous devez sortir de chez vous, afin de donner à l'Univers toutes les occasions d'opérer sa magie et de mettre à votre disposition de nouvelles personnes, de merveilleux incidents et des coïncidences incroyables, qui ne se produiraient jamais si vous restiez chez vous toute la journée à visualiser. Vous devez suivre vos impulsions, retourner toutes les pierres et, si possible, selon la façon dont vous pensiez jusque-là, commencer à faire des choses que vous n'auriez jamais envisagées auparavant.

Par exemple, quand nous avons commencé à vendre des T-shirts TUT à Orlando, nous avons eu beaucoup de mal à trouver notre premier magasin de vente au détail, jusqu'à ce que le centre commercial du centre-ville, entièrement rénové, mette à notre disposition un espace extérieur réservé aux caddies. Ma mère, Andy et moi-même étions tous du même avis : *aucun d'entre nous* n'avait la moindre envie de vendre nos T-shirts dans cet endroit, mais nous avons également senti qu'on nous offrait là une pause dont nous avions grand besoin, alors nous avons signé le bail. Ce que je veux dire, c'est qu'aucun d'entre nous ne « voulait » vraiment de cet endroit, mais que nous avons *senti* que c'était la bonne chose à faire. En l'espace de deux ans (deux *très* longues années, devrais-je préciser), cet endroit a fini par devenir un petit magasin, et ce dernier s'est mué en toute une chaîne de magasins.

Au moment de prendre la décision de signer ou non ce bail, nous aurions facilement pu dire, « Non, merci. Nous n'avons pas envie de nous tanner les fesses à travailler dans un endroit pareil ; après tout, *nos pensées se réalisent*, alors, nous allons continuer de visualiser une chaîne de magasins. » Effectivement, tout est possible, et je pense qu'il y avait sans doute d'autres moyens de réussir, mais je crois surtout que pour atteindre votre destination, *surtout lorsque vous êtes encore confronté à toutes vos vieilles croyances sur la vie et le succès*, il vaut mieux commencer par une multitude de petits pas, que par un ou deux pas de géant. Mais la seule façon dont vous parviendrez à faire ces petits pas-là, c'est de plonger dans la vie la tête la première, de la vivre pleinement, de faire ce que vous pouvez, là où vous en êtes, en utilisant les ressources que vous avez, même si ces premiers pas ne vous semblent pas très glorieux.

Les réponses à chacune de vos questions se trouvent en vous. La vie n'est pas censée être un mystère absolu ; c'est un livre ouvert. Il faut simplement prendre le temps de le lire. Quoi que vous désiriez savoir, commencez par vous dire que vous le savez déjà.

---

12 LE SENS DE LA VIE

Avez-vous conscience de ce que signifie lire un ouvrage comme celui-ci ? Cette lecture a beaucoup d'implications : elle vous éveille au fait que les soi-disant mystères de l'Univers sont sans doute connaissables. Elle vous montre que vos rêves sont atteignables. Et, plus important encore, elle vous pousse à assumer la responsabilité de votre vie et de votre futur. J'espère que vous voyez le chemin que vous avez parcouru. Vous êtes indubitablement beaucoup plus proche que vous ne l'imaginez de la réalisation du bonheur et de la plénitude que vous avez choisi de vivre dans cette incarnation.

De beaux rêves

Nous avons abordé beaucoup de choses, mais ce que j'aimerais le plus vous transmettre est extrêmement simple : il *existe* un principe à l'œuvre dans l'Univers, qui fait de vos pensées les choses et les événements de votre vie. C'est un principe inviolable qui explique totalement de quelle manière il vous a effectivement été accordé de « dominer sur toutes choses ». Si vous reconnaissez et comprenez ce principe, vous pouvez commencer à l'utiliser, à transformer vos désirs en réalité et à vivre la vie de vos rêves.

Que vous soyez en train de visualiser ou de rêvasser, *vos pensées se réalisent*. Ce n'est pas prendre ses désirs pour des réalités ; c'est connaître la façon dont les choses ont toujours fonctionné dans le temps et dans l'espace, avec pour conséquence que ce que vous désirez le plus au monde ne se trouve qu'à une pensée de vous. C'est l'imagination qui fabrique le « moule » dans lequel toute matière et tout événement se forment, et pour que vous en soyez encore plus convaincu, enchaînons avec quelques raisonnements déductifs. Premièrement, je pars du principe que désormais vous avez compris que le temps et l'espace sont des illusions.

Les pensées se réalisent !

Eh bien, si le temps et l'espace sont les illusions qui forment le décor de cette grande odyssée qu'on appelle la vie, ne faut-il pas logiquement en déduire que tout ce que l'on trouve *à l'intérieur* du temps et de l'espace – la matière et les événements – est également des illusions ?

Puisque l'espace, le temps *et la matière* sont vraiment des illusions, alors, comme je le relevais auparavant, l'étoffe de nos rêves ressemble à bien des égards – à tous égards, même – à l'étoffe de nos rêves nocturnes. Or, le fait de savoir que les décors et les circonstances de vos rêves nocturnes ne sont que des illusions ne vous pose guère de problème, n'est-ce pas ? Quand vous vous les remémorez, vous savez bien que c'étaient des rêves, même s'ils vous semblaient très réels au moment de les rêver. S'agissant de nos rêves nocturnes, les choses les plus folles peuvent arriver. Une voiture peut se transformer en éléphant, un poisson peut voler – et les gens aussi ! – et nous sommes tantôt des héros, tantôt des méchants. On se sent parfois triomphant, dans ses rêves, d'autrefois on tourne en rond ou l'on s'enfonce.

Alors, laissez-moi vous poser la question suivante, « Est-ce qu'il vous semblerait impossible de croire que vous allez avoir cette nuit des rêves imprévisibles, complètement loufoques et déjantés ? ». Non, bien sûr que non. Alors, serait-il impossible que vous rêviez que vous nagez dans l'abondance et la richesse, dans la santé et l'harmonie, entouré de vos amis ? À nouveau, pas du tout.

Qu'arriverait-il, alors, si, dans un tel rêve, vous preniez conscience que vous rêvez ? Vous mettriez-vous à protester en disant, « Je ne peux pas rêver d'une telle splendeur ; je ne le mérite pas ! Ça n'est pas logique. Arrêtez tout ce nonsens ! ». Certainement pas. Car, dans un rêve, vous sauriez que tout est illusion et que la logique, le mérite et le respect de ses obligations n'auraient aucun effet sur les illusions qui vous entourent, n'est-ce pas ? Après tout, il ne s'agit que d'un rêve. Vous ne vous diriez pas non plus qu'une telle chose ne peut pas se produire, parce que la nuit dernière vous rêviez que vous étiez pauvre et sans ami. Le passé n'a aucune importance dans vos rêves, on est d'accord ? Dans ce que vous rêvez cette nuit, vous n'êtes aucunement limité par ce que vous avez rêvé la nuit dernière. Il n'existe ni restrictions ni limites dans nos rêves nocturnes, car aussi réels qu'ils paraissent, nous savons que ce ne sont que des illusions.

Vous me suivez ? Comme je l'ai dit auparavant, votre vie actuelle dans le temps et l'espace est tout autant un rêve ; elle est également une illusion. Simplement, la matière de notre existence est une forme de pensée tellement dense qu'il faut un peu plus de temps (mais guère plus) pour modifier le cours des événements. Dans votre existence actuelle, vous n'êtes pas non plus soumis à des limites, des contraintes et des obligations, vous n'êtes pas conditionné par votre passé, vous n'avez pas non plus à vous montrer digne, ni même à être logique ! Ce ne sont que des croyances, des règles que vous avez créées, qui n'ont aucune raison d'être, puisque votre seule présence ici-bas, comme en rêve, vous confère toutes les qualifications requises. En tant que l'un des fondateurs du temps et de l'espace, vous méritez tout ce que vous pouvez imaginer. Vous avez déjà payé plus que votre dû pour toute l'éternité, et rien ni personne ne peut vous prendre ce que vous avez acquis.

Vous rêvez en ce moment même, ami aventurier, et dans ce rêve, que vous en ayez conscience ou non, vous êtes illimité. Vous êtes divin. Et vous êtes puissant. L'abondance, la santé et l'harmonie ne sont qu'à une pensée de vous, une pensée qui mettra en œuvre des principes universels qui doivent vous obéir. Vous n'êtes pas seul ; l'Univers tout entier est à vos côtés, impatient de vous procurer tout ce que vous avez le courage de demander.

Vos pensées ne commencent pas à se réaliser qu'à partir du moment où vous connaissez ces choses-là ; l'Univers ne commence pas à appliquer ces principes une fois que vous avez atteint l'illumination. La partie a déjà commencé.

Aussi prévisible et fiable que la pesanteur

Que se passe-t-il quand vous lancez une balle en l'air ? Arrivée à peu près à mi-parcours, elle retombe au sol. Pourquoi ? C'est la loi ; elle est bien obligée. Aux yeux de cette loi, est-ce que la personne qui a lancé cette balle a la moindre importance ? Son âge entre-t-il en ligne de compte ? Ou alors son apparence, sa popularité ? Est-il important que cette personne soit spirituelle ? Ou « bonne » ? Faut-il qu'elle soit illuminée ? Est-il même important qu'elle ait foi en cette loi, en l'Univers ou même en Dieu ? Non ! *Rien n'entre en ligne de compte*, une fois qu'elle a lancé cette balle, car sitôt que cet objet quitte sa main, *c'est l'Univers et ses principes qui prennent le relais*. Et c'est exactement ce qui se passe quand vous choisissez vos pensées, alors choisissez-les avec sagesse.

Est-ce que vous voyez ce que cela signifie ? N'est-ce pas hallucinant ? Des possibilités infinies : quel euphémisme ! Il n'y a *rien* que vous ne puissiez faire, *rien* que vous ne puissiez avoir, et *rien* non plus que vous ne puissiez être !

Les pensées se réalisent, et notre vie en est la preuve, et pourtant, quelle ironie ! Chacun d'entre nous vit déjà la vie de ses rêves ; sauf que certains ne sont pas très satisfaits de ce qu'ils rêvent. Vos pensées ne commencent pas à se réaliser qu'à partir du moment où vous connaissez ces choses-là ; l'Univers ne commence pas à appliquer ces principes une fois que vous avez atteint l'illumination. La partie a déjà commencé, et c'est vous qui y jouez.

Vos pensées sont toujours devenues les objets et les événements de votre vie, y compris en cet instant. Vous vivez déjà la vie de vos rêves ; c'est une vérité inévitable. Observez tout ce que vous voyez et ressentez. C'est ce que vous avez appelé par vos pensées. Et vous pouvez changer tout cela en un clin d'œil.

À tous égards, vous êtes déjà un maître ; vous déplacez déjà des montagnes, et vous n'avez cessé de réaliser l'impossible durant toute votre vie. Il vous faut simplement en avoir l'intime conviction, afin de pouvoir réorienter délibérément votre vie et mettre en œuvre les changements conscients que vous désirez. Et la manière la plus rapide d'y parvenir consiste *à vous connaître et à vous comprendre, à être vous-même, seulement vous-même, et pleinement vous-même*. En vérité, vous êtes le seul mystère auquel vous ayez été jamais confronté, tout en n'étant pas un mystère du tout. Comprenez-vous vous-même, et vous comprendrez l'Univers.

Votre plus grande histoire d'amour

Par où commencer ? En appréciant qui vous êtes et en aimant tout ce que vous possédez déjà. Vous êtes quelqu'un d'unique, de spécial. Vous savez que c'est vrai. Personne d'autre au monde ne voit exactement les choses comme vous, n'a les mêmes intuitions que vous et ne ressent les choses comme vous les ressentez. (Je sais à qui je m'adresse.) Vous avez le cœur sur la main et vous feriez pratiquement n'importe quoi pour n'importe qui, sauf pour vous-même... jusqu'ici.

Appréciez-vous, car vous êtes en ce moment même tel que vous êtes censé être, exactement là où vous devriez être, à vous poser exactement les questions que vous vous posez en ce moment, et que vous ne poseriez pas, si votre passé n'avait pas été *exactement* ce qu'il fut. Alors, soyez-en heureux – heureux de tout ce que vous avez fait, appris et vécu, de bon, de mauvais et de moche – car c'est tout cela qui vous a donné votre niveau de compréhension actuelle, tout en vous poussant à vouloir aller plus loin.

Appréciez-vous, car plus vous le ferez, plus les autres le feront, et à un degré encore plus important. Plus vous vous appréciez, plus votre vie sera facile. Vous serez encore plus sollicité au travail, chez vous, partout. Votre santé s'améliorera. Votre « équilibre » augmentera, l'abondance viendra à vous sans effort. Vous dormirez mieux, vous jouerez davantage ; vous aurez moins peur, vous en « connaîtrez » plus. Et, oui, aussi accessoire que cela puisse paraître, vous aurez l'air encore plus beau/belle. Des minutes et des heures s'ajouteront à vos journées, votre vie s'améliorera, et vous aurez de plus en plus de dynamisme. D'ailleurs, vous êtes déjà en mouvement et rien ne vous arrêtera. Les preuves en sont partout ; il n'y a pas à en douter. La vie est tellement extraordinaire, et vous êtes invincible.

Vous êtes le seul mystère auquel vous ayez été jamais confronté, tout en n'étant pas un mystère du tout. Comprenez-vous vous-même, et vous comprendrez l'Univers.

Quelque part au paradis, maintenant

Il est facile de prendre ce monde incroyable et notre propre existence pour acquis. Alors, commencez par observer la magie à l'œuvre partout, dans votre propre jardin comme dans le monde entier. En cet instant même, *à cette seconde précise,* quelle que soit l'heure de la journée, quelque part dans le monde des vagues bruyantes s'écrasent sur le sable blanc d'une plage tropicale, au lever du soleil. Vous pouvez presque les entendre, si vous essayez. Et, en ce moment même, des dauphins s'élancent dans l'air, des castors construisent des barrages et des aigles planent haut dans le ciel. Quelque part, au moment où vous lisez ces lignes, de la lave s'écoule d'un volcan, une nouvelle île s'élève du fond des océans, et de la neige tombe silencieusement à la campagne.

Quelque part ailleurs, deux inconnus se rencontrent à la suite d'une série d'événements imprévisible, mais non accidentelle, et ils s'apprêtent à débuter une merveilleuse aventure. Encore ailleurs, une personne est en train de guérir d'une pathologie horrible à laquelle on lui avait dit qu'elle ne survivrait pas. Maintenant aussi, peut-être même dans votre ville, quelqu'un prend conscience qu'il est désormais assez riche pour ne plus jamais avoir à se soucier d'argent, tandis que d'autres rient à gorge déployée avec des amis, à pratiquement s'en casser les côtes. Et le temps que vous lisiez cette phrase, un nouveau-né vient de remplir ses poumons pour la première fois et le même amour qui fait battre son petit cœur fait battre le vôtre, cet amour que vous envoie un Univers qui vous adore, qui vous considère comme son enfant chéri, et qui rêve de vous voir heureux.

Vous n'êtes pas redevable à la vie ; *c'est la vie qui vous est redevable.*

De mieux en mieux

Vous êtes l'enfant prodigue qui s'est perdu, mais l'Univers bénit votre errance et se prépare patiemment à votre retour, à tout moment : non pas un retour vers quelque paradis céleste éloigné de la Terre, mais bien à *un paradis sur Terre, maintenant*. Et bien que vous ayez momentanément oublié d'où vous veniez, l'Univers ne vous a jamais abandonné et le monde est toujours à vous. Vous n'êtes pas là pour connaître le manque, la maladie ou les limites ; vous êtes là, dans cette incarnation-ci, pour connaître l'abondance, la santé et l'harmonie. Tel est votre but : pouvoir vivre la vie de vos rêves. Comprenez cela, croyez-en votre souveraineté, choisissez vos pensées en fonction, *puis vivez votre vie extraordinaire et étonnante*.

Ne vous contentez pas d'observer la magie à l'œuvre ; utilisez-la ! Osez-le ! Rêvez en grand, en vous attendant à ce que vos rêves se manifestent. *Exigez* qu'ils se réalisent ! Vous n'êtes pas redevable à la vie ; c'est la vie qui vous est redevable. Vous êtes le maître, son créateur. Vous êtes sa raison d'être. C'est vous qui étiez là en premier.

Rappelez vous qui vous êtes, centrez-vous dans le présent, visualisez, accomplissez des actes de foi et observez ce qu'il en résultera. Au début, quelques étincelles de magie feront leur apparition dans la semaine – de curieuses coïncidences qui ne sembleront pas avoir beaucoup de sens – sauf qu'elles éveilleront un écho dans les profondeurs de votre être. Vous constaterez que vous vous faites moins de soucis, que vous êtes plus centré sur le présent et que vous appréciez davantage qui vous êtes. Vous connaîtrez peut-être encore un ou deux « revers », mais vous constaterez que votre résilience a augmenté et que vous avez conservé une forme de nonchalance divine. Vous comprendrez alors que ces « revers » sont comme les ultimes miettes de votre ancienne vie et de votre vieux mode de pensée, *et vous vous épousseterez du revers de la main en regardant droit devant vous.*

Vous voyez très bien ce que je veux dire, n'est-ce pas ? Tout a déjà commencé à changer dans votre vie. Aujourd'hui, plus que jamais auparavant, vous appréciez de pouvoir passer des moments seul ; vous aimez rêvasser, laisser vagabonder vos pensées ou visualiser. Vous avez une confiance accrue et vous sentez la présence de l'Univers dans tout ce que vous entreprenez.

Vous n'attribuez plus vos succès à votre moi mortel, aussi splendide soit-il. Vous en attribuez tout le mérite à votre merveilleux Moi spirituel et à sa connexion à l'Intelligence divine. Vous comprenez enfin que vous ne pouvez rien faire, rien être sans sa magie, et vous réalisez que chacun de vos succès précédents était dû au fait d'avoir su y faire appel. Vous avez l'impression d'avoir retrouvé un ami perdu de longue date, et vous vous sentez parfois si léger que vous avez presque l'impression de flotter. Ces derniers temps, des larmes de joie vous venaient pratiquement aux yeux tous les jours.

Vous voyez Dieu en chaque être ; vous ressentez les joies, les chagrins et les rêves de chacun. Vous avez envie d'aider tout le monde, et vous vous sentez presque coupable de vos propres « bénédictions », car vous avez conscience de n'être en rien différent de ceux que vous rencontrez qui souffrent encore, d'où votre envie d'alléger leur fardeau. Vos priorités ont changé et ce qui compte désormais le plus pour vous, c'est de *partager* avec eux – avec ceux qui le veulent bien – une autre manière d'envisager la vie. Vous savez que c'est tout ce que vous pouvez leur offrir, car c'est à eux de trouver ce que vous avez découvert, en allant en eux-mêmes pour enfin se comprendre. Vous leur servez simplement d'exemple.

Et puis, récemment, vous avez observé quelque chose de curieux. Les principes physiques semblent avoir maintenant moins d'importance que les principes spirituels. Désormais, moins ne signifie plus moins ; la logique ne s'applique plus. Vous constatez au contraire que plus vous donnez, plus il vous est donné en retour. Plus vous enseignez, plus on vous montre le chemin. Plus vous guérissez, plus on vous guérit. Et, de jour en jour, tout ce que vous faites semble à la fois plus simple et plus facile. La vie vous semble si juste, si riche et abondante, l'amour est présent partout ; au point que vous vous demandez comment cela a pu vous échapper auparavant.

Vous passez désormais de plus en plus de temps, chaque jour, à vous calmer les esprits et à réfléchir aux moyens de partager la richesse et le bonheur qui sont désormais les vôtres. Vous planifiez des surprises, vous faites des cadeaux anonymes, vous complotez des partenariats secrets. Vous êtes en mission, et au cours de cette mission vous remarquez que, pour la première fois de votre vie, vous n'éprouvez pratiquement aucune résistance. Vous dites « Oui ! » à chaque être et à chaque situation.

Vous réalisez que les opportunités *comme les défis* que vous rencontrez sont parfaits pour votre évolution, qu'il n'y a pas d'accidents, et qu'il n'y en a jamais eu par le passé. Vous donnez tout ce que vous pouvez à chacun, et pourtant il vous reste encore assez de temps. C'est comme si plus vous en faisiez, plus vous pouviez en faire, parce que vous savez faire appel à la magie de l'Univers ; vous et l'Univers formez désormais une équipe. Chaque jour est tellement un cadeau que vous avez l'impression d'être redevenu enfant, plein d'émerveillement, animé d'une soif d'exploration et de jeu impossible à étancher.

La vie n'est-elle pas fantastique, ami aventurier ? Où que vous en soyez maintenant dans votre vie, accrochez-vous, car il y a tant de bonheur en réserve pour vous. Même si vous avez atteint votre apogée, d'autres surprises vous attendent, au point que vous ne pouvez même pas les imaginer maintenant ; elles dépassent votre imagination la plus folle.

Vous êtes prêt. Vous êtes divin. Vous êtes puissant illimité et éternel. Vous êtes invincible. Vous êtes sublime. Vous êtes infini, et vous méritez tant de choses. Vous êtes Dieu. Cultivez de bonnes pensées, cheminez avec elles, écoutez votre cœur et votre tête, sentez le chemin qui vous convient, et l'Univers déversera en vous sa magie jusqu'à ce que chacune de vos tasses, chacun de vos seaux et de vos baignoires débordent par la fenêtre, s'écoulent dans la rue et affectent la vie de tous vos proches.

ÉPILOGUE

D'accord, d'accord, ce n'était pas très fair-play. Nous savions depuis le début que vous étiez perdu. D'ailleurs, nous en savons bien plus à votre sujet que vous ne l'imaginez.

Écoutez, cher ami : vous faisiez partie des plus courageux d'entre nous, si courageux, d'ailleurs, que vous nous avez en quelque sorte laissés derrière. En effet, voyez-vous, aucun d'entre nous n'a encore *testé le temps et l'espace, car nous voulions d'abord voir comment vous vous en sortiez !*

En réalité, vous n'êtes pas parti depuis aussi longtemps que nos plaisanteries le suggèrent, mais, avant votre départ, nous avons accepté d'être votre numéro de secours, vos anges, au cas où vous décideriez de nous appeler. Nous avons rempli notre rôle, et nous avons été là chaque fois que vous avez émis ne serait-ce qu'un « Ouille ! » (même si nous nous sommes débarrassés des costumes blancs ailés que vous vouliez nous voir porter). Voilà où nous voulons en venir : vous avez fait un travail tellement formidable que nous sommes plus qu'impatients de vous rejoindre, quoique nous craignions que vous nous en vouliez si nous abandonnons notre poste.

C'est pourquoi nous y avons réfléchi et nous avons conclu qu'au rythme où vous progressez, vous n'avez plus vraiment besoin de nous. De plus, comme on peut le voir, il n'y a pas grand-chose que nous puissions véritablement faire pour vous, sinon fulminer depuis les « gradins ». Vous ne vouliez pas que cela se passe autrement, vous vous rappelez ?

Par ailleurs (et nous ne le savions pas quand vous êtes parti), quand nous débuterons nos propres aventures, nous resterons en contact avec vous, nous serons disponibles sitôt que vous nous appellerez, même si, consciemment, aucun d'entre nous n'en saura rien.

Quoi qu'il en soit, nous avons déjà pris notre décision depuis un certain temps, avant même que vous entamiez cette incarnation, et nous avons tous prévu de venir dans le même temps et le même espace que vous. D'ailleurs, l'un d'entre nous est peut-être votre voisin bruyant... Ha ! Ha ! Et, au cas où la question vous a traversé l'esprit, nous avons également fait en sorte que vous trouviez ce livre grâce aux « synchronicités » dont nous avons déjà parlé. Vous ne croyez plus aux coïncidences, n'est-ce pas ?

Pour que vous ne vous sentiez pas trop exclu, nous avons chapardé l'extrait suivant des mémoires de l'un des Illustres, pour faire pencher la balance en faveur de votre désir de comprendre.

Adios amigo, et jusqu'à ce que nous nous retrouvions, rappelez-vous ceci :

La vie n'est pas un jeu de cache-cache, et ne consiste pas non plus à apprendre ce que vous avez oublié ; il ne s'agit même pas de vous en souvenir. Il s'agit simplement d'ÊTRE, ÊTRE vous-même ! Vous êtes venu au monde pour amplifier la nature infinie de Dieu.

Ne vivez que pour ÊTRE celui ou celle que vous êtes déjà maintenant. Vous êtes le premier et le dernier espoir de la création d'assumer ce rôle que vous seul pouvez tenir, et l'éternité passera avant qu'une telle chance se présente à nouveau.

Vous êtes le rêve de toute une légion qui vous a précédé et qui vous a transmis le flambeau de la conscience spatio-temporelle, afin que, par votre seule existence, vous puissiez immensément enrichir Tout Ce Qui Est : par le seul fait d'ÊTRE, vous allez réaliser ce rêve, centré dans l'ici maintenant, où tous les rêves se réalisent, où demeure toute vérité et où naît la compréhension.

Votre cœur a été conçu à l'aube de la création, dans une danse destinée à célébrer la naissance de l'éternité ; vous ne pouvez faire aucun mal. Il n'existe ni « obligations » ni « interdits », rien n'est non plus « juste » ou « faux ». Vivre, ce n'est pas être heureux ou triste, bon ou méchant. Ce n'est même pas réaliser ses rêves, puisque c'est inévitable.

Il n'y a que l'ÊTRE. L'ÊTRE éternel. L'ÊTRE inévitable. Vous êtes parfait ; c'est ainsi. Votre lumière rare et précieuse a illuminé (et continuera d'illuminer) tous les mondes que vous créez, des mondes qui attendent désormais votre ÊTRE béni.

À PROPOS DE MIKE

Avant d'enseigner l'art de vivre, de rêver et d'être heureux, Mike Dooley a passé 16 ans dans le monde de l'entreprise. Il a été expert-comptable agréé durant six ans chez Price Waterhouse, aux États-Unis et à l'étranger, avant de fonder Totally Unique T-shirts, dans le but de vendre au détail des cadeaux et des habits inspirés. Un million de T-shirts plus tard, il a enregistré son premier programme audio, *Vos possibilités infinies : l'art de vivre vos rêves*, qui est devenu un best-seller indémontable depuis sa parution en 2001, avec plus de 4 millions de CDs vendus, sans oublier sa version écrite que représente ce livre. Au cours des sept dernières années, Mike est allé propager sa philosophie sur la route, intervenant dans plus de 19 pays sur les cinq continents, devant des dizaines de milliers de personnes. En 2006, il figurait dans le livre et le DVD *Le Secret,* best-seller mondial. Aujourd'hui, son courriel quotidien « Notes from the Universe », destiné à rappeler à chacun son pouvoir et sa divinité, est adressé à 300 000 personnes dans 182 pays.

Pour un savoir plus sur Mike et ses enseignements : www.tut.com

LECTURES RECOMMANDÉES

Il ne s'agit pas du tout d'une liste exhaustive de tous les livres les meilleurs. Ce sont simplement les titres qui ont eu le plus d'impact sur moi et qui m'ont aidé à définir et à confirmer mes propres pensées et intuitions. Je vous les offre comme suggestions de lecture, pour enrichir votre propre aventure. Ils ne sont pas présentés dans un ordre particulier.

La nature de la réalité personnelle, par Jane Roberts

Comme tous les livres de la série *Seth* (tous remarquables), celui-ci est très profond, objectif et même assez complexe, mais je considère que Seth est le « grand-père » de tous les autres.

Siddhartha, de Hermann Hesse

Une sagesse éternelle, distillée dans une histoire mondialement connue.

Le jeu de la vie et comment le jouer, Florence Scovel-Shinn

Des conseils à la fois simples et puissants. Écrit en 1920. Une lecture facile, à tout âge.

La vie des maîtres, Baird Spalding

Époustouflant ! Récit d'aventures et source d'inspiration.

Jonathan Livingston le Goéland et **Le messie récalcitrant**, de Richard Bach

Enthousiasmants, drôles et faciles à lire. Ces deux romans sont pratiquement appréciés par tout le monde, pour de bonnes raisons !

Le voyage hors du corps, Robert Monroe

Un classique sur les expériences de sortie hors du corps.

La vie après la vie, de Raymond Moody et Élisabeth Kübler-Ross

L'ouvrage le plus connu sur la vie après la vie et les expériences de mort imminente.

Conversations avec Dieu, de Neale Donald Walsch

Chacun des livres de cette série vous ouvre l'esprit. Ils sont également faciles et agréables à lire.

Le livre d'Emmanuel, de Pat Rodegast et Judith Stanton

Toute cette série de livres est là pour nous rappeler combien nous sommes angéliques. Merveilleux.

Ramtha : le livre blanc, de Ramtha

Un livre puissant, une source d'inspiration. Facile à lire et sans doute l'un des livres les plus forts de toute cette liste.

Le prophète, de Kahlil Gibran

À la découverte des vérités les plus fondamentales. Un autre best-seller indémontable.

La science de l'enrichissement, de Wallace Wattle

Si vous avez envie d'être riche, vous adorerez ce livre. Un point de vue à la fois unique et encourageant.

La source vive, d'Ayn Rand

Même si elle était agnostique/athée, ses livres sont à mon avis extrêmement spirituels, car elle se considérait comme une « adoratrice de l'homme », et elle s'émerveillait devant la gloire de la vie et notre capacité à dominer toute chose. Ses romans sont captivants, romantiques et profondément philosophiques, et son talent hors-norme.

Le Secret, de Rhonda Byrne

Je suis reconnaissant d'avoir pu être l'un des intervenants de ce documentaire exceptionnel sur la Loi de l'Attraction. Une source d'inspiration.

TABLE DES MATIÈRES